JN096332

これで合格

公務員
合格ゼミ

理　科

学校法人 公務員ゼミナール
名倉　猛 編著

いいずな書店

まえがき

昨今、働きがいのある職業として、また安定した職業として公務員が脚光を浴びています。特に、若者の非正規雇用の増加や格差の拡大が進行するなかで、自らの努力によってその身分が得られる公務員の人気は根強いものがあります。しかし一方、公務員の人員削減が進行する中で、その門はやはり狭いと言わざるを得ません。

では、そのような難関をくぐり抜けるには、どのような勉強をしたらよいのか？

これは公務員を希望する人に共通の悩みでしょう。実際、公務員試験をみると、あらゆる科目のあらゆる分野から出題されているように思え、どこから勉強の手をつけてよいか途方にくれてしまうかも知れません。

本書はそのような悩みを持つ人への一助となるべく作られたものです。私たちは長年、公務員希望者を直接指導するなかで、受験生にとって最も効率よく、またわかりやすい勉強方法を追求してきました。本書にはその成果がふんだんに盛り込まれています。

たとえば、各教科の内容は必要最低限のものにしぼり込まれていますが、これは長年、本試験の出題傾向を分析した結果に基づいています。また、解説は受験生の弱点・盲点を把握した上で書かれているため、類書にない懇切丁寧なものとなっています。

どこを、どのように勉強すればよいのか――そう思ったら、本書を使ってみて下さい。最も確実な答えがそこにあるはずです。

皆さんが本書を活用されて、合格の栄冠を勝ち取られることを願ってやみません。

公務員ゼミナール講師陣

公務員試験のなかみ

高卒程度・初級試験

	試験の種類	事務系	技術系	体力系	主な内容
一次試験	教養試験（基礎能力試験）五肢択一	◎	◎	◎	次頁に詳細。
	適性試験（事務適性検査）五肢択一	○	×	×	120題15分（国家公務員）、100題10分（地方公務員）など。簡単な計算や図形の正誤、文章や記号の比較などの問題。短時間にできるだけ多く解答することが求められる。実施しない県・市町村もある。
	専門試験 五肢択一	×	◎	×	40題100～120分、30題90分など。「土木」「建築」「電気」など、募集区分に対する専門試験。
二次試験	体力試験	×	×	◎	受験先により内容が異なる。一次試験で実施する場合もある。
	作文試験	◎	○	○	50分で600字程度、60分で800～1200字程度など。一次試験で実施しても、二次試験の際に評価される場合が多い。
	面接試験	◎	◎	◎	個別面接が主流。集団面接（数名の受験者をまとめて面接）や集団討論（受験者同士が、与えられた課題について議論する）を実施することもある。

大卒程度・中上級試験

	試験の種類	事務系	事務系以外	体力系	主な内容
一次試験	教養試験（基礎能力試験）五肢択一	◎	◎	◎	次頁に詳細。
	専門試験 五肢択一	◎	◎	×	40題120～180分など。事務系は、「法律」「経済」「行政」から出題される。それ以外は、募集区分に対する専門試験。一部の市町村では実施されない。
	適性試験（事務適性検査）五肢択一	△	×	×	一部の市町村で実施。100題10分。簡単な計算や図形の正誤、文章や記号の比較などの問題。短時間にできるだけ多く解答することが求められる。
二次試験	体力試験	×	×	◎	受験先により内容が異なる。一次試験で実施する場合もある。
	論文試験	◎	◎	◎	60～120分で600～1600字程度。一次試験で実施する場合もある。
	面接試験	◎	◎	◎	個別面接が主流。集団面接（数名の受験者をまとめて面接）や集団討論（受験者同士が、与えられた課題について議論する）を実施することもある。

教養試験の出題内訳

高卒程度・初級試験

		総出題数（解答時間）	数的推理（数的処理）	判断推理（課題処理）	社会	国語・英語	理科
国家公務員	国家一般 税務職 海上保安官 刑務官	40題（90分）	7題	7題	11題	11題	4題
	裁判所一般	45題（100分）	13題	4題	14題	10題	4題
地方公務員	県職 警察官	50題（120〜150分）	9題	8題	14題	13題	6題
	市町村職 消防官 （Standard）注4	40題（120分）	8題	7題	14題	6題	5題

大卒程度・中上級試験

		総出題数（解答時間）	数的推理（数的処理）	判断推理（課題処理）	社会	国語・英語	理科
国家公務員	国家一般 国税専門官	40題（140分）	9題	7題	10題	11題	3題
	裁判所一般	40題（180分）	9題	7題	10題	11題	3題
地方公務員	県職 警察官	50題（150分）	8題	9題	18題	9題	6題
	市町村職 消防官 （Standard）注4	40題（120分）	7題	8題	14題	6題	5題

注１　分野ごとの出題数は年度によって若干異なります。

注２　大学生・大学卒業者でも、受験可能な高卒・初級程度の試験があります（刑務官、海上保安官など）

注３　一般的な出題内訳は、以上の通りです。なお、これ以外のパターンもありますので、受験する試験の受験案内をご確認ください。

注４　市町村・消防官の教養試験は、Standard（標準タイプ）・Logical（知能重視タイプ）・Light（基礎力タイプ）の３タイプが施行されています。上表ではStandardの出題内訳を掲載しています。Logicalの総出題数・解答時間はStandardと同じですが、Lightは60題・75分です。自治体や職種によってタイプが異なることもありますので、受験案内等でご確認ください。詳細につきましては、日本人事試験研究センターの http://www.njskc.or.jp/ をご参照ください。

合格のための勉強法

①教養合格ラインは6～7割

これだけたくさんの出題分野を「すべて完璧に」勉強するのは、誰にもできないことです。そのため合格点はあまり高くなく、問題の難易度にもよりますが、難関といわれる試験で7割程度、ふつうは6割程度です。

②やさしい問題、よくでる問題を集中的に

難しい問題も1点、簡単な問題も1点です。難しい問題は、それがわかるようになるための勉強時間も膨大なものになりますし、本番でも解く時間がかかります（1題に5分以上かけていては他の問題を解く時間がなくなる！）。

資格試験（基準点をこえないと合格しない）ではなく、競争試験（他の人より1点でも高ければ合格する）ですから、みんなが解けない難問は自分も解けなくてよいのです。

みんなが解ける問題を自分も確実に解くこと、これが公務員試験対策の基本です。公務員合格ゼミシリーズは、難問を思い切って省略し、合格のために必要な問題のみを選びぬいて掲載しています。

③「学校で習わない」出題数の多い数系でまず得点

公務員試験独特の分野である「数的推理（数的処理）」「判断推理（課題処理）」「資料解釈」は、学校では習わない教科で、一番とまどう問題です。公務員合格ゼミシリーズ『数的推理』『判断推理』を使って、解法パターンをマスターすることが大切です。例題で解き方の基本を押さえ、演習を繰り返し解いて、「この問題はこの解き方だ！」とすぐにひらめくようにしましょう。

この分野は、出題数も多く、ここで点をかせぐことが重要です。出題数の$\frac{2}{3}$程度が目標得点です。

④「捨て教科を作らない」知識系は広く浅く

いくらある教科が得意でも、その教科の出題を必ず全問解けるようにするためには「高校の教科書をすみからすみまで」やる必要があります。そんな勉強をやるより、不得意教科の簡単な分野を勉強する方がはるかに勉強時間は少なくてすみます。

数系以外の教科は、公務員合格ゼミシリーズ『国語・英語』『社会』『理科』を使って、まず「まとめ」をノートなどに書いて覚えましょう。その上で演習を解いて、知識が定着しているかどうかを確かめていきます。

特に高校を卒業してから時間がたっている方は、ここの分野をつい放置してしまいがちですが、理系であれば社会、文系であれば理科を特に意識して勉強していきましょう。

捨て教科を作らず、どの教科も基本的な問題は必ず解けるようにします。出題数の$\frac{1}{2}$程度が目標得点です。

⑤いろんな過去問をやっておこう

公務員試験は、一部の例外を除いて、人事院及びその外郭団体が一括して作成しています。たくさんの問題を作成しなければならないため、数年前に他の職種で出題した問題に手を加えて出題することが多くみられます。

ですから、警察官志望だから警察官の過去問だけしかしない、というのは間違った考え方なのです（言い方を変えれば、警察官の試験にだけ出る問題というのもありません）。

また、中上級のベーシックな問題は、初級の問題とレベルは変わりません。大卒程度の試験を受ける場合は、まず、本書に掲載されたレベルの問題は確実に解けるようにしておきましょう。さまざまな過去問を多数こなせば、本番試験で同じ問題に出会うことも多くなります。

公務員合格ゼミシリーズは、そのような理由から過去問だけで構成しており、シリーズ全体で900題以上もの過去問を網羅しています。一度すべてを解いた人も、試験直前には、もう一度問題をやり直してみましょう。

◎出題頻度について

本書では、各項目の問題の出題頻度を星印の数で表示しています。

出題頻度　★★★★	最頻出。繰り返し練習し、得点源にしてほしい。
出題頻度　★★★	頻出。必ず理解・習得しておくべき。
出題頻度　★★	標準。確実に合格するためには、ここまでは学習しておきたい。
出題頻度　★	出題頻度は高くない（試験によっては出題が見られる）。

目 次

I 物理

II 化学

III 生物

IV 地学

I
物　理

I - 1

速度と距離

出題頻度　★★★★

まとめ

①速度の合成・分解、相対速度

●**速　度**　「向き」と「大きさ」の要素をもつ

・一直線上のとき
逆向きの速度を負で表す

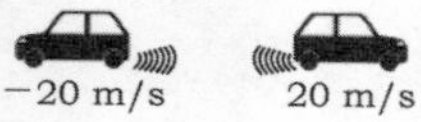

・複雑なとき
ベクトルで表す

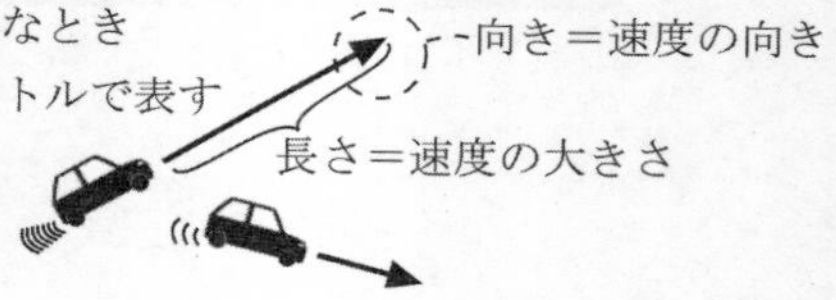

−20 m/s　20 m/s

向き＝速度の向き
長さ＝速度の大きさ

●**速度の合成（ベクトルの合成）**
2つの速度をたし合わせることができる

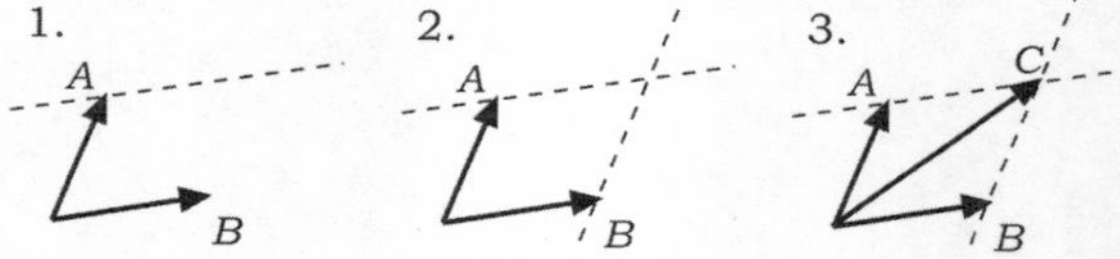

1.　2.　3.
A　B　C

1. たし合わせる速度 A のベクトルの先端を通り速度 B に平行な線を引く
2. 同様に速度 B のベクトルの先端を通り速度 A に平行な線を引く
3. できた平行四辺形の対角線が、速度 A・速度 B の合成速度 C となる

●**速度の分解（ベクトルの分解）**
速度を2つの方向に分けることができる

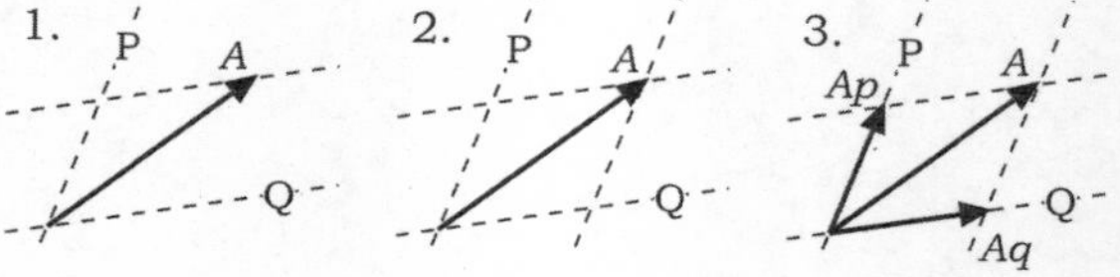

1.　2.　3.
P　A　Q　Ap　Aq

1. 分解する速度 A の先端を通り、分解する方向Qに平行な線を引く
2. 同様に速度 A の先端を通り、分解する方向Pに平行な線を引く
3. できた平行四辺形の2辺が、P方向の速度 Ap とQ方向の速度 Aq となる

●相対速度　動いている自分から動いている相手を見たときの、相手の「見かけ」の速度

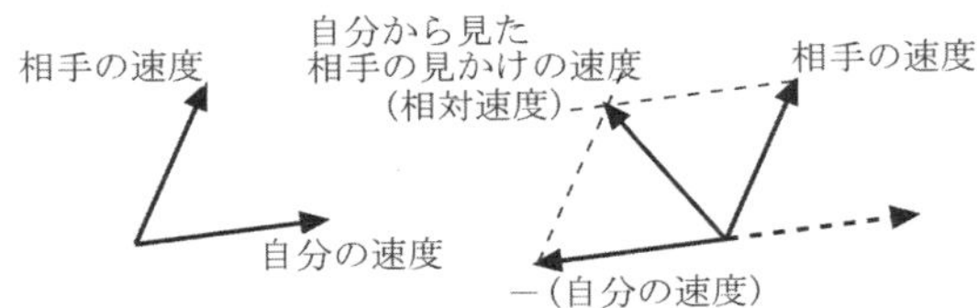

相対速度＝(−自分の速度)＋相手の速度

②等加速度運動

・同じ加速度で速度が変わっていく運動

●加速度　1秒あたりの速度が変化する割合 { 正：初速度と同じ向き / 負：初速度と逆向き

速　度 ＝ 初速度 ＋ 加速度 × 時　間

$$v = v_0 + a t$$

単位	m/s	m/s	m/s²	s

●等速運動と等加速度運動のグラフ

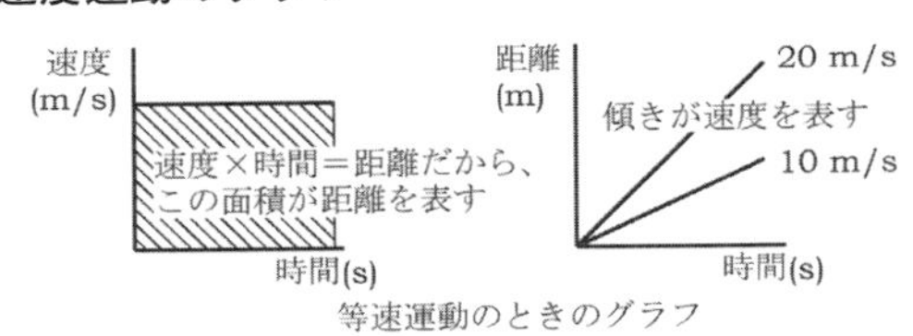

等速運動のときのグラフ

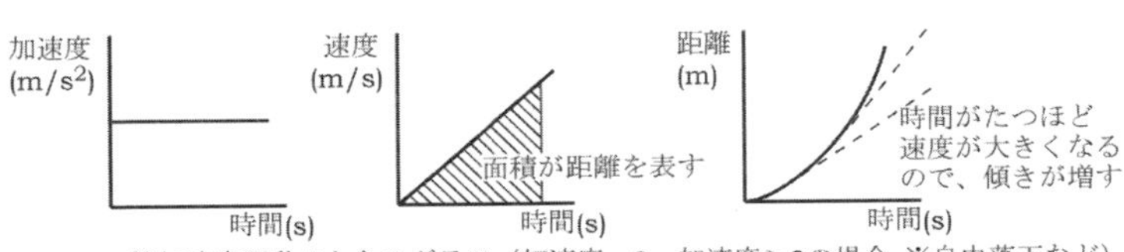

等加速度運動のときのグラフ（初速度＝0、加速度＞0の場合 ※自由落下など）

●等加速度運動と距離　上図のように、速度－時間グラフを描けば、速度と時間で囲まれる部分の面積が距離を表す

※グラフによる解法を用いない場合は、次の2公式が必要

距　離 ＝ 初速度 × 時　間 ＋ $\frac{1}{2}$ × 加速度 × (時　間)²

$$s = v_0 t + \frac{1}{2} a t^2$$

単位	m	m/s	s	m/s²	s

(速　度)² − (初速度)² ＝ 2 × 加速度 × 距　離

$$v^2 - {v_0}^2 = 2 a s$$

単位	m/s	m/s	m/s²	m

③重力運動

・物体が落下する運動は、物体の質量に関係なく加速度9.8 m/s²（重力加速度 g）の等加速度運動となる

●**自由落下**（投げずに自然に落下）　初速度0 m/s、加速度9.8 m/s²の等加速度運動

●**鉛直投げ上げ**（真上に投げる）　投げた速度が初速度、加速度－9.8 m/s²の等加速度運動

・最高点は、速度が0 m/sになる点として解く

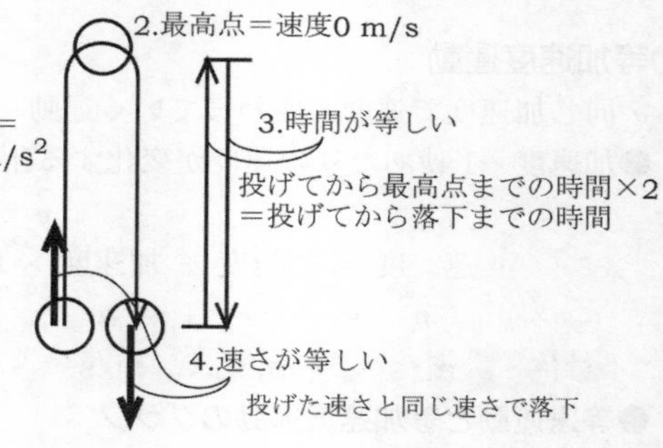

●**水平投げ**（水平方向に投げる）
水平方向は投げた速度で等速度運動、鉛直方向は自由落下

●**斜方投げ**（斜めに投げる）　速度を水平方向の速度と鉛直方向の速度に分解する

・水平方向…水平方向の速度成分で等速度運動
・鉛直方向…鉛直方向の速度成分で鉛直投げ上げ（または鉛直投げ下げ）運動

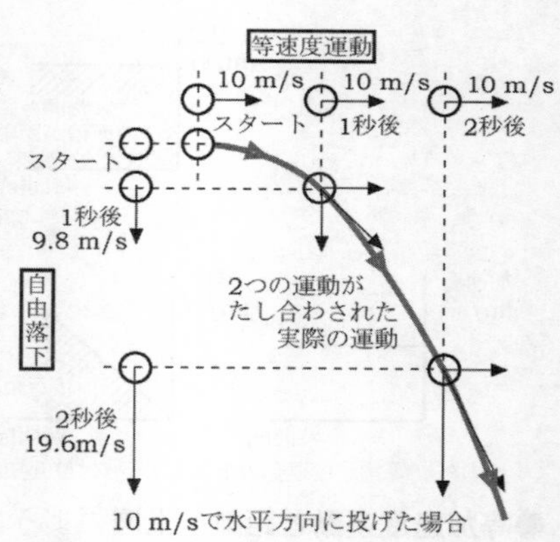

練　習

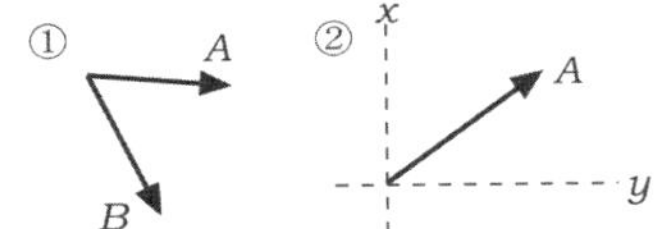

① 図の速度 A と速度 B をたし合わせた合成速度 C を図示せよ。

② 図の速度 A を x 方向と y 方向に分解せよ。

③ 西向きに 4 m/s で進む船に乗っている人が、甲板を南向きに 3 m/s で走るとき、その人が実際に進む方角と速さはいくらか。

④ 西向きに 4 m/s に進む船に乗っている人から見て、川岸で南向きに 3 m/s に走る人が進むように見える方角と速さはいくらか。

⑤ 2 m/s で進んでいた物体が等加速度運動を始め、2 秒後には同じ向きに 5 m/s の速度で進むようになったとき、この間の加速度はいくらか。

⑥ 20 m/s で走行していた電車がブレーキをかけて一様に減速し、5 秒後に停車したとき、この間の加速度はいくらか。

⑦ 速度 20 m/s で動いていた物体が一様に速度を落として、5 秒後には 10 m/s で進むようになったとき、この間に進んだ距離はいくらか。

⑧ 陸橋の上から静かにボールを落としたところ、3 秒後に地面に当たった。地面にあたる瞬間の速度はいくらか。

⑨ 陸橋の上から静かにボールを落としたところ、3 秒後に地面に当たった。地面から陸橋までの高さはいくらか。

⑩ 地表から真上に向けて 39.2 m/s の速さで物体を打ち出したとき、この物体が最高点に達するのは何秒後か。また、地表まで落ちてくるのは何秒後か。

⑪ 地表から真上に向けて 39.2 m/s の速さで物体を打ち出したとき、この物体は最高何 m の高さに達するか。

⑫ 塔の上から水平方向に向かって 19.6 m/s の速さで物体を投げたところ、3 秒後に地面に当たった。塔の高さはいくらか。

練習の解答

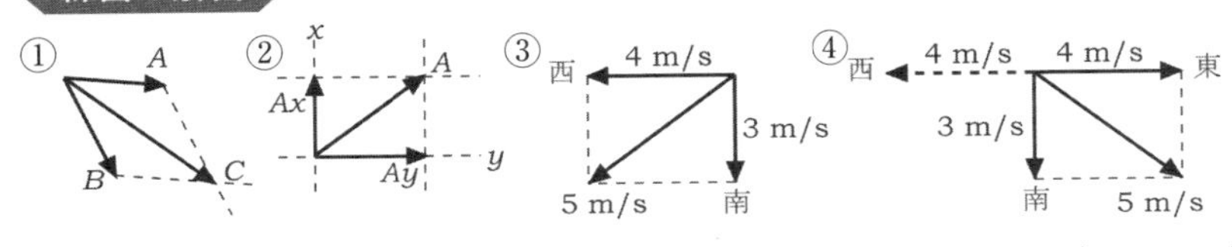

③ 図の通り 3 : 4 : 5 の三角形となり、辺の比からほぼ南西方向に 5 m/s

④ 図の通り 3 : 4 : 5 の三角形となり、辺の比からほぼ南東方向に 5 m/s

⑤ $2\,\mathrm{m/s} + x\,\mathrm{m/s^2} \times 2\,\mathrm{s} = 5\,\mathrm{m/s}$　　$x = 1.5\,\mathrm{m/s^2}$

⑥ $20\,\mathrm{m/s} + x\,\mathrm{m/s^2} \times 5\,\mathrm{s} = 0\,\mathrm{m/s}$　　$x = -4\,\mathrm{m/s^2}$

⑦ 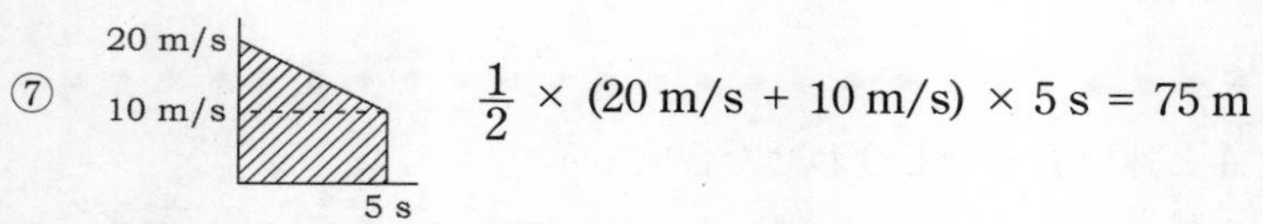

$\frac{1}{2} \times (20\,\mathrm{m/s} + 10\,\mathrm{m/s}) \times 5\,\mathrm{s} = 75\,\mathrm{m}$

⑧ $0\,\mathrm{m/s} + 9.8\,\mathrm{m/s^2} \times 3\,\mathrm{s} = 29.4\,\mathrm{m/s}$

⑨ 29.4 m/s　3 s

⑧より地面に当たった瞬間の速度は29.4 m/sだから、

$\frac{1}{2} \times 29.4\,\mathrm{m/s} \times 3\,\mathrm{s} = 44.1\,\mathrm{m}$

⑩ $39.2\,\mathrm{m/s} + (-9.8\,\mathrm{m/s^2}) \times x\,\mathrm{s} = 0\,\mathrm{m/s}$　　$x = 4\,\mathrm{s}$

落下まではその倍かかるから　$4\,\mathrm{s} \times 2 = 8\,\mathrm{s}$

⑪ ⑩より最高点まで4秒かかるから、

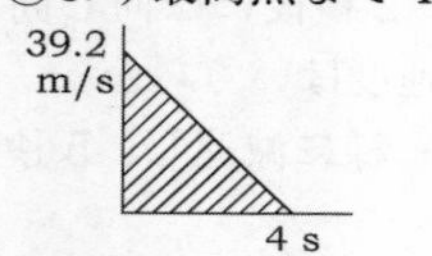

$\frac{1}{2} \times 39.2\,\mathrm{m/s} \times 4\,\mathrm{s} = 78.4\,\mathrm{m}$

⑫ 鉛直方向には自由落下となるから、⑨と解答は同じ　44.1 m

例　題

静水中を5 m/sの速さで進む船が、3 m/sの速さで流れている幅300 mの川を図の点線のように往復するのに要する最短時間はいくらか。

［海上保安等］

1　100秒
2　130秒
3　150秒
4　170秒
5　200秒

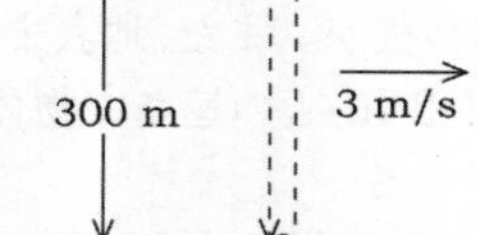

解　説

川の流れの速度と船の速度の合成速度が、実際の速度となる。図Iのように川の流れに対して垂直にこぎ出すと、下流に流されてしまう。つまり、図IIのように少し上流に向けてこぎ出さないと、設問のようにまっすぐ進むことはできない。

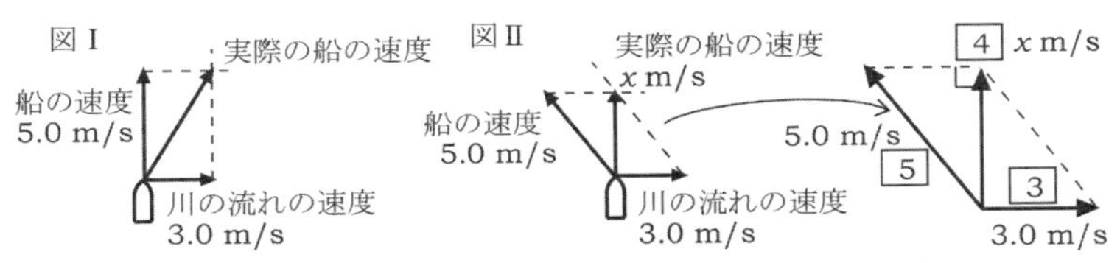

このときの合成速度は、3：4：5の直角三角形の3辺の関係から、

$5 : 4 = 5\ \mathrm{m/s} : x\ \mathrm{m/s}$　　　$x = 4\ \mathrm{m/s}$

したがって、船の実際の速度は4 m/sとなるから、

$4\ \mathrm{m/s} \times y\ \mathrm{s} = 300\ \mathrm{m}$　　　$y = 75\ \mathrm{s}$

往復なので倍の時間がかかり、

$75\ \mathrm{s} \times 2 = 150\ \mathrm{s}$

●正答……3

例　題

秒速10 mで一直線上を走ってきたバスが、バス停の何 m か手前から $2\ \mathrm{m/s^2}$ で減速していき、何秒後かにバス停にちょうど停車することができた。バスはバス停の何 m 手前から減速し始めたのか。　［国家一般］

1　20 m
2　25 m
3　30 m
4　35 m
5　40 m

解　説

距離がでてくれば「速度－時間グラフ」で、加速度がでてくれば「加速度の式」で求めていく。この場合は距離（これを求める）、加速度の両方がでてきているので、両方とも使って解く。

まず、加速度の式をたてる。停まってしまうので最終的な速度は0 m/s、「加速度 $2\ \mathrm{m/s^2}$ で減速」とあるから加速度 $-2\ \mathrm{m/s^2}$ ということになる。

$0\ \mathrm{m/s} = 10\ \mathrm{m/s} + (-2\ \mathrm{m^2/s}) \times x\ \mathrm{s}$

$x = 5\ \mathrm{s}$

次に、速度－時間グラフを描き、面積を求める式をたてると、

速度
10 m/s
5 s　時間

$\frac{1}{2} \times 5\,\mathrm{s} \times 10\,\mathrm{m/s} = 25\,\mathrm{m}$ ●正答……2

なお、別解として、公式を用いて解くと

$$(0\,\mathrm{m/s})^2 - (10\,\mathrm{m/s})^2 = 2 \times (-2\,\mathrm{m/s^2}) \times y\,\mathrm{m}$$

$$y = 25\,\mathrm{m}$$

例　題

490 m の高さの塔上にある石を押して塔の端から石を落下させると何秒で地面に到達するか。ただし、空気の抵抗はないものとする。［刑務官］

1　9秒
2　10秒
3　11秒
4　12秒
5　13秒

解　説

加速度が 9.8 m/s² となる等加速度運動の問題と考えればよい。加速度と距離が両方出てくるので、まず加速度の式をたてると、

$$y\,\mathrm{m/s} = 0\,\mathrm{m/s} + 9.8\,\mathrm{m/s^2} \times x\,\mathrm{s}$$

$$y = 9.8x\,\mathrm{m/s}$$

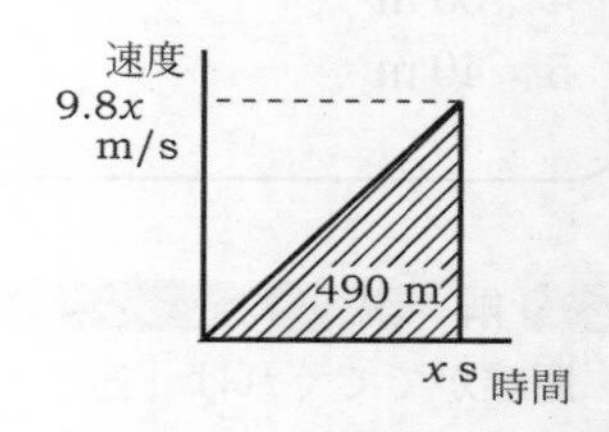

次に、速度－時間グラフを描き、面積を求める式をたてると、

$$\frac{1}{2} \times 9.8x\,\mathrm{m/s} \times x\,\mathrm{s} = 490\,\mathrm{m}$$

$$x = 10\,\mathrm{s}$$

●正答……2

別解として、公式を用いて解くと

$$490\,\mathrm{m} = 0\,\mathrm{m/s} \times x\,\mathrm{s} + \frac{1}{2} \times 9.8\,\mathrm{m/s^2} \times (x\,\mathrm{s})^2$$

$$x = 10\,\mathrm{s}$$

例　題

高さ 490 m の塔の上から水平に速さ 10 m/s でボールを投げ出したとき、落下した地点までの水平距離として正しいのは、次のうちどれか。ただし、重力加速度は 9.8 m/s² とする。　［裁判所］

1　90 m
2　100 m
3　120 m
4　150 m
5　200 m

解　説

水平方向の運動と鉛直方向の運動を分けて考える。

鉛直方向の運動は自由落下となるから、まず加速度の式（10 m/s は水平方向の速度であることに注意する）をたてると、

$$y\,\text{m/s} = 0\,\text{m/s} + 9.8\,\text{m/s}^2 \times x\,\text{s}$$

$$y = 9.8x\,\text{m/s}$$

次に、速度－時間グラフを描き、面積を求める式をたてると

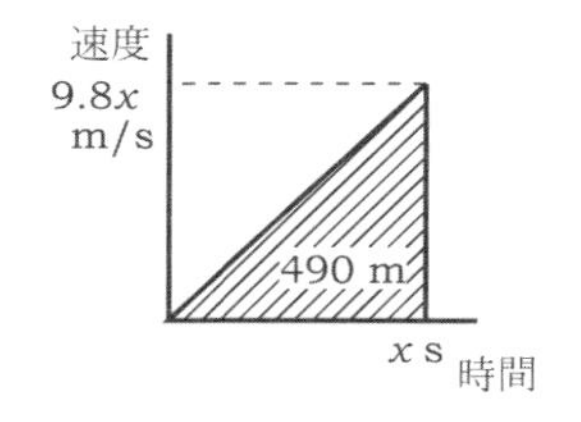

$$\frac{1}{2} \times 9.8x\,\text{m/s} \times x\,\text{s} = 490\,\text{m}$$

$$x = 10\,\text{s}$$

よって、10 秒後に地面に落下することが分かる。

水平方向の運動は、10 m/s で 10 s 進む等速度運動となるから、

$$10\,\text{m/s} \times 10\,\text{s} = 100\,\text{m}$$

●正答……2

演　習

次の文のア、イに入る数字の組合せとして正しいのはどれか。

A君は競泳用のプールを1.5 m/sの速さで泳ぐが、いま流れの速さが2.0 m/sの川を流れに垂直な方向にA君が泳ぐとすると、川岸で立ち止まっている人から見て、A君の進む速さは（ ア ）m/sである。また、この川の幅が75 mあるとすると、この川をA君が渡りきるのに要する時間は（ イ ）秒である。　［国家一般］

	ア	イ
1	1.5	30
2	1.5	50
3	2.0	50
4	2.5	30
5	2.5	50

2 次の記述は、電車に乗っているとき、窓の外に見える雨滴の運動について述べたものである。｛ ｝を補う語の組合せとして、最も妥当なのはどれか。　［県・政令都市］

ある風がない日に、鉛直下向きに雨滴が一定速度で降っている。等速度運動をしている電車の中から見ると、窓の外の雨は

ア｛a. 図Ⅰのように、電車の進行方向前方から斜め／b. 図Ⅱのように、電車の進行方向後方から斜め｝に降っているように見える。

また、鉛直下向きの雨滴の速度をvとし、電車の速度をVとすると、

v：Vの速度の関係は、イ$\left\{\begin{array}{l} \text{a.}\quad 1:2 \\ \text{b.}\quad 1:\sqrt{3} \\ \text{c.}\quad 2:\sqrt{3} \end{array}\right\}$となる。

	ア	イ
1	a	a
2	a	b
3	a	c
4	b	b
5	b	c

図Ⅰ
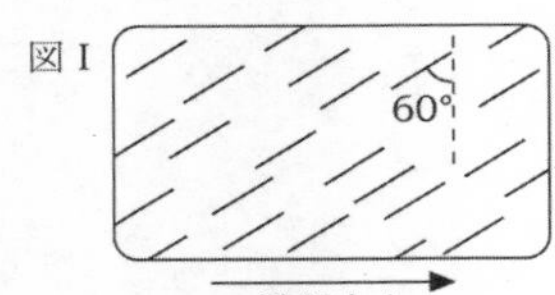

図Ⅱ
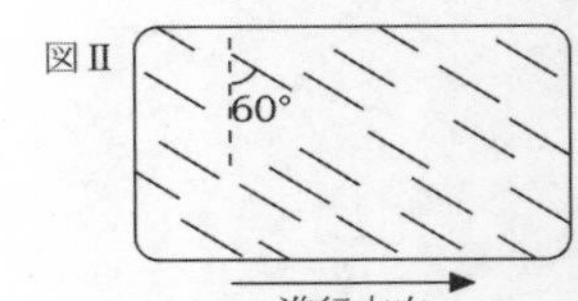

3

54 km/h の速さで直進していた自動車が、ブレーキをかけて一様に減速して停止した。減速した時間が 4 秒間であったとすれば、その間に自動車は何 m 進んだか。 ［県・政令都市］

1　20 m
2　30 m
3　40 m
4　50 m
5　60 m

4

自動車が静止した状態から一定の加速度で加速し、10 秒間で 100 m 走った。この自動車の加速度は何 m/s^2 か。 ［特別区］

1　1.0 m/s^2
2　2.0 m/s^2
3　3.0 m/s^2
4　4.0 m/s^2
5　5.0 m/s^2

5

グラフはある物体が直線上を運動したときの速度と時間の関係を表したものである。この物体が出発点から最も離れたときの出発点からの距離は何 m か。なお、出発したときの向きはプラス方向、その反対はマイナス方向として考えるものとする。 ［市町村］

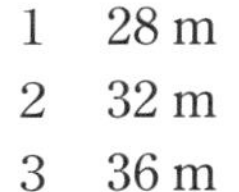

1　28 m
2　32 m
3　36 m

4　40 m
5　44 m

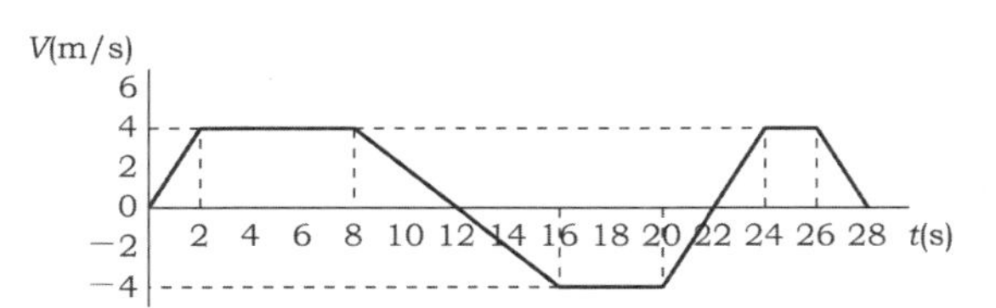

6 右図は、$t = 0$ に原点を出発して x 軸上を正の向きに運動する物体の速さと時間との関係を表したものである。図Ⅰ～図Ⅴのうち、時刻 $t = t_0$ における物体の位置が右図と同じになるものとして最も妥当なのはどれか。

[海上保安等]

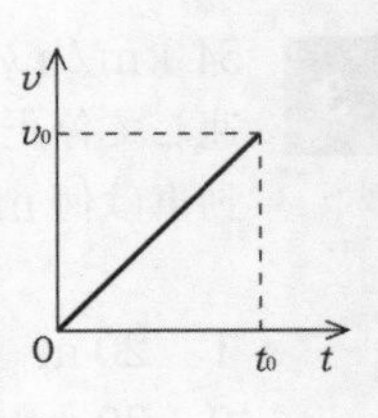

1

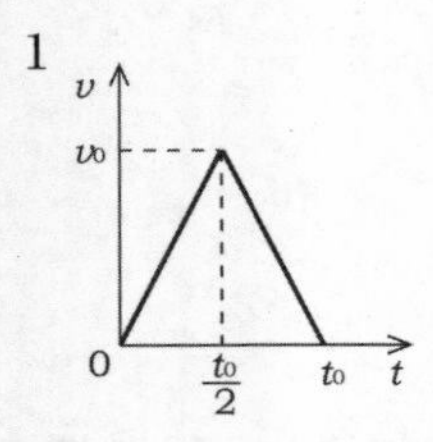

2

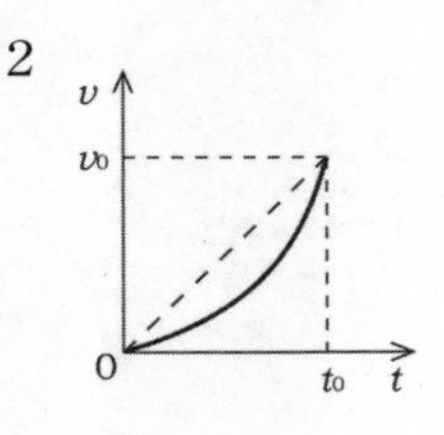

3

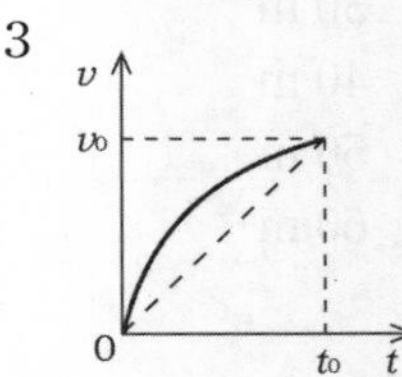

4

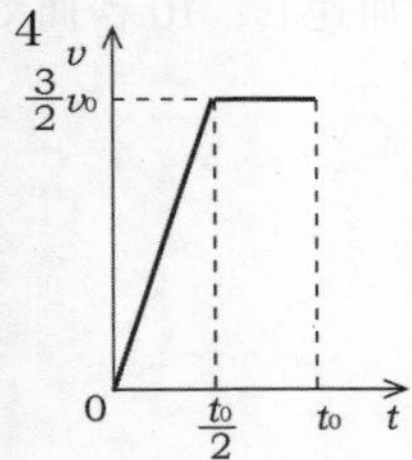

5

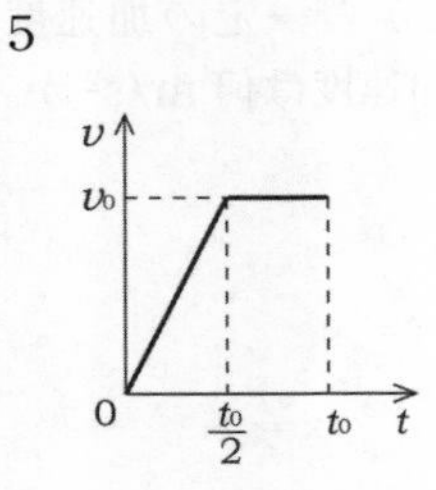

次の記述の｛ ｝に入る記号や数値の組合せとして最も妥当なのはどれか。

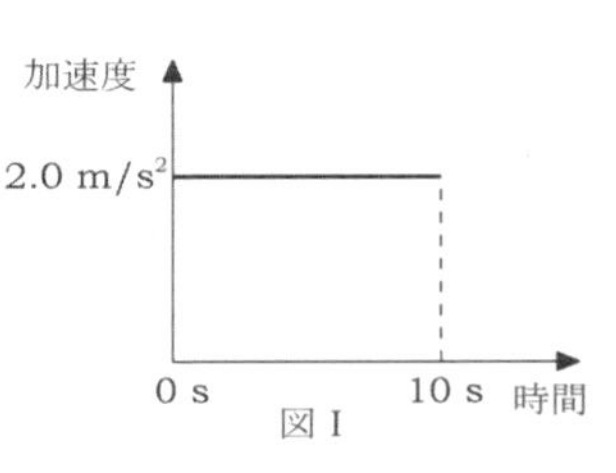

図Ⅰ

ある物体が、時間 0 s から 2.0 m/s² の加速度で運動を始め、10 s まで加速度を一定に保ったまま運動を続けた。

この間の加速度と時間の関係をグラフで表すと図Ⅰのようになり、距離と時間の関係を表すと図Ⅱのア｛a. b.｝のようになる。10 s のときのこの物体の速度はイ｛a. 20 m/s b. 40 m/s｝であり、0 s から 10 s の間に移動した距離はウ｛a. 100 m b. 200 m｝となる。

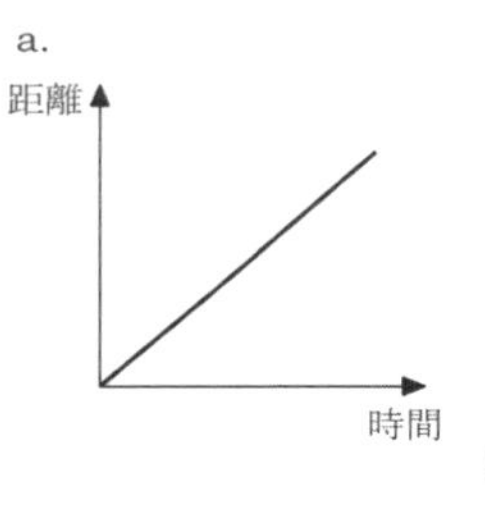

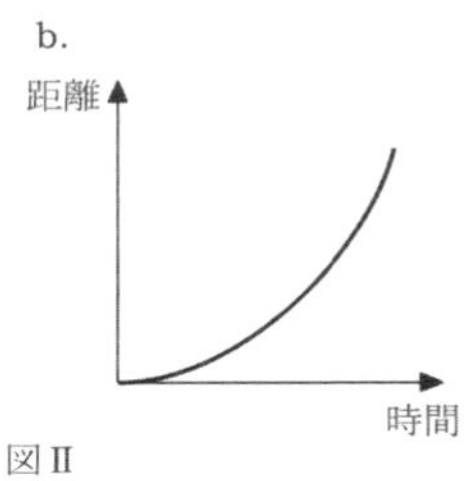

図Ⅱ

［市町村］［警察官］

	ア	イ	ウ
1	a	a	a
2	a	a	b
3	a	b	b
4	b	a	a
5	b	b	b

8 右のグラフは、物体がある点から運動を始め、時間の経過とともに一直線上をどのように動いていたかを示したものである。このときの速度の変化を表したものとして適切なものは次のうちどれか。 **[警察官]**

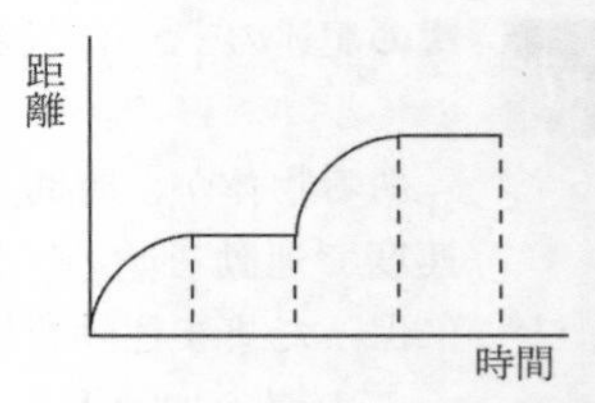

1

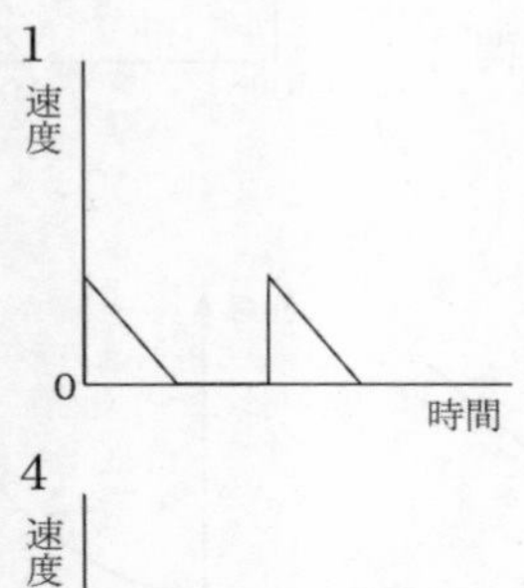

2

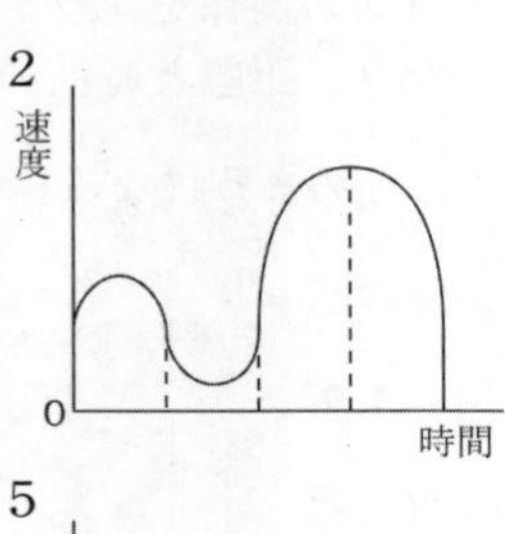

3

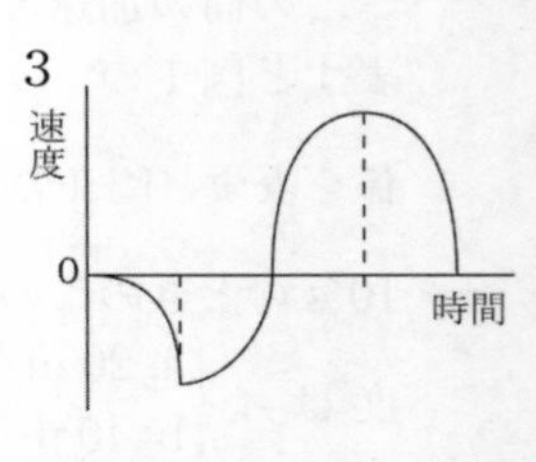

4

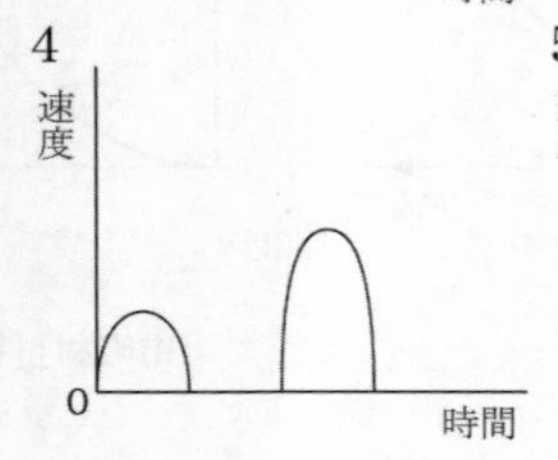

5

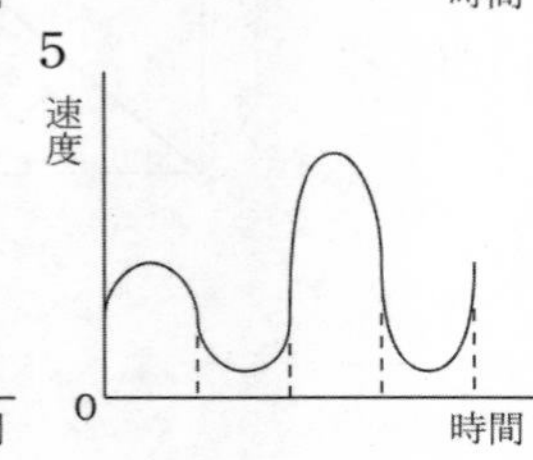

9 ある高さから石を自然に落下させたところ、5秒後に地面についた。高さは約何 m であるか。ただし重力加速度は $9.8\ \mathrm{m/s^2}$ であり、空気の抵抗はないものとする。 **[県・政令都市]**

1　約 113 m
2　約 123 m
3　約 133 m
4　約 143 m
5　約 153 m

10 地上 19.6 m の高さのビルの上から、鉛直上向きに初速度 39.2 m/s でボールを投げたとき、地上から最高点までの高さは何 m か。ただし、重力加速度は $9.8\ m/s^2$ とする。 [裁判所]

1 78.4 m
2 88.2 m
3 98.0 m
4 107.8 m
5 117.6 m

11 あるビルの窓からボールを 40 m/s で水平方向に投げたところ、ビルから水平距離で 240 m 離れた地点に落ちた。窓は地上から何 m のところにあるか。 [大阪府]

1 59.8 m
2 87.6 m
3 125.3 m
4 176.4 m
5 203.6 m

12 物体を投げたときの物体の運動に関して A と B を比較した次の文のア～ウに該当するものの組合せとして正しいのはどれか。ただし空気抵抗は考えないものとする。 [国家一般] [海上保安等]

○初速度が同じで A は真上、B は仰角（水平からの角度）60° に投げ上げたとき、地面に落ちるまでの時間は（ ア ）。
○初速度が同じで A が仰角 45°、B は仰角 60° で同じ石を投げ上げたとき、石の落下地点までの水平距離は（ イ ）。
○初速度が同じで A は 300 g、B は 600 g の石をビルの上からそれぞれ水平方向に投げ出したとき石の落下地点までの水平距離は（ ウ ）。

	ア	イ	ウ
1	B のほうが長い	B のほうが長い	A、B とも同じ
2	B のほうが短い	B のほうが短い	A、B とも同じ
3	B のほうが短い	A、B とも同じ	B のほうが短い
4	B のほうが長い	A、B とも同じ	B のほうが長い
5	A、B とも同じ	B のほうが長い	B のほうが長い

I - 2

力

出題頻度 ★★★

まとめ

①力と重力

●ニュートンの運動の法則

・慣性の法則…外から力が働かなければ、物体の速度は変わらない
　※静止している物体→静止　動いている物体→等速度運動

・運動の法則…外から力が働けば、物体の速度が変わる（加速度が生じる）

・作用反作用の法則…AからBに力を働かせる（作用）と、BからAに同じ大きさで逆向きの力が働く（反作用）

●運動方程式

力 ＝ 質量 × 加速度

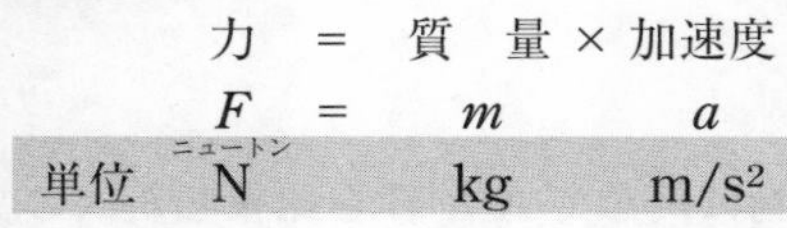

$F = m \quad a$

単位	N（ニュートン）	kg	m/s^2

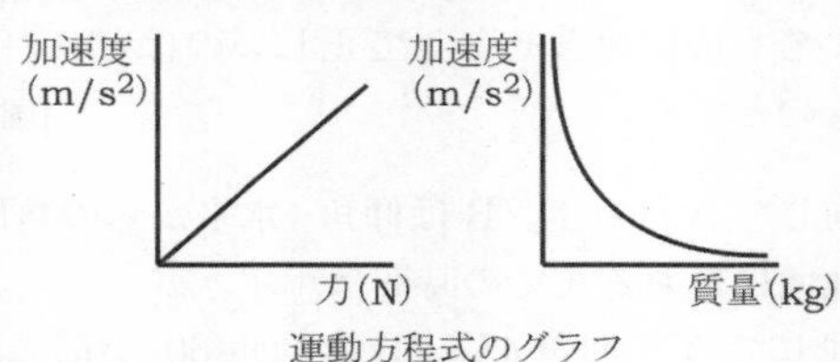

運動方程式のグラフ

●重　力　物体が地球から引かれる力（重さ）

・重力は、物体を重力加速度 $9.8\,m/s^2$ で落下させる力だから、

重力 ＝ 質量 × $9.8\,m/s^2$

$W = m \quad g$

単位	N（ニュートン）	kg	m/s^2

・重力の簡易的な表し方…1 kg の物体にかかる重力 ＝ 1 kg 重（1 kgW）
最終的に重力を求めるわけでない問題の場合は、計算上便利な考え方

・月の重力…地球の重力の $\frac{1}{6}$（重力加速度が地球の $\frac{1}{6}$）

②力のつりあい

●力 「向き」と「大きさ」の要素をもつ　複雑なときはベクトルで表す

●力の合成・分解 速度と同じく、ベクトルで合成や分解ができる

●力のつりあい 力が働いているのに物体が静止している場合、2力は互いに同じ大きさで逆向きとなっている（3つ以上の力が働いている場合も、力の合成によってつりあう2力にまとめられる）

静止しているときは、互いに逆向きで、同じ大きさの力が働いている

③浮　力

●密　度 密度が大きい方が、同じ体積でくらべると「重い」物体となる

「比重」も同じ意味

	質　量	=	密　度	×	体　積
	m	=	ρ		V
単位	g		g/cm³		cm³

●浮　力 物体を液体中に入れると浮力が働き、物体が「軽く」なる

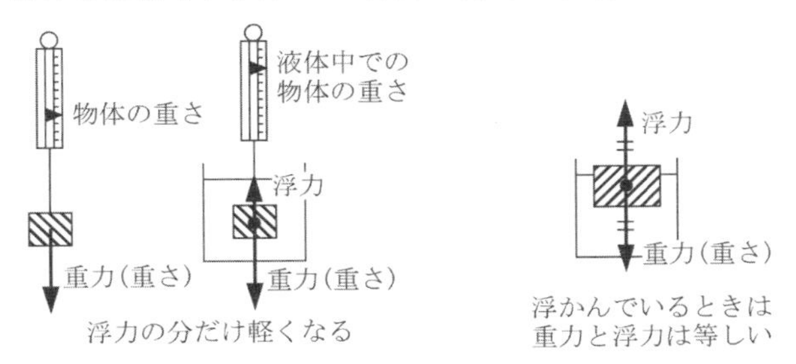

浮力の分だけ軽くなる

浮かんでいるときは重力と浮力は等しい

・物体が液体中に沈み、支えられているとき

　浮力＝物体の重さ－液体中での物体の重さ

・物体が液体中で浮かぶとき

　浮力＝物体の重さ

・物体の体積から浮力を求める式…浮力は、物体によっておしのけられた液体の重さと等しい

　おしのけられた液体の質量＝液体の密度×おしのけられた液体の体積

　⇓

　この液体の重さが浮力

④さまざまな道具

●て　こ

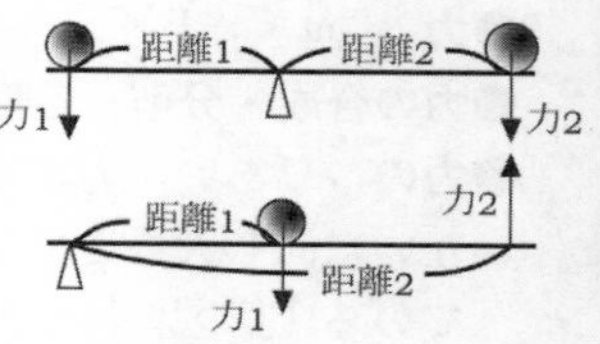

力$_1$×支点からの距離$_1$＝力$_2$×支点からの距離$_2$

$F_1 \quad l_1 = F_2 \quad l_2$

●ば　ね　ばねの伸びは、加えた力の大きさに比例する

・ばね２本の直列つなぎ…それぞれのばねに同じ力がかかる→それぞれのばねの伸びは変わらない（ばね全体としては２倍の伸び）

・ばね２本の並列つなぎ…それぞれのばねに $\frac{1}{2}$ の力がかかる→それぞれのばねの伸びは $\frac{1}{2}$（ばね全体も $\frac{1}{2}$ の伸び）

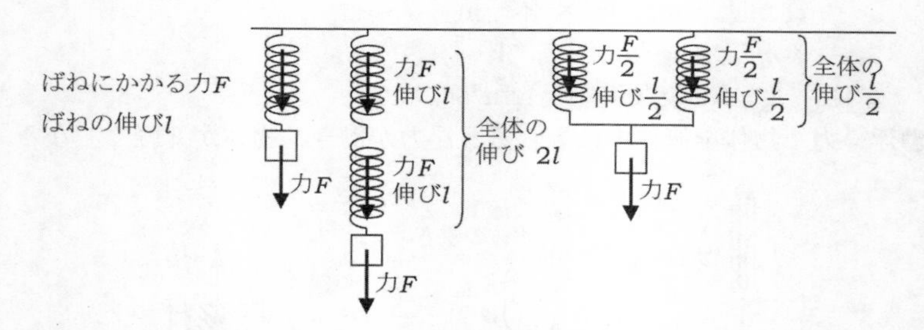

●ふりこ　ひもの長さが長いほど、重力加速度が小さいほど、周期（1回振動するのにかかる時間）は長くなる

練　習

①　質量 8.0 kg の物体に水平方向に力を加えたとき、2.0 m/s^2 の加速度を生じさせる力は何 N か。

②　質量 15 kg の鉄球にかかる重力は何 N か。また、何 kg 重か。

③　密度 7.9 g/cm^3 の鉄 100 cm^3 の質量はいくらか。

④　質量 240 g、体積 100 cm^3 の物体の密度はいくらか。

⑤　質量 0.5 kg の物体を水中に沈めて、ばねばかりで測ったところ 0.3 kg となった。このとき働いている浮力は何 kg 重か。また何 N か。

⑥　質量 1.0 kg の物体を水に浮かべたところ、沈まなかった。このとき働いている浮力は何 kg 重か。また何 N か。

⑦　体積 100 cm^3 の物体を水中に沈めた。このとき働いている浮力は何 g 重か。

⑧　図のようなてこがつり合っているとき、Aの質量はいくらか。

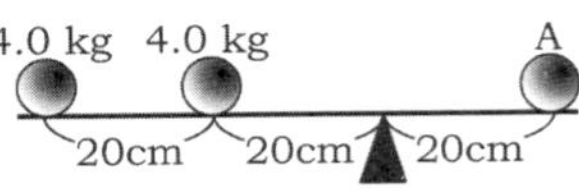

⑨　100 g のおもりを下げると 5.0 cm 伸びるばねがある。このばねに 200 g のおもりを下げると何 cm 伸びるか。

⑩　⑨のばねを直列に 2 本つないで、200 g のおもりを下げると全体で何 cm 伸びるか。

⑪　⑨のばねを並列に 2 本つないで、200 g のおもりを下げると全体で何 cm 伸びるか。

練習の解答

①　$8.0\ \mathrm{kg} \times 2.0\ \mathrm{m/s^2} = 16\ \mathrm{N}$

②　$15\ \mathrm{kg} \times 9.8\ \mathrm{m/s^2} = 147\mathrm{N}$　15 kg 重

③　$7.9\ \mathrm{g/cm^3} \times 100\ \mathrm{cm^3} = 790\ \mathrm{g}$

④　$x\ \mathrm{g/cm^3} \times 100\ \mathrm{cm^3} = 240\ \mathrm{g}$　$x = 2.4\ \mathrm{g/cm^3}$

⑤　0.5 kg 重－0.3 kg 重＝0.2 kg 重　$0.2\ \mathrm{kg} \times 9.8\ \mathrm{m/s^2} = 1.96\ \mathrm{N}$

⑥　1.0 kg 重　$1.0\ \mathrm{kg} \times 9.8\ \mathrm{m/s^2} = 9.8\ \mathrm{N}$

⑦　$1.0\ \mathrm{g/cm^3} \times 100\ \mathrm{cm^3} = 100\ \mathrm{g}$　水 100 g の重さは 100 g 重だから、浮力は 100 g 重

⑧　4 kg 重× 40 cm ＋ 4 kg 重× 20 cm ＝ x kg 重× 20 cm　x ＝ 12 kg 重
したがって質量は 12 kg

⑨　100 g 重：5.0 cm ＝ 200 g 重：x cm　x ＝ 10 cm

⑩　それぞれのばねに 200 g 重の力が働くので、ばね 1 つあたり 10 cm 伸びる。全体としては 20 cm 伸びる。

⑪　それぞれのばねに 100 g 重の力が働くので、ばね 1 つあたり 5.0 cm 伸びる。全体としても 5.0 cm 伸びる。

右図において、ひも OB に加わる力はいくらか。

［海上保安等］

1　$\frac{50}{3}\sqrt{3}$ N

2　50 N

3　$50\sqrt{3}$ N

4　100 N

5　$\frac{50}{3}\sqrt{3}$ N

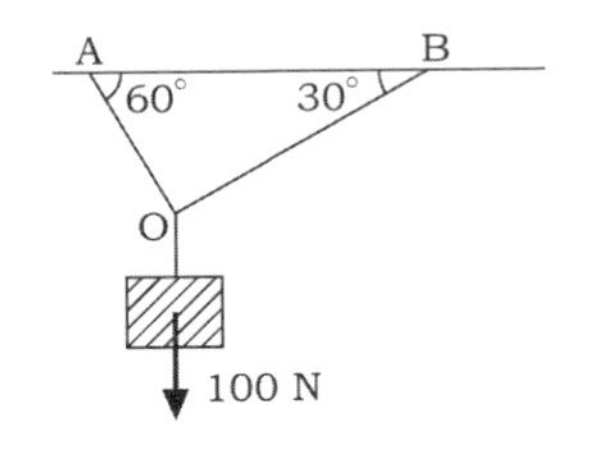

解　説

まず、点Oにかかる力を作図する。

点Oに働く重力は、100 Nである。物体は静止しているので、重力Wとつりあう（逆向きで同じ大きさの）力Fが働いていると考える。（図①）

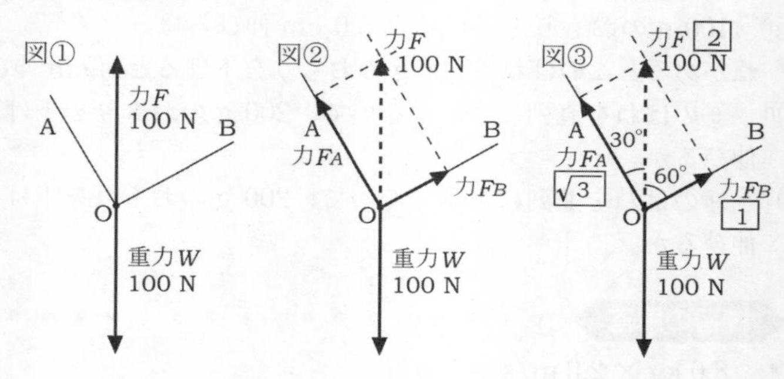

しかし、力Fの方向にはひもはないので、力FはひもA方向の力F_AとひもB方向の力F_Bをたし合わせたものということになり、ベクトルの分解によって2力の大きさがわかる。（図②）

このとき、F_A・F_B・Fは必ずもとの図の三角形（ここでは、30°・60°・90°の三角形）の相似形となるので（図③）、辺の比の関係からF_Bの大きさを求めることができる。

$$(F : F_B) = 2 : 1 = 100\text{ N} : x\text{ N}$$
$$x = 50\text{ N}$$

●正答……2

例　題

ある金属塊をばねばかりにつるして測ったところ、目盛りは210 gを示した。次に、金属塊を比重1.4の液体中に全て沈めたところ、目盛りは140 gになったという。この金属塊の体積はいくらか。

［市町村］

1　140 cm³
2　100 cm³
3　98 cm³
4　70 cm³
5　50 cm³

解　説

まず、もともとの重さと液体中での重さの差より、浮力が次のように求められる。

210 g重 − 140 g重 = 70 g重

次に、70 g 分の液体が金属塊によって押しのけられたと考えられるから、金属塊の体積を x cm³ とすると、「押しのけられた液体の質量を求める式」から

$$70\ \mathrm{g} = 1.4\ \mathrm{g/cm^3} \times x\ \mathrm{cm^3}$$
$$x = 50\ \mathrm{cm^3}$$

●正答……5

例　題

重さ 100 N の物体を持ち上げるのに、長さ 5 m の棒を使い、A 図のように棒の左端に物体をのせ、その端から 1 m のところに三角棒を入れて、これを支点として棒の右端を押し下げる方法と、B 図のように棒の左端から 1 m のところへ物体をのせ、左端を支点として棒の右端を持ち上げる方法とでは、棒の右端に加える力の大きさにどのような違いがあるか。［警察官］

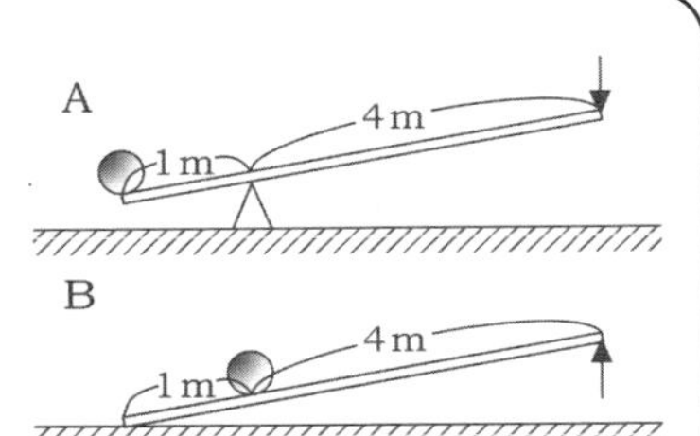

1　A のほうが B より 10 N だけ大きい力が必要である。
2　A のほうが B より 5 N だけ大きい力が必要である。
3　A、B いずれも必要とする力は同じである。
4　B のほうが A より 5 N だけ大きい力が必要である。
5　B のほうが A より 10 N だけ大きい力が必要である。

解　説

A と B で支点の位置が異なっていることに注意する。

A　$100\ \mathrm{N} \times 1\ \mathrm{m} = x\ \mathrm{N} \times 4\ \mathrm{m}$　　$x = 25\ \mathrm{N}$

B　$100\ \mathrm{N} \times 1\ \mathrm{m} = y\ \mathrm{N} \times 5\ \mathrm{m}$　　$y = 20\ \mathrm{N}$

したがって、A の方が 5 N だけ大きい力が必要とわかる。

●正答……2

例　題

ばねに図のように25 gの物体をつるしたところ、ばねの長さが180 mmになった。このばねに65 gの物体をつるしたら、ばねの長さは228 mmになった。このばねに100 gの物体をつるすと、ばねの長さはいくらになるか。ただし、ばねの重さは考えないものとする。　［警察官］

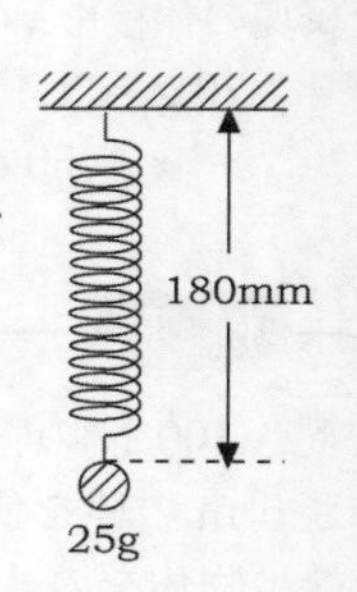

1　246 mm
2　258 mm
3　270 mm
4　282 mm
5　294 mm

解　説

ここではばねの伸びではなく、ばね全体の長さが示されていることに注意する。

さて、それぞれの伸びの関係は図のようになるので、その差から40 g重（= 65 g重 − 25 g重）で48 mm（= 228 mm − 180 mm）伸びるばねであることがわかる。

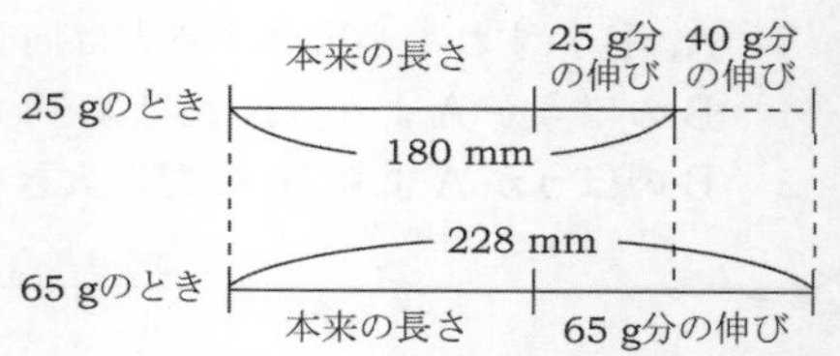

100 gの物体をつるすと、65 gのときにくらべて何mmさらに伸びるかを考える。

$$40\text{ g重} : 48\text{ mm} = (100\text{ g重} - 65\text{ g重}) : x\text{ mm}$$
$$48 \times 35 = 40x$$
$$x = 42\text{ mm}$$

65 gのときよりさらに42 mmのびることになるから、ばねの全体の長さは、

228 mm + 42 mm = 270 mm

●正答……3

演　習

13 力と質量、加速度の関係に関する文章中の［A］～［C］に入る語句の組み合わせとして、最も妥当なのはどれか。［東京消防庁］

力を受けている物体には、その力の向きに加速度が生じる。その加速度の大きさは力の大きさに［A］し、物体の質量に［B］する。これを［C］の法則という。

	A	B	C
1	比　例	反比例	慣　性
2	反比例	反比例	慣　性
3	比　例	比　例	慣　性
4	比　例	反比例	運　動
5	比　例	比　例	運　動

14 次のA～Dの記述のうち、作用・反作用の関係で説明できるもののみをすべて挙げているのはどれか。［海上保安等］

A. 机の上に置いた物体は、重力を受けると同時に机の面から上向きの力を受ける。
B. 水面上で2艘（そう）のボートが接近したときに、一方のボートに乗っている人が他方のボートを押したところ、2艘のボートは互いに反対方向に離れていった。
C. ロケットがガスを噴射するとき、ロケットはガスを押しだし、ガスはロケットを前方に押し返す。
D. 停車していたバスが急に走り出したので、車内に立っている乗客が倒れそうになった。

1　A
2　B、C
3　B、D
4　A、C、D
5　B、C、D

15 次の記述の｛　｝の語の組合せとして、最も妥当なものはどれか。

図のように、真上にボールを打ち出す装置を台車につけた。台車がA地点に静止している状態で、ボールを打ち出すとボールはそのままA地点に落下してくる。

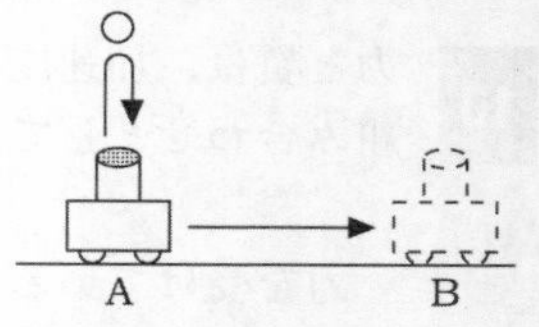

次に、台車を動かしてA地点を通過したときにボールを打ち出し、台車がB地点に達したときにボールが落下してきたとすると、台車が等速度運動を行っているときはボールはア｛A地点／B地点｝に落下する。

また、台車が、速度が大きくなる等加速度運動を行っているときはイ｛A地点／B地点／A地点とB地点の間｝に落下する。　［市町村］

	ア	イ
1	A地点	B地点
2	A地点	A地点
3	A地点	A地点とB地点の間
4	B地点	A地点
5	B地点	A地点とB地点の間

16 1つの力は、任意の2つの方向に分解することができる。たとえば、図のような力Fを2つの方向に分解するときは、まず力Fを対角線とする平行四辺形を描く。そして、平行四辺形の2辺をとれば、それが分解された2力となる。

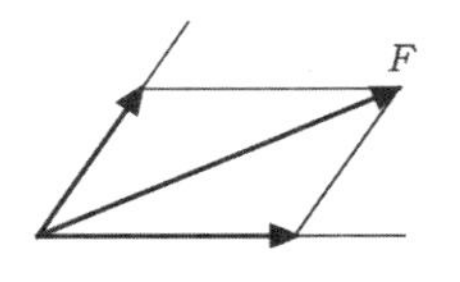

いま、次の図のように100 Nの物体が、2つのひもでつり下げられている。このとき、それぞれA～Cにかかる張力の大小関係として妥当なのはどれか。

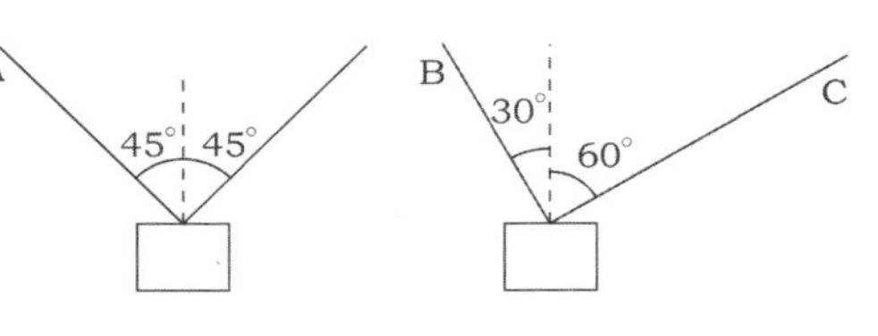

［市町村］［警察官］

1　A＞B＞C
2　A＞C＞B
3　B＞A＞C
4　B＞C＞A
5　C＞B＞A

17 図のように、質量3 kgの物体をひもA、Bで天井からつり下げ、ひもCで水平に静かに引っ張って、AとBとのなす角が120°になるようにした。このとき、ひもCの張力はおよそいくらか。ただし、重力加速度を10 m/s²とし、$\sqrt{2}=1.4$、$\sqrt{3}=1.7$とする。

［海上保安等］

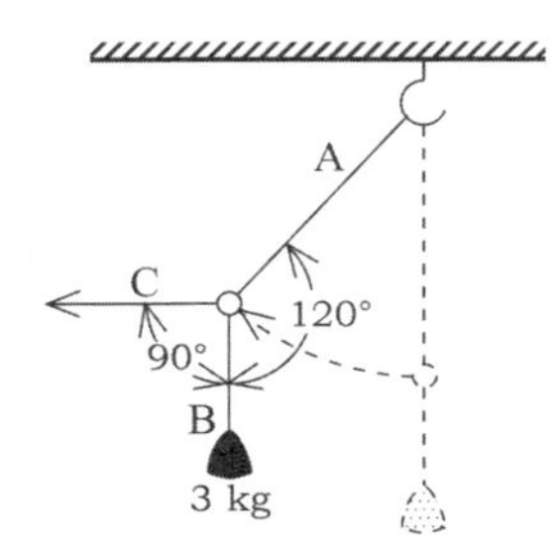

1　30 N
2　42 N
3　51 N
4　60 N
5　71 N

18 次の記述は、アルキメデスの原理について説明したものであるが、{ }を補う語の組合せとして最も妥当なものはどれか。 [県・政令都市]

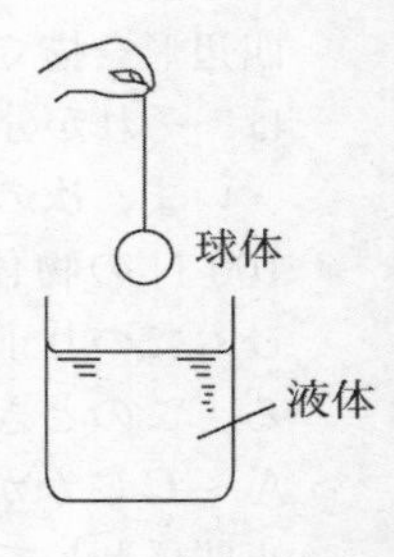

図のように球体にひもをつけてつるし、水の中に入れた。このとき、ひもを持つ手にかかる力は、水に入れる前に比べ入れた後の方が、ア{大きく／小さく}なっている。これはこの球体に、液体中で上向きの力が働くからである。この力の大きさは、物体の体積がイ{大きい／小さい}ほど大きくなり、またウ{球体／液体}の密度が大きいほど大きくなっている。

	ア	イ	ウ
1	大きく	大きい	球体
2	大きく	小さい	液体
3	小さく	小さい	球体
4	小さく	大きい	液体
5	小さく	大きい	球体

19 はかりの上に置いてある水槽に、図のように一辺 10 cm の立方体の木片を浮かべたところ、はかりの目盛りは（ A ）。この木片がすべて水中に沈むように、木片を押したところ、はかりの目盛りは（ B ）。

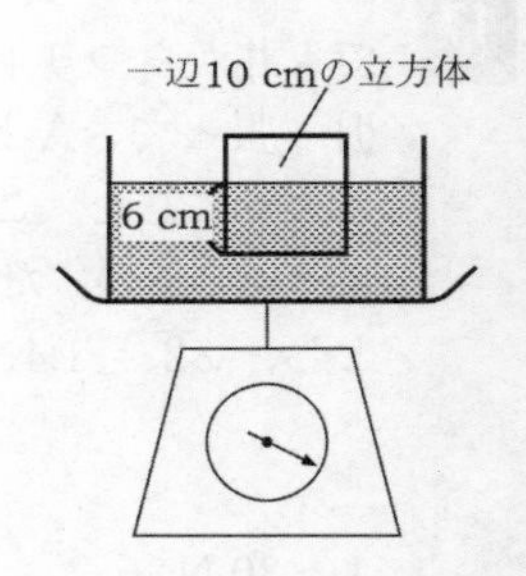

上文の空欄 A、B に入る語句として適切なものはどれか。 [警察官]

	A	B
1	変わらない	1000 g 増えた
2	1000 g 増えた	変わらない
3	400 g 増えた	さらに 600 g 増えた
4	600 g 増えた	さらに 400 g 増えた
5	600 g 増えた	変わらない

20 体積 1000 cm^3 の物体がある。この物体を図のように水中に入れ重さを計ると 7 kg の分銅とつりあった。この物体の比重を求めよ。

［県・政令都市］［警察官］

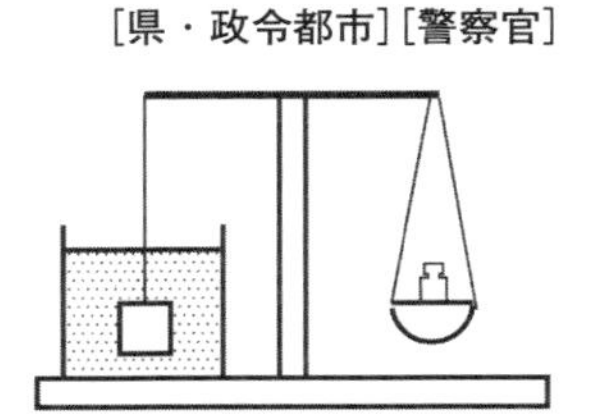

1　8.0
2　8.5
3　9.0
4　9.5
5　10.0

21 図のように、棒に糸で様々な形の飾りをつけて上からつるし、モビールを作りたい。それぞれの飾りの質量は、星形が 50 g、ドロップ型が 30 g、ハート形が 30 g である。モーメントがつり合い、バランスがとれるためには、クローバー型の飾りの質量がいくらであればよいか。

ただし、棒及び糸の質量は無視できるものとする。　［国家一般］

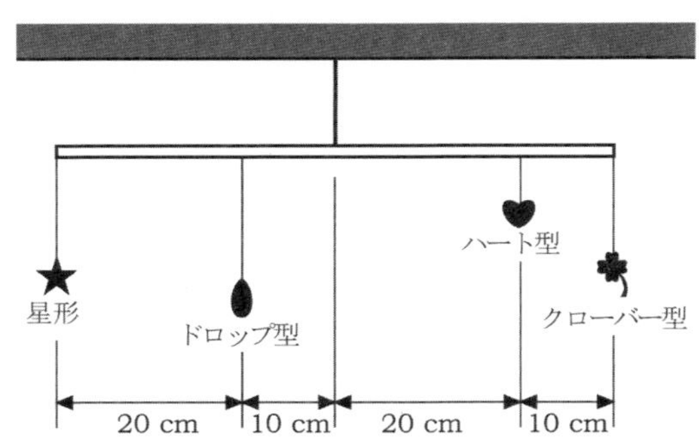

1　40 g
2　50 g
3　60 g
4　70 g
5　80 g

22 木に打ち込んである釘を直接抜き取るのに 20 N の力が必要である場合に、右の図のような釘抜きを使い、支点 P からの長さが 25 cm のところにある点 F に図の矢印（➡）の方向に力を加えて釘を抜く。このとき必要な最小の力に最も近いのはどれか。

［裁判所］

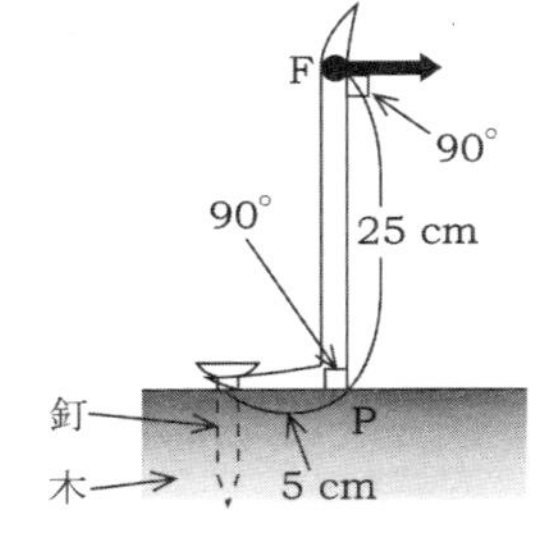

1　4 N
2　5 N
3　6 N
4　7 N
5　8 N

23 まったく同じ2つのバネをA、Bのようにつなげる。図の矢印の方向にそれぞれ同じ長さだけバネを引っ張るとき、Aを引くにはBの何倍の力がいるか。

[県・政令都市]

1　4.0倍
2　2.0倍
3　1.0倍
4　$\frac{1}{2}$倍
5　$\frac{1}{4}$倍

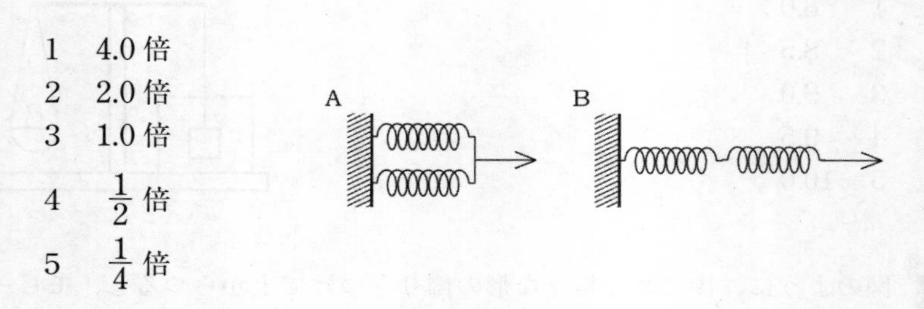

24 6本の同じばねに右図のように違った方法でおもりをつるしたとき、Aのばねと同じ長さだけ伸びるばねはどれか。ただし、ばねの重さは考えないものとする。

[市町村] [警察官]

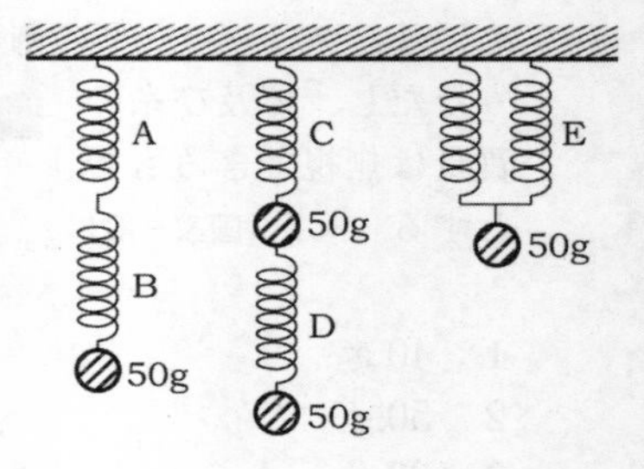

1　B、C
2　B、D
3　B、E
4　C、D
5　C、E

25 図のような振り子があり、地球上での周期はt秒であった。この振り子を、重力が地球の$\frac{1}{6}$の月面に持って行くとすると、周期はt秒より長くなる。月面上での周期を地球上での周期と同じにするためにはどのようにすればよいか。次のア～ウのうち、正しいものをすべて選び出した組合せはどれか。 [市町村][警察官]

ア　糸の長さlを短くする。
イ　おもりの質量mを大きくする。
ウ　振らせる角度θを小さくする。

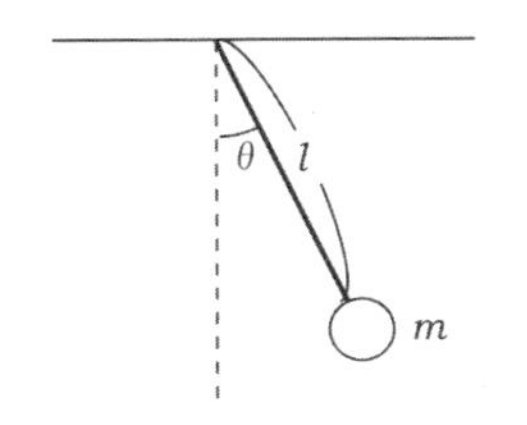

1　ア
2　イ
3　ウ
4　ア、ウ
5　イ、ウ

26 図Ⅰのように、糸の長さl、おもりの質量mの振り子があり、同じ材質の糸及び同じ材質のおもりを用いて図Ⅱのア～カのような6種類の振り子を作ったとき、図Ⅰの振り子と周期が等しい振り子の組合せとして、正しいのはどれか。ただし、糸の質量及びおもりの大きさは無視し、糸は伸縮しない。 [東京都]

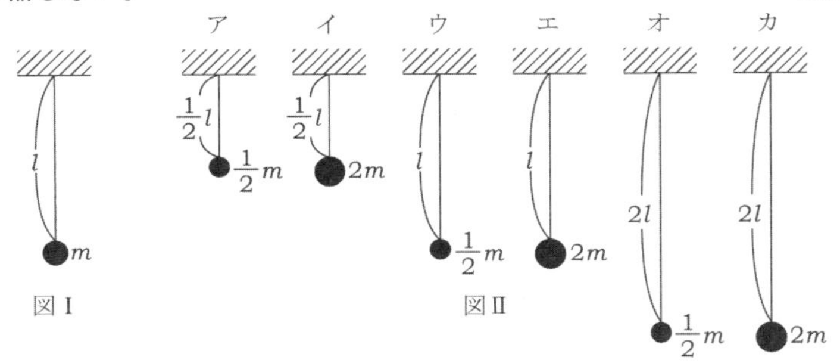

1　ア、カ
2　イ、オ
3　ウ、エ
4　ア、ウ、カ
5　イ、エ、カ

I - 3

エネルギー

出題頻度　★★

まとめ

①仕事と仕事率

●**仕　事**　力を加えて、物体を力を加えた方向に動かすこと

仕　事　=　力　×　距　離

$W = F \quad s$

単位	J（ジュール）	N	m

●**仕事の原理**　道具を使っても、仕事の総量は変わらない

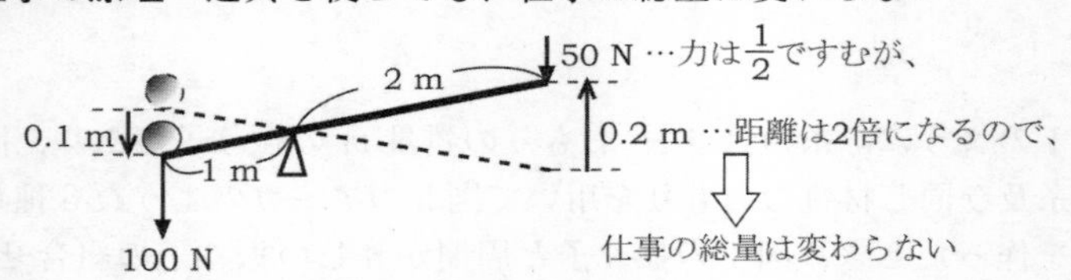

●**仕事率**　仕事の能率を表す（1秒あたりにする仕事）

仕事率　=　仕　事　÷　時　間

$P = W \ / \ t$

単位	W（ワット）	J	s

②力学的エネルギー

・エネルギー…仕事をする能力を表す（エネルギーを持つものは、仕事をすることができる）

●**運動エネルギー**　運動している物体が持つエネルギー

運動エネルギー　=　$\frac{1}{2}$　×　質量　×（速度）^{2}

$K = \frac{1}{2} \quad m \quad v^2$

単位	J	kg	m/s

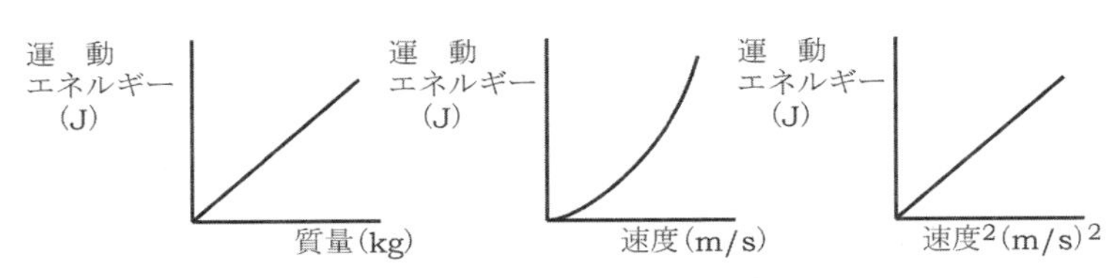

運動エネルギーのグラフ

● **(重力による) 位置エネルギー**　高い所にある物体が持つエネルギー

(重力による) 位置エネルギー ＝ 質量 × 重力加速度 × 高さ

	U	$=$	m	g	h
単位	J		kg	m/s^2	m

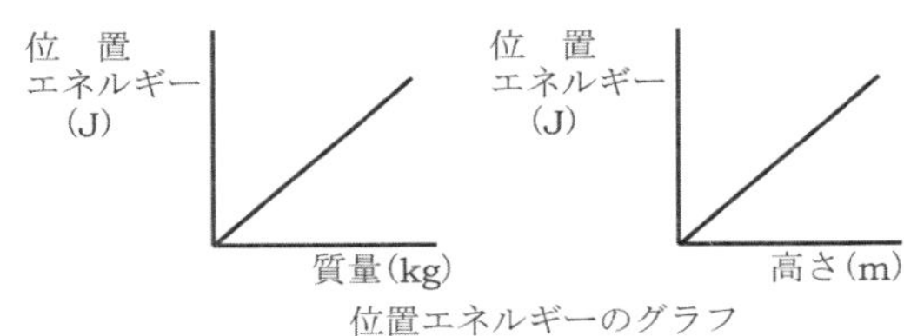

位置エネルギーのグラフ

③エネルギー保存の法則

● **力学的エネルギーの保存**

重力以外の力が働かない運動であれば、力学的エネルギー（＝運動エネルギー＋位置エネルギー）は常に一定に保たれる

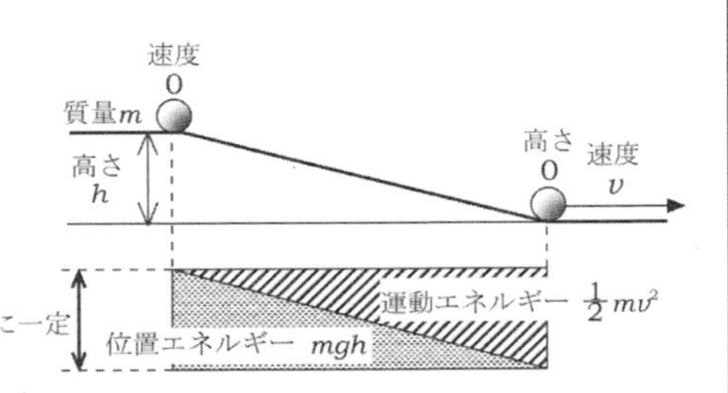

●エネルギー保存の法則　エネルギーは形をかえることはあっても、合計は常に一定に保たれている

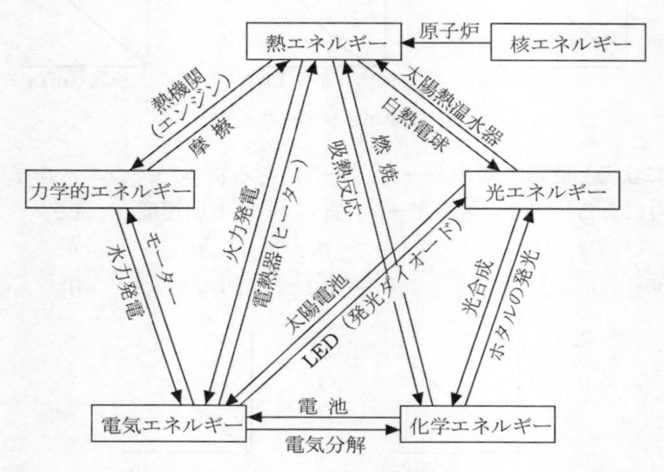

※化学エネルギー・・・化学変化のときに出入りするエネルギー

④熱

●熱量（熱エネルギー）

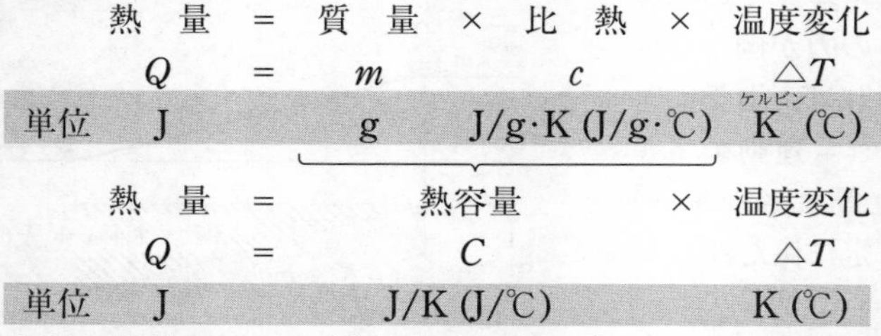

	熱量	=	質量	×	比熱	×	温度変化
	Q	=	m		c		$\triangle T$
単位	J		g		J/g·K (J/g·℃)		K（ケルビン）(℃)

	熱量	=	熱容量	×	温度変化
	Q	=	C		$\triangle T$
単位	J		J/K (J/℃)		K (℃)

・熱量の計算では、K（絶対温度）は℃（セルシウス温度）と同じように考えてよい

・水の比熱…4.2 J/g·K (J/g·℃)

・比熱（熱容量）…大きいほど、暖まりにくく冷めにくい

●熱量（熱エネルギー）の保存　高温の物体と低温の物体が接するとやがて同じ温度となるが、このとき高温側が失った熱量と低温側が得た熱量は等しい

高温の物体の質量×高温の物体の比熱×高温の物体の温度低下
　＝低温の物体の質量×低温の物体の比熱×低温の物体の温度上昇

練　習

① 質量 10 kg の物体を鉛直方向に 10 m 持ち上げたときの仕事は何 J か。

② 質量 10 kg の物体を斜面を使って図のように高さ 10 m まで持ち上げたときの仕事は何 J か。

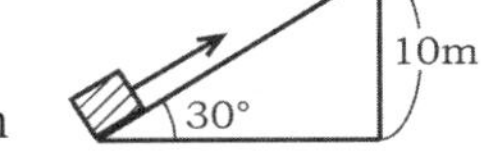

③ 質量 50 kg の物体を 5 秒かかって鉛直方向に 4 m 持ち上げたときの仕事率は何 W か。

④ 床面から 10 m の高さにある質量 20 kg の物体がもつ位置エネルギーは何 J か。

⑤ 20 m/s の等速度運動をする質量 40 kg の物体がもつ運動エネルギーは何 J か。

⑥ 比熱が 0.8 J/g･K の大理石 100 g を 5 ℃から 30 ℃まであたためたとき、大理石が得た熱量は何 J か。

練習の解答

① $(10\,\mathrm{kg} \times 9.8\,\mathrm{m/s^2}) \times 10\,\mathrm{m} = 98\,\mathrm{N} \times 10\,\mathrm{m} = 980\,\mathrm{J}$

② 斜面を使わず直接持ち上げても仕事は変わらないから、鉛直に持ち上げたとして計算する。従って①と同じ計算となり、980 J

③ $\dfrac{(50\,\mathrm{kg} \times 9.8\,\mathrm{m/s^2}) \times 4\,\mathrm{m}}{5\,\mathrm{s}} = \dfrac{(50 \times 9.8)\,\mathrm{N} \times 4\,\mathrm{m}}{5\,\mathrm{s}} = 392\,\mathrm{W}$

④ $20\,\mathrm{kg} \times 9.8\,\mathrm{m/s^2} \times 10\,\mathrm{m} = 1960\,\mathrm{J}$

⑤ $\dfrac{1}{2} \times 40\,\mathrm{kg} \times (20\,\mathrm{m/s})^2 = 8000\,\mathrm{J}$

⑥ $100\,\mathrm{g} \times 0.8\,\mathrm{J/g{\cdot}K} \times (30 - 5)\,\mathrm{K} = 2000\,\mathrm{J}$

例　題

20 ℃の水 100 g が入ったビーカーに、75 ℃に熱した 100 g の鉄球を入れてよくかき混ぜたところ、水温は 25 ℃まで上昇した。このとき、この鉄球の比熱はいくらか。ただし、水の比熱は 4.2 J/g･K とし、鉄球の熱はすべて水に伝わったものとする。　［県・政令都市］

1　0.21 J/g･K
2　0.32 J/g･K
3　0.42 J/g･K
4　0.53 J/g･K
5　0.63 J/g･K

解　説

高温の鉄球が失った熱量と低温の水が得た熱量は等しいとして、式をたてる。最終的に鉄球も水も25℃になるので、

$$100\,\mathrm{g} \times x\,\mathrm{J/g\cdot K} \times (75-25)\,\mathrm{K} = 100\,\mathrm{g} \times 4.2\,\mathrm{J/g\cdot K} \times (25-20)\,\mathrm{K}$$

$$x = 0.42\,\mathrm{J/g\cdot K}$$

●正答……3

演　習

27 ある人が次のような作業をした。この人がした力学的な仕事量のうち最も大きいのはどれか。［刑務官］

1　重さ50Nの石を持ち上げようとしたが、持ち上がらなかった。
2　重さ20Nの石を持って、1m歩いた。
3　摩擦力20Nの石を1m引っ張った。
4　橋の上にある重さ10Nの石を10m下の川に落とした。
5　重さ10Nの石を持って、高さ3mの斜面を上った。

28 壁に立てかけた板ABの上を、ドラム缶を引っ張って持ち上げた。ドラム缶に糸CDを巻き付けて矢印の方向に引っ張るとすれば、板ABよりも短い板の上を引っ張った時と、板ABよりも長い板の上を引っ張った時、どのようなことが考えられるか。［市町村］［警察官］

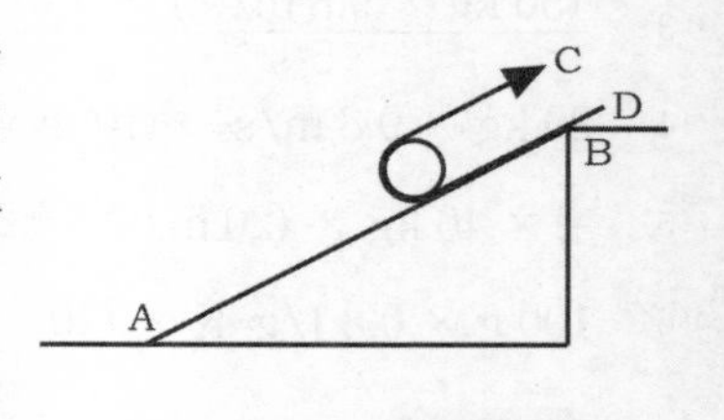

ア　もとの板ABと比べて距離は短いが、力が大きくなる。
イ　もとの板ABと比べて力が大きくなるが、仕事量は小さくなる。
ウ　もとの板ABと比べて距離は長くなり、仕事量は大きくなる。
エ　もとの板ABと比べて力は小さくてすむが、仕事量は変わらない。

	板ABより短いとき	板ABよりも長いとき
1	ア	ウ
2	ア	エ
3	イ	ウ
4	イ	エ
5	ウ	イ

29 仕事率は、仕事の能率を表し、仕事は、物体に加えられた力の大きさと、物体が力の向きに動いた距離との積で表される。質量 100 kg の物体を 8 秒間で垂直に 4 m 持ち上げたときの仕事率として、正しいのはどれか。ただし、重力加速度は 9.8 m/s^2 とする。 ［東京都］

1　50 W
2　200 W
3　400 W
4　490 W
5　980 W

30 図のように、水平面上で、与えられた運動エネルギーの大きさに比例して移動するような板がある。この板に同じ質量の物体をいろいろな速さで衝突させ、板の移動距離を測定し、横軸に速さを、縦軸に板の移動距離をとったグラフをグラフ A とする。

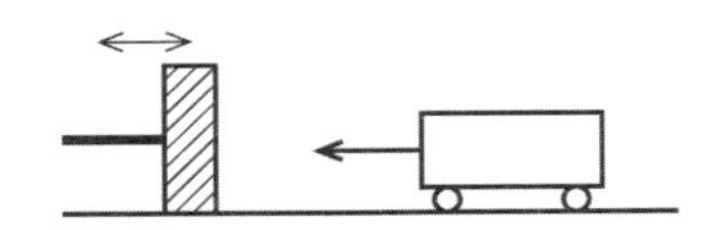

同じように、一定の速さでいろいろな質量の物体を衝突させ、板の移動距離を測定し、横軸に質量を、縦軸に板の移動距離をとったグラフをグラフ B とする。

グラフ A、B を定性的に正しく表しているのはどれか。

ただし、衝突する物体の運動エネルギーはすべて板に与えられるものとする。 ［国家一般］

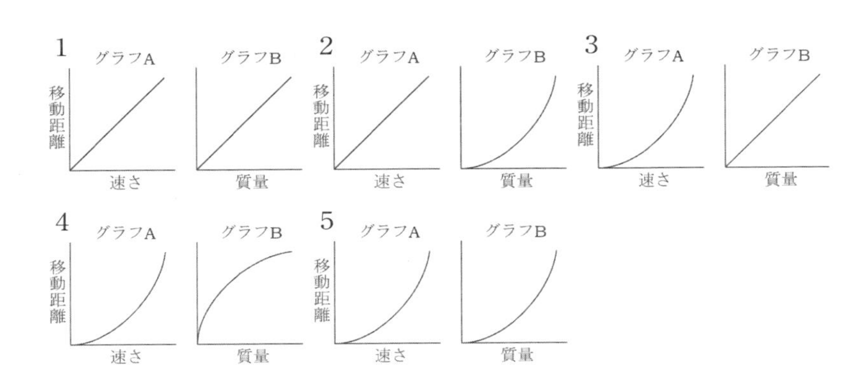

31 質量4 kg、3 kg、1 kgの物体A、B、Cを高さそれぞれ10 m、20 m、50 mから床に向かって自由落下させたとする。このとき床に衝突する直前の運動エネルギーを大きい順に並べたものとして正しいのはどれか。

ただし、重力加速度を9.8 m/s²とし、空気抵抗はないものとする。

［刑務官］

1　A＞B＞C
2　B＞A＞C
3　B＞C＞A
4　C＞A＞B
5　C＞B＞A

32 図Ⅰのような容器があり、その縁の点Aで静かに球Pから手を放すと、球Pは点Bを通り点Cまで行き、再び点Bを通り点Aまで戻ってくる。

次に、図Ⅱのように点Aよりも低い点Dで容器を切り、同じように点Aで静かに球Pから手を放すと、点Bを通り点Dに行き、点Eまで行って地面に落ちていく。

図Ⅰ　図Ⅱ

このとき、次の記述のうちで正しいものはどれか。

［県・政令都市］

1　点Aと点Cでの運動エネルギーは0である。
2　点A、点C、点Eの位置エネルギーは等しい。
3　点Dから投げ出されてから地面に着くまで運動エネルギーは増加する。
4　点Bと地面に着いたときでの運動エネルギーは等しい。
5　点A、点B、点D、点E、地面の順に位置エネルギーは減少する。

33 次の図のように、水平となす角 θ の方向に地上から小球を発射したとき、小球は T 秒後に地上に落下し、その場に停止した。この場合の小球が持つ位置エネルギーと運動エネルギーの和 E と時間 t との関係を示すグラフとして妥当なのはどれか。ただし、空気抵抗は無視するものとする。

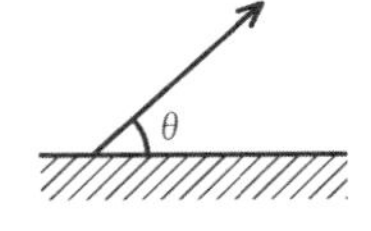

［特別区］

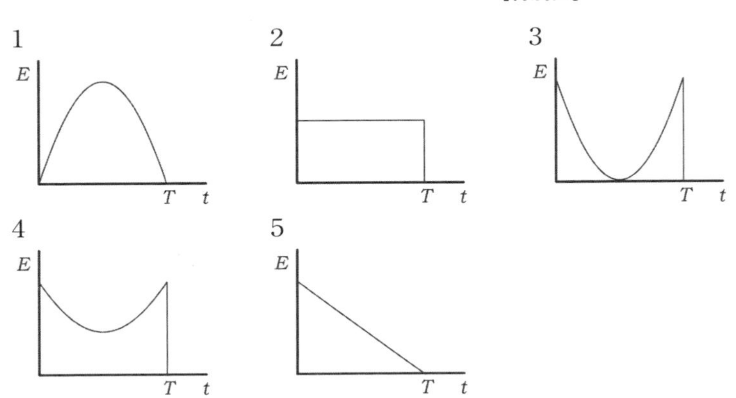

34 次の図はエネルギーの変換について示したものであるが、これについて正しい記述はどれか。

［市町村］

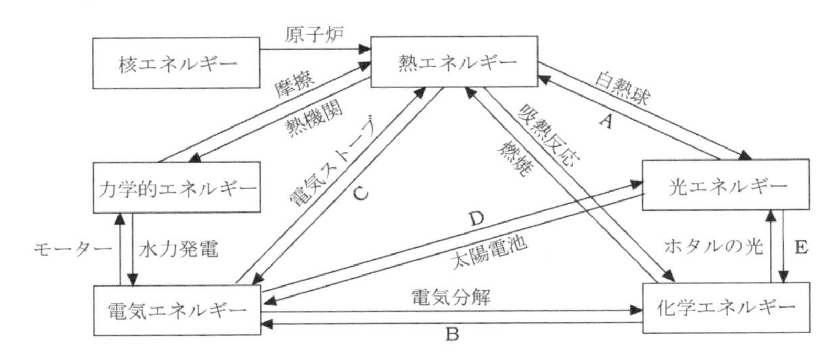

1　A は太陽炉で、E は蛍光灯である。
2　B は乾電池で、C は火力発電である。
3　B は火力発電で、D は光合成である。
4　C は光合成で、E は太陽炉である。
5　D は乾電池で、E は蛍光灯である。

35 私たちの生活はいろいろなエネルギーによって支えられているが、私たちはエネルギーの形をさまざまに変換して利用している。

①～④は、それぞれエネルギーを変換して利用する装置である。(　　)内には、それぞれの装置で、変換する前と変換した後のエネルギーとして、電気、熱、光、化学、位置のいずれかの語句が入る。このうち、電気及び光が用いられる回数の組合せとして最も妥当なのはどれか。

[国家一般]

	変換前	変換後
①石油ストーブ	(　　)エネルギー→	(　　)エネルギー
②水力発電機	(　　)エネルギー→	(　　)エネルギー
③太陽電池	(　　)エネルギー→	(　　)エネルギー
④蛍光灯	(　　)エネルギー→	(　　)エネルギー

	電気	光
1	1回	1回
2	2回	1回
3	2回	2回
4	3回	2回
5	3回	3回

36 次の文章中の（　ア　）～（　ウ　）に当てはまる文として適切なものを選んだ組み合わせはどれか。　　［県・政令都市］

その物体の温度を１K上げるのに必要な熱量を熱容量という。ある物体に熱量を与えたとき、その物体の温度が高く上がるほど、その物体の（　ア　）。また、別のある物体の温度を下げたとき、放出された熱量が大きいほどその物体の（　イ　）。90 ℃の空気と水に手を入れると、水に入れたときの方が熱く感じるのは、（　ウ　）。

A. 熱容量は大きいといえる
B. 熱容量は小さいといえる
C. 水の熱容量の方が大きいからである
D. 水の熱容量の方が小さいからである

	ア	イ	ウ
1	A	A	C
2	A	B	C
3	A	B	D
4	B	A	C
5	B	B	D

37 質量１kgのある金属の塊を35 ℃に熱し、20 ℃の水350 gの中に入れたところ、金属の塊も水もともに30 ℃になった。このとき金属の比熱はいくらか。次のうち最も近いものを選べ。ただし水の比熱は4.2 J/g·Kとし、熱は外部に逃げないものとする。　　［警察官］

1　1.7 J/g·K
2　2.1 J/g·K
3　2.5 J/g·K
4　2.9 J/g·K
5　3.4 J/g·K

38 質量 M(kg) の 100 ℃の湯に質量 $2M$(kg) の 13 ℃の水を加えてかき混ぜると、その湯の温度は何度になるか。なお周囲との間の熱の出入りはないものとする。

[国家一般]

1　34 ℃
2　36 ℃
3　38 ℃
4　40 ℃
5　42 ℃

I - 4

波

出題頻度　★★

まとめ

①波の要素

●波の基本用語

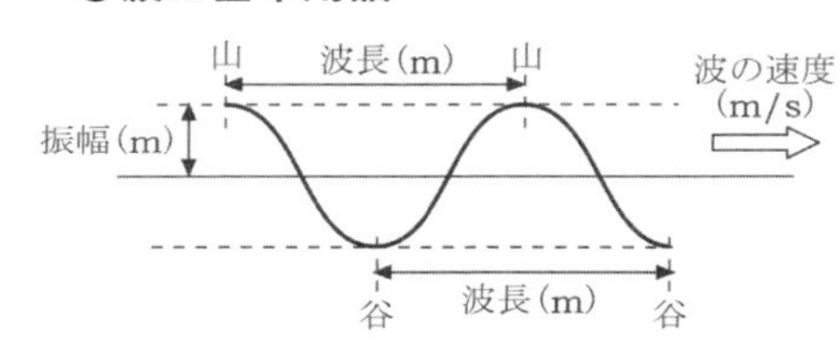

・振動数（周波数）　単位　Hz（ヘルツ）
　1秒間に振動する回数
・振動数と波長は反比例の関係
　振動数が大きいほど波長は小さい
　（速度一定のとき）

●音の性質

・縦波…波の進む方向と同じ方向に振動（＝バネが伸び縮みする振動と同じ）
・音速　固体中＞水中＞空気中（気温高＞気温低）　空気中…340 m/s
・音の三要素

振　幅	振動数	（波　長）	波　形
大きいほど大きな音	大きいほど高い音	（小さいほど高い音）	音色の違い

・共振（共鳴）…物体がもつ固有の振動数と同じ振動数の波が加わると、その物体が大きく振動を始める　例）おんさの共鳴箱、ギターの胴

●電磁波（光）の性質

・横波…波の進む方向に対して横に振動（＝水面に生じる振動と同じ）
・光速　固体中＜水中＜空気中＜真空中　真空中…3.0×10^8m/s

・電磁波の種類　(光も電磁波の一種)

<table>
<tr><td>振動数(周波数)</td><td colspan="9">小←――――――――――――――――→大</td></tr>
<tr><td>波　長</td><td colspan="9">大←――――――――――――――――→小</td></tr>
<tr><td rowspan="2"></td><td colspan="5">電　波</td><td rowspan="2">赤外線</td><td>(可視)光</td><td rowspan="2">紫外線</td><td rowspan="2">X線・γ線</td></tr>
<tr><td>長波</td><td>中波</td><td>短波</td><td>超短波</td><td>マイクロ波</td><td>赤色光←――→紫色光</td></tr>
</table>

●赤外線と紫外線

	特　徴	吸収をうけるもの	用途など
赤外線	熱を運ぶ	二酸化炭素	暖房器具 赤外線写真…空気中のチリに乱されにくい
紫外線	化学変化をおこす	オゾン層	殺菌灯…殺菌作用がある 日焼け

②波の性質

・反射…例) やまびこ　ホールでの残響　鏡に自分の姿が映る
・全反射…例) 光ファイバーでは、光は反射を繰り返し外に出ない

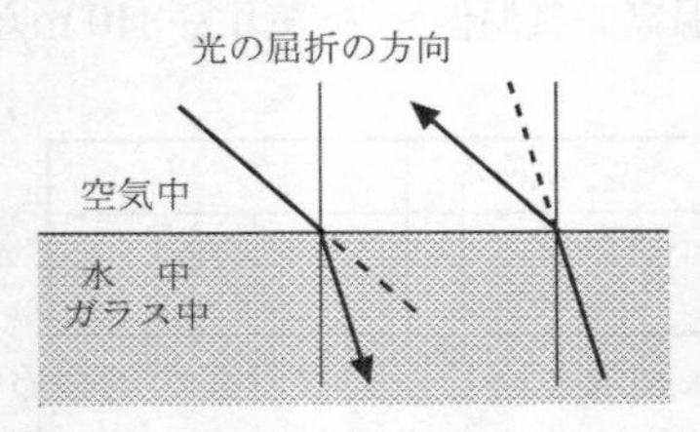

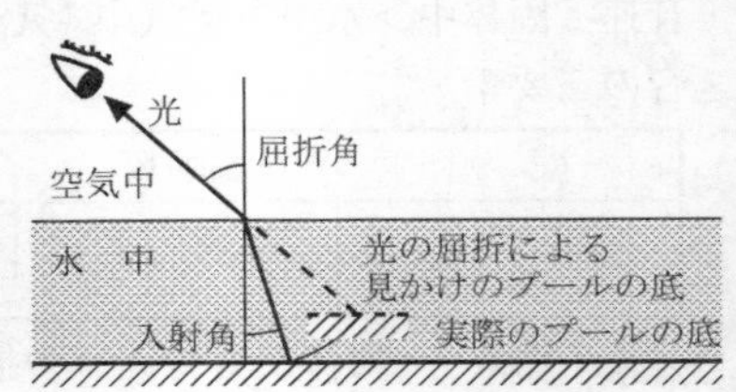

・屈折…例) プールの底が浅く見える　夏、道路に逃げ水が見られる　夜、遠くの音がよく聞こえる
・光の分散…例) プリズムを通すとにじ色に分かれる　雨上がりに空ににじがかかる

低温　昼
音は上向きに曲がる
高温

高温　夜
音は下向きに曲がる
低温

夜は遠くの音が届きやすい

・回折…波が障害物の裏に回り込む
例) 物陰の音が聞こえる　室内でもラジオ・携帯電話の電波が届く
※波長が大きい方がおこりやすい(光は波長が小さいので回折しにくい)

・干渉…波が重なり合って振動を強めあったり弱めあったりする
例）振動数の近い音を同時にならすと音の強さが周期的に変わる（うなり） 振動数の同じ音を同時にならすと音が大きく聞こえる地点と小さく聞こえる地点ができる CD・シャボン玉・油膜の表面がにじ色にみえる
・光の散乱…例）昼、空が青くみえる 朝夕、空が赤く見える
※波長が小さい方がおこりやすい（紫外線・青色光は散乱されやすい）

●ドップラー効果 音源やそれを聞く人が運動している場合、本来の振動数（音の高さ）と異なる高さの音に聞こえる
・音源と人が近づいていくとき…高く聞こえる
・音源と人が離れていくとき…低く聞こえる

③電磁気

・磁力（磁気力）…磁石から働く力　　・磁界…磁力の働く空間
・磁力線…磁界を表す線（N極からS極へ）＝方位磁針のN極のさす方向
・電磁気…電流が流れると磁界が生じる
・誘導電流…ソレノイド（コイル）に磁石を近づける（遠ざける）と電流が生じる（磁石の速度・ソレノイドの巻き数が大きいほど電流は大きい）→発電機に利用

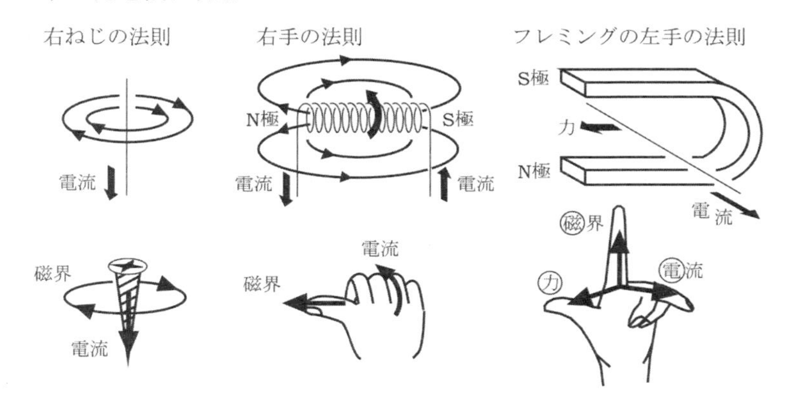

④放射線

名称と構成		電荷	透過力	電離作用(＝エネルギー)
α線 ⊕○○⊕	陽子２個＋中性子２個（Heヘリウム原子核）	２＋	小 ↑	大 ↑
β線 ⊖	電子	１－	↕	↕
γ線 〰〰→	電磁波	なし	↓ 大	↓ 小

演　習

39 下文のア～エの［　　］に当てはまる語の組合せとして妥当なのはどれか。

［県・政令都市］

　同じ高さ、同じ強さの音でも、発音体によって音が違って感じられることを音色が違うという。同じ高さの音で楽器によって音色が違うのは、［ア］が同じでも、［イ］が異なるからである。また、ギターやバイオリンなどの弦楽器では、弦自身が発する音は小さいが、弦の［ウ］と胴の中の空気の［ウ］が一致して、［エ］がおこり、大きな音が発生する。

	ア	イ	ウ	エ
1	振動数	振　幅	振動数	共　鳴
2	振動数	波　形	振動数	共　鳴
3	振動数	波　形	波　形	反　射
4	振　幅	振動数	波　形	反　射
5	振　幅	波　形	振動数	共　鳴

40 音も光も波の性質をもっているが、これに関する記述A、B、Cの正誤の組合せとして最も妥当なのはどれか。 [刑務官]

A：音は縦波であるが、光は横波である。
B：音も光も真空中を伝わる。
C：音も光も空気中の方が水中よりも速く伝わる。

	A	B	C
1	正	正	誤
2	正	誤	正
3	正	誤	誤
4	誤	正	誤
5	誤	誤	正

41 次の文は、電磁波に関する記述であるが、文中の空所ア～ウに該当する語の組合せとして、妥当なのはどれか。 [特別区]

太陽が放射する電磁波は、主に［ア］からなり、［ア］より波長の長い［イ］や、波長の短い［ウ］が含まれている。［イ］は、熱作用を持ち地表や大気を暖め、［ウ］は、大気中のオゾン層に吸収される。

	ア	イ	ウ
1	可視光線	紫外線	赤外線
2	可視光線	赤外線	紫外線
3	紫外線	可視光線	赤外線
4	紫外線	赤外線	可視光線
5	赤外線	可視光線	紫外線

42 紫外線に関する記述として正しいのはどれか。 [刑務官]

1　化学作用を起こしやすく、殺菌作用があり、酸素をオゾンに変えたりもする。
2　物質の温度を高める作用があるので、加熱、暖房、乾燥などに利用される。
3　大気中の分子、ゴミ、水滴などの微粒子によって吸収・散乱されることが少ない。
4　エネルギーが低いので、長時間皮膚をさらしても日焼けすることはない。
5　物質を透過する性質があるので、胸部撮影などに利用される。

43 次の文章中のＡ～Ｃの空欄に入る語句の組合せとして最も適当なのはどれか。 [裁判所]

晴れた日の夜、地上からの音が遠くまで聞こえるときがある。それは、地表近くの温度に比べて上空の温度が（　Ａ　）、そのため地表近くの音速に比べて上空の音速が（　Ｂ　）なり、音波の進行方向が下向きに曲げられて遠くの地表に届くためである。このような音波の性質を（　Ｃ　）という。

	A	B	C
1	低く	小さく	回折
2	高く	小さく	屈折
3	低く	大きく	屈折
4	低く	大きく	回折
5	高く	大きく	屈折

次の記述は光の屈折に関するものであるが、文中のア、イの｛　｝内に入る語句の組合せとして、最も妥当なのはどれか。　［市町村］［警察官］

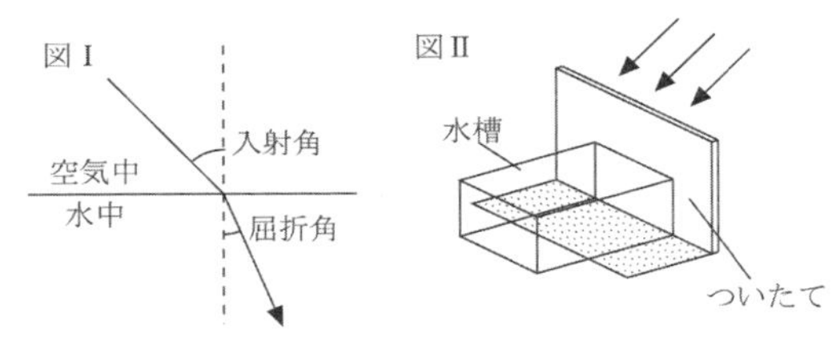

光が空気中から水中に入るときは、図Ⅰのように屈折角は入射角より小さくなる。

図Ⅱのように直方体の水槽の側面についたてを置き、斜め上45°から平行光線をあてる。水槽に水が入っていないときは、水槽の内側と外側のついたての陰の長さが一致する。ここで、水槽に水を入れると、水槽の内側の陰の長さは光の屈折によって変化し、水槽を真上から見たとき陰は、図Ⅲのア｛a／b｝のようになる。

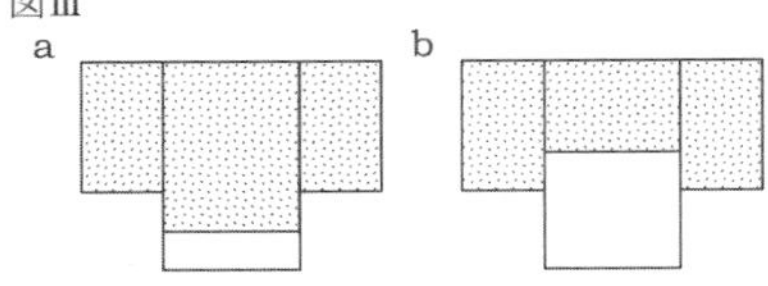

次に、図Ⅳのように、カップを斜め上から見たとき、カップの底に置かれたコインがちょうど半分だけ見えていた。ここで、カップに水を入れると、コインはイ｛ちょうど半分まで／半分より多く／半分より少なく｝見える。

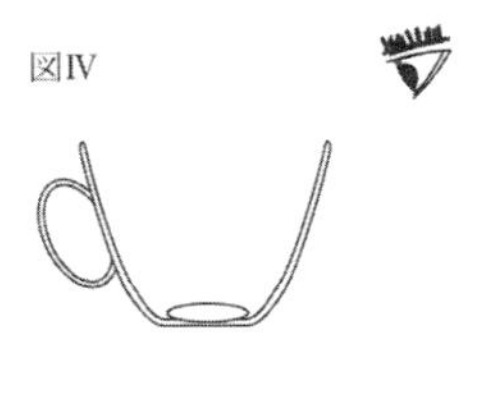

	ア	イ
1	a	ちょうど半分まで
2	a	半分より多く
3	b	ちょうど半分まで
4	b	半分より多く
5	b	半分より少なく

45 波（波動）に関する記述として最も妥当なのはどれか。 [国家一般]

1　ひもの一端を固定し、もう一方の端を手で持ち左右に続けて振動させると波ができるが、これは波の進行方向に対して媒質をもとの位置に戻そうとする力が垂直に働くからであり、この波を縦波といい、縦波の代表例としては音波や電波などがある。

2　波には、振動が伝わらないようなビルなどの障害物の裏側までまわり込んで伝わる現象があり、この現象を波の回折というが、一般に、波長が長いほどよく回折することから、ラジオの中波放送の電波は、大きなビルの陰でも受信しやすい。

3　二つのスピーカーから同時に音を出したとき、音のよく聞こえる場所とよく聞こえない場所が生じるが、これはスピーカーから出る音の波が、山と谷の重ね合わせで強めあう所と、山と山、谷と谷の重ね合わせで弱めあう所が現れるからであり、この現象をうなりという。

4　音の高さは、救急車がサイレンを鳴らしながら近づいてくるときよりも、救急車が止まっているときの方がサイレンの音が高く聞こえる。この現象をドップラー効果といい、波長が長くなると音は高くなり、波長が短くなると音は低くなる。

5　太陽光が大気中を通過するとき、青い光は波長が長いため分散されにくいが、逆に、赤い光は波長が短いため大気中の小さいちりなどの粒子によって分散されやすい。昼間、空が青く見えるのは、分散されにくい青い光がより多く目に届くからである。

46 列車が警笛を鳴らしながら踏切に近づいてきて通り過ぎた。踏切に立ってこの警笛を聞くとき、その周波数（Hz）を縦軸に、時間（s）を横軸にとってグラフ化すると、およそどのようなグラフを描くか。　［市町村］

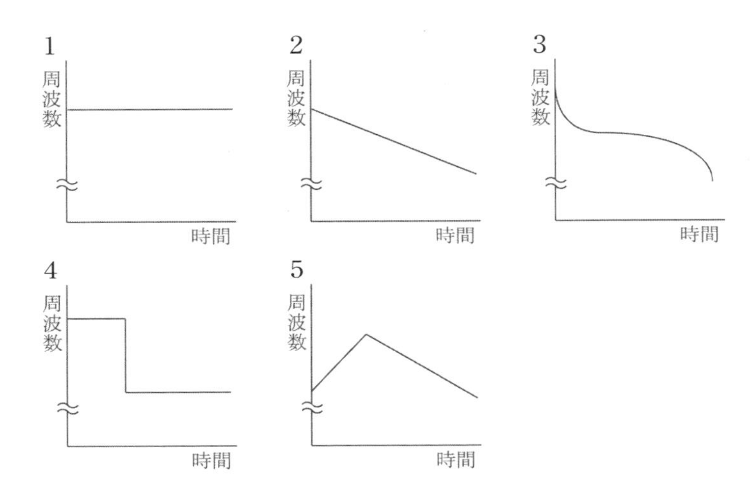

47 次の記述は、電流がつくる磁界の向きについて説明したものであるが、{ }を補う語の組合せとして最も妥当なものはどれか。[市町村][警察官]

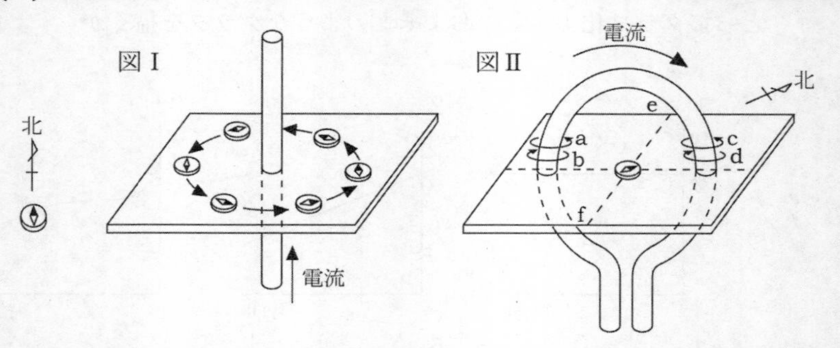

北の方角を指す方位磁針を、図Ⅰのように導線の周りに配置して電流を流すと、方位磁針のＮ極はいっせいに矢印のように回転した向きを指すようになる。これは電流によって周囲に磁界が発生するためにおこる現象である。このとき、方位磁針のＮ極は発生した磁界の向きを示している。

次に、図Ⅱのように電流を流すと、ア{a／b}の向きと、イ{c／d}の向きに磁界が生じ、中心部に置かれた方位磁針のＮ極は、ウ{e／f}の向きを指すようになる。

	ア	イ	ウ
1	a	d	e
2	a	d	f
3	a	c	e
4	b	d	f
5	b	c	e

48 磁界に関する図Ⅰ、Ⅱ、Ⅲについての説明A、B、Cのうち、妥当なもののみをすべて挙げているのはどれか。 ［国家一般］

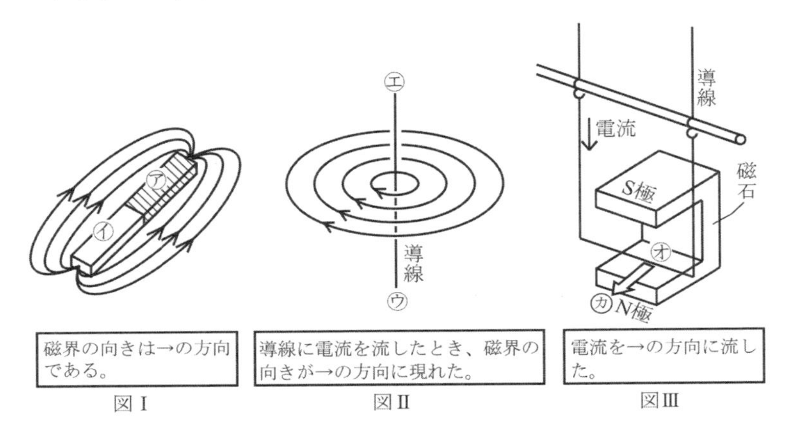

図Ⅰ　図Ⅱ　図Ⅲ

A　図Ⅰにおいて、棒磁石のN極は㋐、S極は㋑である。
B　図Ⅱにおいて、電流の向きは㋒⇒㋓の方向である。
C　図Ⅲにおいて、ブランコのようにつり下げられた導線は、㋔⇒㋕の方向に動く。

1　A、B
2　A、C
3　B
4　B、C
5　C

49 天然に存在する元素で原子番号が84番以上の元素はすべて放射線を出すことがわかっている。これらの放射線は、磁界中での曲がり方から α 線、β 線、γ 線の3種類に分けることができる。次のうち α 線に関する記述として最も妥当なのはどれか。 ［海上保安等］

1　高速のヘリウム原子核の流れであり、磁界と垂直な方向に曲がる。
2　高速の電子の流れであり、N極に強く引きつけられる。
3　X線より波長の短い電磁波であり、磁界の影響をうけない。
4　物質の透過力は、3種類のうちで一番大きい。
5　原子をイオンにかえる電離作用は、3種類のうちで一番小さい。

50 原子核は、いくつかの陽子と中性子で構成されている。陽子は正（+）の電荷をもつため、核内では互いに反発しあっているが、この反発力を弱め核を安定な状態に保つために、中性子が重要な役割を果たしている。しかし、原子番号が増えるに従って陽子の反発力が強くなり、安定な核は存在しなくなる。いま、ラジウム（$^{226}_{88}\mathrm{Ra}$）の原子核が、ある粒子を放出してラドン（$^{222}_{86}\mathrm{Rn}$）の原子核に変化した。このとき放出された粒子の性質として妥当なのはどれか。

［国家一般］

1　電界内を通過するとき、正（+）の電極方向に曲がる。
2　電界内を通過するとき、負（−）の電極方向に曲がる。
3　電界内を通過するとき、電界の影響を受けずに直進する。
4　電界内を通過するとき、エネルギーを吸収して電磁波を放出する。
5　電界内を通過するとき、エネルギーを放出して電気的に中性となる。

I - 5

電　気

出題頻度　★★★★

まとめ

①電　　気

●電気の単位

・電流…電気の流れる量　単位 A（アンペア）

・電圧…電気の流れる勢い　単位 V（ボルト）

・抵抗…電気の流れにくさ　単位 Ω（オーム）

・電力…電気のする（1秒あたりの）仕事　単位 W（ワット）

・電力量…電気のする仕事　単位 J（ジュール）　Wh

●電気の計算

・電圧・抵抗・電流の関係（オームの法則）

	電圧	= 抵抗	× 電流
	E	= R	I
単位	V	Ω	A

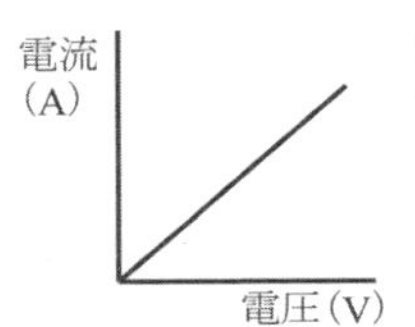

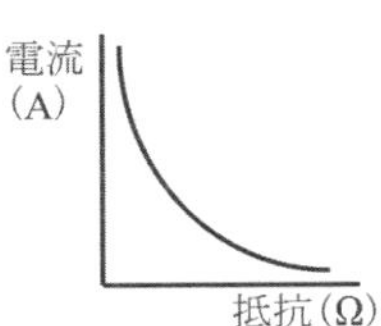

オームの法則のグラフ

・電力、電力量の関係

	電力	= 電圧	× 電流
	P	= E	I
単位	W	V	A

	電力量	= 電力	× 時間
	W	= P	t
単位	J	W	s
単位	Wh	W	h

●回路図と電流計・電圧計の接続

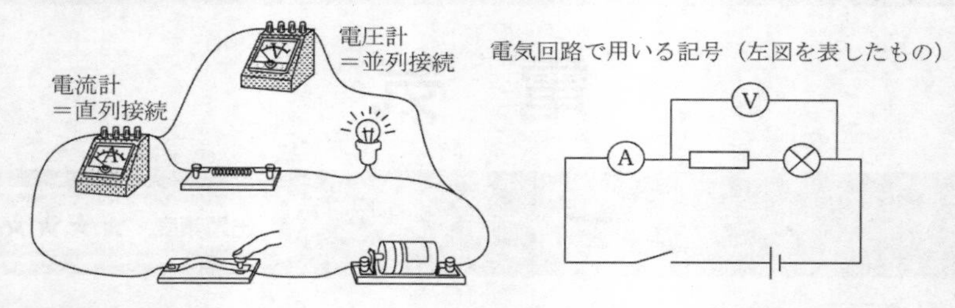

●直流と交流

	流れ方	電　源	特　徴
直流	正極→負極	電　池	正極、負極の区別がある
交流	交互に変わる (東日本　50Hz 西日本　60Hz)	発電機→ 家庭・工場用電源	変圧(電圧の上下)、整流(直流への変換)が簡単

②合成抵抗

・水流に例えて、電流は水の流れる量、電圧は水の流れる勢い（＝水路の傾きで表す）、抵抗は水の勢いを消費する箇所とするとわかりやすい

●抵抗の直列接続

・流れにくい部分が増えるので、全体の抵抗値は大きくなる
・流れる通路は一本なので、各抵抗を流れる電流は等しい

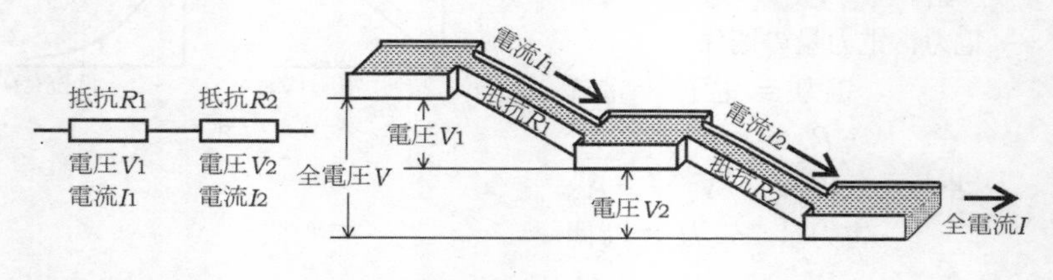

全抵抗 ＝ 抵抗$_1$ ＋ 抵抗$_2$ ＋ 抵抗$_3$ ＋ …

$R = R_1 + R_2 + R_3 + \cdots$　　単位　Ω

全電圧 ＝ 電圧$_1$ ＋ 電圧$_2$ ＋ 電圧$_3$ ＋ …

$V = V_1 + V_2 + V_3 + \cdots$　　単位　V

全電流 ＝ 電流$_1$ ＝ 電流$_2$ ＝ 電流$_3$ ＝ …

$I = I_1 = I_2 = I_3 = \cdots$　　単位　A

●抵抗の並列接続

・流れにくい部分にバイパスができるので、全体の抵抗値は小さくなる
・流れる通路が分岐することになるので、各抵抗を流れる電流をたすと全体の電流となる

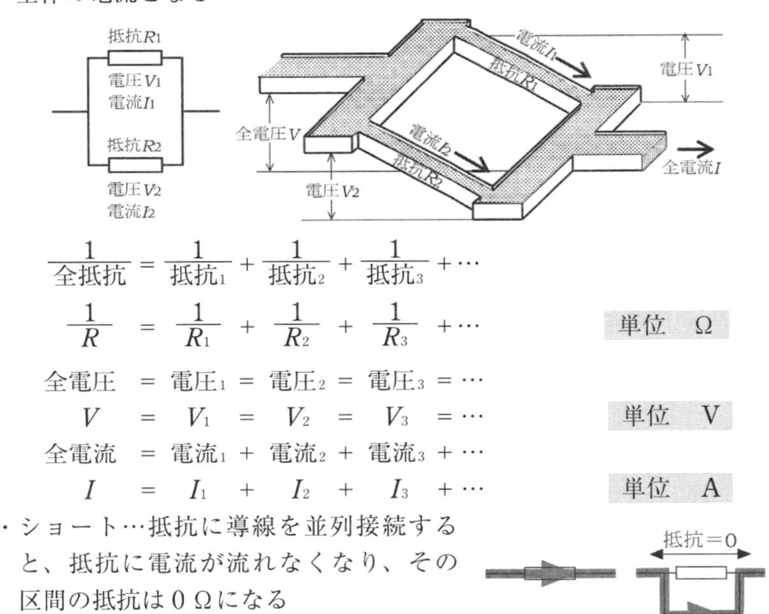

$$\frac{1}{全抵抗}=\frac{1}{抵抗_1}+\frac{1}{抵抗_2}+\frac{1}{抵抗_3}+\cdots$$

$$\frac{1}{R}=\frac{1}{R_1}+\frac{1}{R_2}+\frac{1}{R_3}+\cdots$$ 単位　Ω

$$全電圧=電圧_1=電圧_2=電圧_3=\cdots$$

$$V=V_1=V_2=V_3=\cdots$$ 単位　V

$$全電流=電流_1+電流_2+電流_3+\cdots$$

$$I=I_1+I_2+I_3+\cdots$$ 単位　A

・ショート…抵抗に導線を並列接続すると、抵抗に電流が流れなくなり、その区間の抵抗は0 Ωになる

●電球の接続　電力（＝電圧×電流）が大きいほど明るい

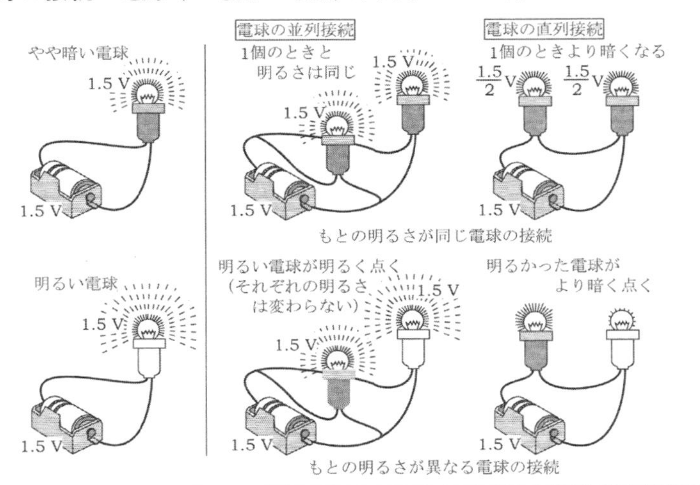

練　習

① 5.0 Ωの抵抗に2.0 Vの電圧を加えたとき、流れる電流はいくらか。

② 100 Vの電源に接続して5.0 Aの電流が流れる抵抗の消費電力はいくらか。

③ 200 Ωの抵抗に100 Vの電圧を加えたとき、この抵抗の消費電力はいくらか。

④ 100 Vの電源に接続すると5.0 Aの電流が流れる電熱器を、1分間使用したときの電力量は何Jか。また、2時間使用したときの電力量は何Whか。

⑤ 10 Ωと15 Ωの抵抗を直列につないだときの合成抵抗はいくらか。

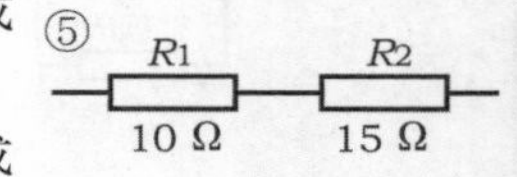

⑥ 10 Ωと15 Ωの抵抗を並列につないだときの合成抵抗はいくらか。

⑥
R1
10 Ω
R2
15 Ω

⑦ ⑤の回路に2.0 Aの電流が流れているとき、抵抗 R_1・R_2 の電流と電圧はいくらか。

⑧ ⑥の回路に3.0 Vの電圧がかかっているとき、抵抗 R_1・R_2 の電流と電圧はいくらか。

練習の解答

① 2.0 V = 5.0 Ω × x A　　x = 0.4 A

② 100 V × 5 A = 500 W

③ 100 V = 200 Ω × x A　　x = 0.5 A
100 V × 0.5 A = 50 W

④ 100 V × 5.0 A × 60 s = 30000 J (= 30 kJ)
100 V × 5.0 A × 2.0 h = 1000 Wh (= 1.0 kWh)

⑤ 10 Ω + 15 Ω = 25 Ω

⑥ $\frac{1}{x\,\Omega} = \frac{1}{10\,\Omega} + \frac{1}{15\,\Omega}$　　$\frac{1}{x} = \frac{5}{30}$　　x = 6 Ω

⑦ 直列接続なので電流はすべて同じである。抵抗 R_1：2.0 A　抵抗 R_2：2.0 A
抵抗 R_1：10 Ω × 2.0 A = 20 V　　抵抗 R_2：15 Ω × 2.0 A = 30 V

⑧ 並列接続なので電圧はすべて同じである。抵抗 R_1：3.0 V　抵抗 R_2：3.0 V
抵抗 R_1：10 Ω × x A = 3.0 V　　x = 0.3 A
抵抗 R_2：15 Ω × y A = 3.0 V　　y = 0.2 A

例　題

電気回路AB間に、40 Ωと50 Ωの電気抵抗を並列に接続し、さらに80 Ωの電気抵抗を直列に接続したとき、AB間の合成抵抗の値はいくらか（小数点以下は四捨五入するものとする）。　［裁判所］

1　81 Ω
2　89 Ω
3　102 Ω
4　125 Ω
5　170 Ω

解　説

まず並列部分の合成抵抗を求めて1つにまとめ、次に直列接続として全体の合成抵抗を求める。

まず、並列部分の抵抗値は、

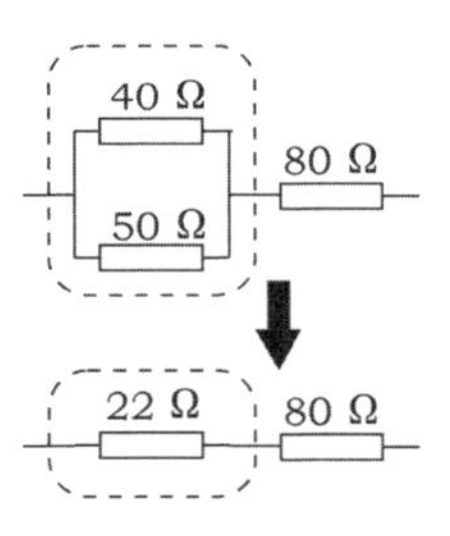

$$\frac{1}{x\,\Omega} = \frac{1}{40\ \Omega} + \frac{1}{50\ \Omega}$$

$$\frac{1}{x} = \frac{9}{200}$$

$$x \fallingdotseq 22\ \Omega$$

次に、この22 Ωの抵抗と80 Ωの抵抗の直列接続と考えて、抵抗値を求めると、

$$22\ \Omega + 80\ \Omega = 102\ \Omega$$

●正答……3

例　題

図のような回路に電流を流すと、抵抗Aには、3アンペアの電流が流れた。このときAの抵抗値はいくつか。　［東京消防庁］

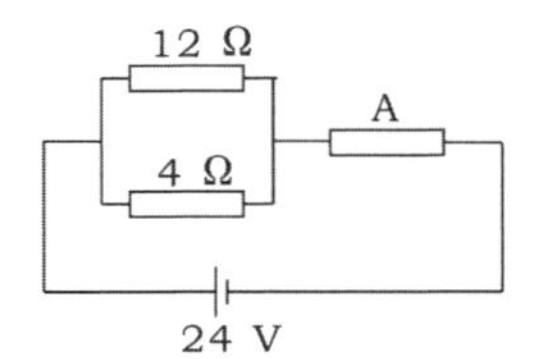

1　4 Ω
2　5 Ω
3　6 Ω
4　7 Ω
5　8 Ω

解　説

複数の抵抗が接続された問題で、その中の抵抗の１つについて抵抗値や電流・電圧が問われている場合は、表をつくって整理していくとわかりやすい。

それぞれの抵抗ごとに抵抗値、電流、電圧があり、そのうちの２つが分かれば残りはオームの法則から計算できる。また、直列接続の部分では電流が等しく、並列接続の部分では電圧が等しいことを利用してうめていくのがポイントである。

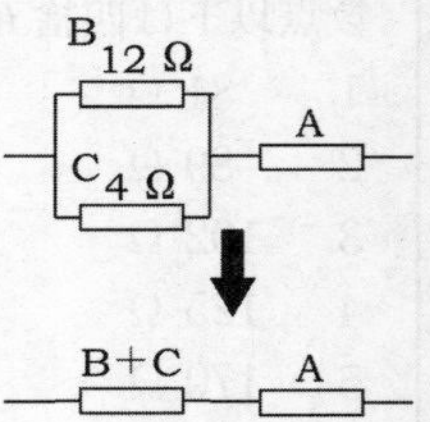

12 Ωの抵抗をB、4 Ωの抵抗をCとし、並列部分のBとCの合成抵抗をB + Cと表記すると、下のような表ができる。この空欄を埋めていく。一番早い手順を示すと、

	B	C	B＋C	A	全体
抵抗	12 Ω	4 Ω	① 3 Ω	⑤ 5 Ω	
×					
電流			② 3 A ＝	3 A ＝	② 3A
‖					
電圧			③ 9 V ＋	④ 15 V ＝	24 V

①　合成抵抗B + Cの抵抗値を求める

$$\frac{1}{12\,\Omega} + \frac{1}{4\,\Omega} = \frac{1}{x\,\Omega} \qquad \frac{1+3}{12} = \frac{1}{x} \qquad x = 3\,\Omega$$

②　直列部分の電流は、同じ値となる。

③　オームの法則から、合成抵抗B + Cの電圧は、

$3\,\Omega \times 3\,\mathrm{A} = 9\,\mathrm{V}$

④　直列部分の電圧はたし算となるから、抵抗Aの電圧は、

$9\,\mathrm{V} + y\,\mathrm{V} = 24\,\mathrm{V} \qquad y = 15\,\mathrm{V}$

⑤　オームの法則から、抵抗Aの抵抗値は、

$z\,\Omega \times 3\,\mathrm{A} = 15\,\mathrm{V} \qquad z = 5\,\Omega$

●正答……2

演 習

51 次の図のような回路において、ニクロム線を取り替えて回路を流れる電流と電圧の関係を調べようとした。次のうち、この実験に必要な電圧計Ⓥと電流計Ⓐのつなぎ方として妥当なのはどれか。**[海上保安等]**

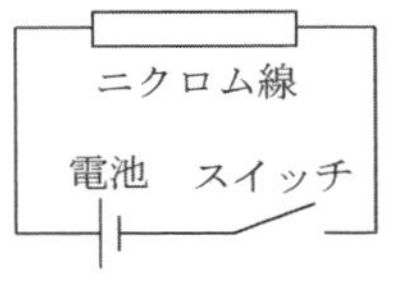

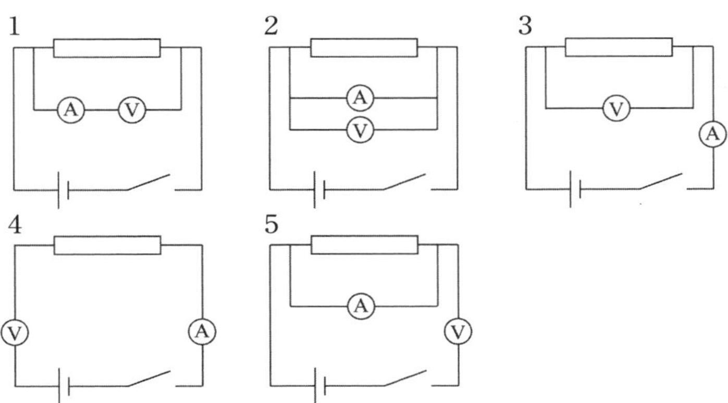

52 100 V用40 Wの電球を100 Vの電源につないだとき、流れる電流とこの電球の抵抗として正しいものはどれか。 **[警察官]**

	電流	抵抗
1	0.25 A	400 Ω
2	0.4 A	250 Ω
3	0.64 A	160 Ω
4	2.5 A	40 Ω
5	4 A	25 Ω

53 エアコンに200 Vの電圧を加えて2時間運転したところ、電力量が1200 Whであった。このとき、エアコンに流れる電流はどれか。

[特別区]

1　3 A
2　6 A
3　9 A
4　12 A
5　15 A

54 電流と電圧、電気抵抗の関係について、

a. 電圧を一定にして抵抗を変化させたときの電流の変化
b. 抵抗値を一定にして電圧を変化させたときの電流の変化

を示すグラフをア～ウから正しく選んでいるのはどれか。

[市町村] [警察官]

	a	b
1	ア	イ
2	ア	ウ
3	イ	ア
4	イ	ウ
5	ウ	ア

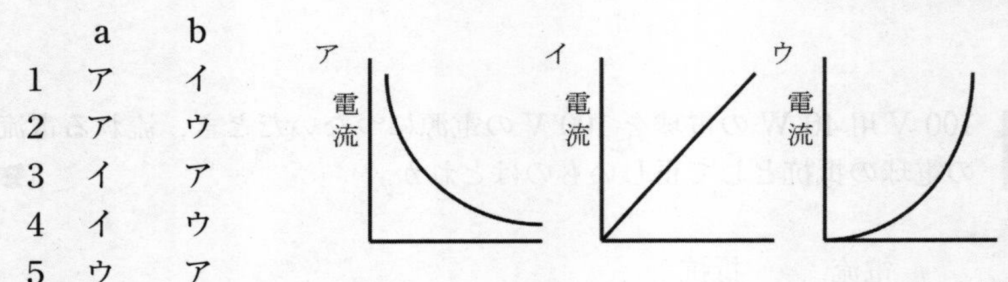

55 次の記述のA～Eに当てはまるものの組合せとして最も妥当なのはどれか。
[刑務官]

乾電池に豆電球を接続したときに得られる電流は、正極（＋）から負極（−）へ流れ、逆向きには流れない。このような電流を［A］という。

一方、家庭のコンセントに電球を接続したときに得られる電流は、その向きが周期的に入れ替わっている。このような電流を［B］という。［B］の電流の向きが1秒間当たりに入れ替わる回数を［C］といい、単位はHz（ヘルツ）である。我が国の家庭用の［B］では、東日本では［D］Hz、西日本では［E］Hzの［C］が使われている。

	A	B	C	D	E
1	直流	交流	周　期	60	100
2	直流	交流	周波数	50	60
3	直流	交流	周　期	60	50
4	交流	直流	周波数	50	100
5	交流	直流	周　期	100	60

56 電流には交流と直流がある。交流と直流の違いに関する記述として正しいのはどれか。
[国家一般][刑務官]

1　金属線に直流の電流を流すと熱が発生するが、交流の電流では熱は発生しない。
2　電磁石に交流の電流を流すと磁力が生ずるが、直流の電流では生じない。
3　変電所から家庭に送られてきているのは交流で、乾電池から得られる電流は直流である。
4　交流の電流は塩化ナトリウムの水溶液中を流れるが、直流の電流は流れない。
5　直流電流は変圧器によって電圧を変えることが容易にできるが、交流では容易でない。

57 次のような抵抗が等しい3本の抵抗線をつないだ電気回路がある。このうち、合成した抵抗値が最も小さくなるのはどれか。 [刑務官]

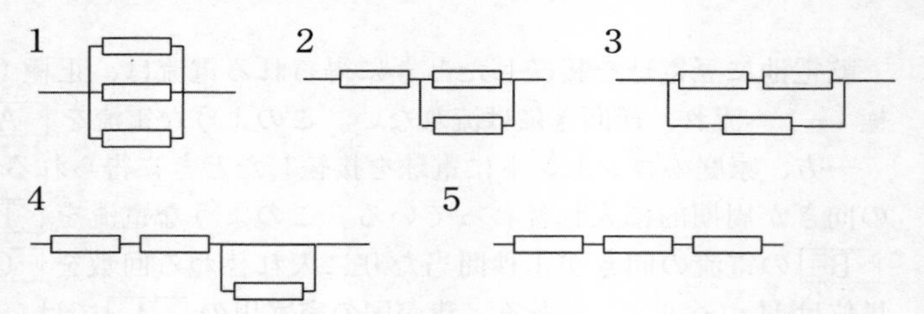

58 次の回路に12 Vの電圧をかけた場合の電流（I_1、I_2）と電圧（V_1、V_2）の関係が正しいものは、次のうちどれか。ただし$R_1 > R_2$とする。 [東京消防庁]

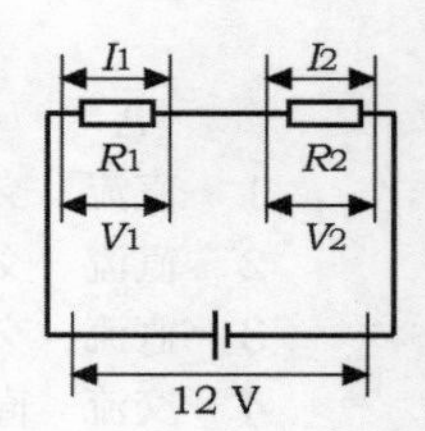

1 $I_1 < I_2$、$V_1 > V_2$
2 $I_1 = I_2$、$V_1 < V_2$
3 $I_1 = I_2$、$V_1 > V_2$
4 $I_1 > I_2$、$V_1 < V_2$
5 $I_1 > I_2$、$V_1 > V_2$

59 図のような電気回路において、$V = 11$ V、$R_1 = 1\ \Omega$、$R_2 = 2\ \Omega$、$R_3 = 1\ \Omega$、$R_4 = 2\ \Omega$である。このとき図の中の電流Iはいくらか。

[海上保安等]

1 1.2 A
2 1.8 A
3 2.4 A
4 3 A
5 3.6 A

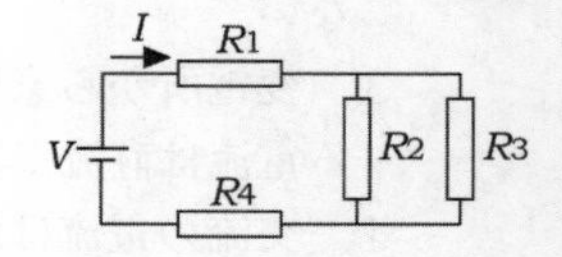

60 下図のとおり抵抗値が2.0 Ω、4.0 Ω、8.0 Ω、10.0 Ω、14.0 Ωの抵抗と電池からなる回路がある。BC間の電圧が4.0 Vであるとき、AB間に流れている電流は何Aか。

［警視庁］

1　0.2 A
2　0.4 A
3　0.5 A
4　0.8 A
5　　1 A

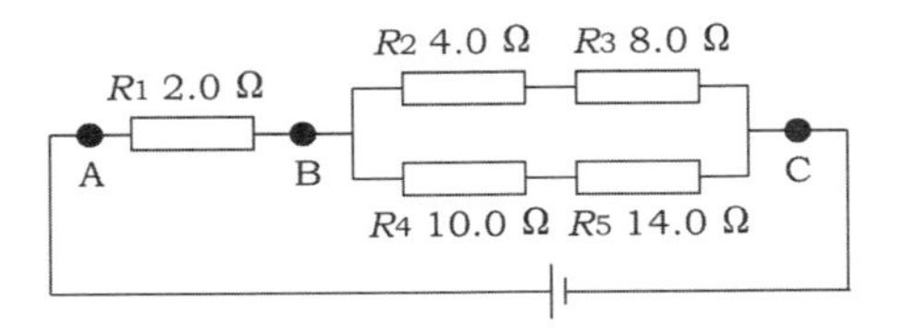

61 下の図のような回路において、3 Ωの抵抗が消費する電力は次のうちどれか。

［裁判所］

1　　24 W
2　　48 W
3　　72 W
4　100 W
5　120 W

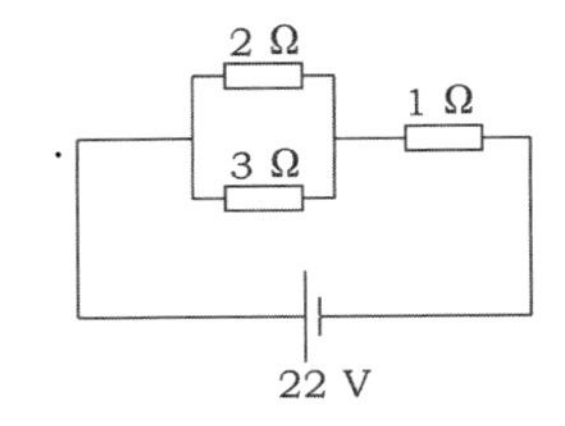

62 図Ⅰのような回路がある。この状態で電球L_1と電球L_2は同じ明るさであった。これに図Ⅱのように抵抗をつけると、L_1、L_2の明るさはどう変化するか。

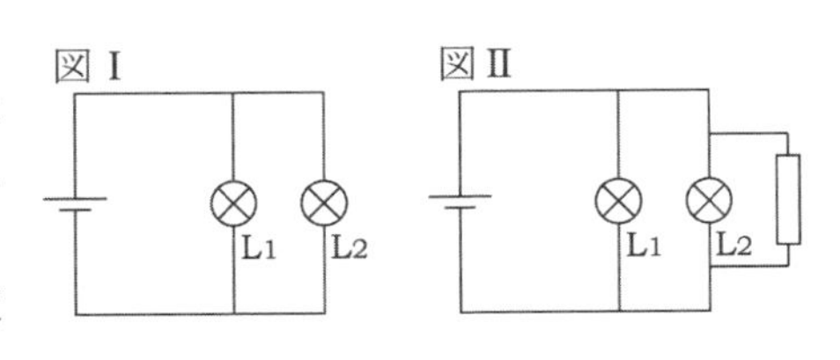

［市町村］

1　L_1はかわらないが、L_2は明るくなった。
2　L_2はかわらないが、L_1は明るくなった。
3　L_1はかわらないが、L_2は暗くなった。
4　L_2はかわらないが、L_1は暗くなった。
5　L_1、L_2ともに明るさはかわらない。

63 電球の明るさについて述べたものであるが、文中の{ }に入る語句として、正しいものの組合せはどれか。 [市町村][警察官]

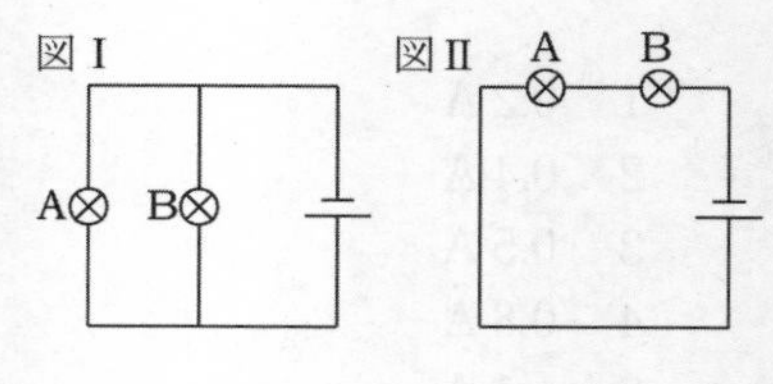

図ⅠのようにA、B 2つの電球を並列に接続すると、電球Aの方が明るく点灯した。このことから2つの電球のうち抵抗が大きいのは、ア{A／B}であることがわかる。また、今度は電球を図Ⅱのように直列に接続すると、電球にかかる電圧はイ{Aが大きい／Bが大きい／どちらも変わらない}。電力が大きい方が明るく点灯するので、電球の明るさはウ{Aが明るい／Bが明るい／どちらも変わらない}。

	ア	イ	ウ
1	A	Aが大きい	Aが明るい
2	A	Bが大きい	Aが明るい
3	B	Aが大きい	Aが明るい
4	B	Bが大きい	Bが明るい
5	B	どちらも変わらない	どちらも変わらない

II

化　学

II - 1

物質の構成

出題頻度 ★★★★

まとめ

①純物質と混合物

●物質の分類

		構成する元素	特　徴・例
純物質	単　体	1種類の元素が結合	沸点・融点・密度などが物質ごとに決まる
	化合物	2種類以上の元素が結合	
混　合　物		複数の純物質が混合	空気・食塩水(海水)など

●同素体　同じ元素からできているのに、性質の異なる単体

構成する元素	同素体の名称
酸　素	酸素(分子)O_2・オゾン O_3
炭　素	黒鉛(グラファイト)・ダイヤモンド
硫　黄	斜方硫黄・単斜硫黄・ゴム状硫黄
リ　ン	赤リン・黄リン

●物質の分離

・ろ過…液体に溶けていない固体をろ紙で分離　例) 砂混じりの水→水
・蒸留…溶液を温めて液体だけ蒸発させ分離　例) 海水 (食塩水) →水
・分留…蒸留の一種　溶液を温めて蒸発させ、沸点の違うものを次々取り出す

←沸点低い　　　　沸点高い→
例) 原油→石油ガス・ナフサ・軽油・重油

・再結晶…少量の不純物を含む固体を精製

②物質の三態

●状態変化　固体・液体・気体と移り変わる変化

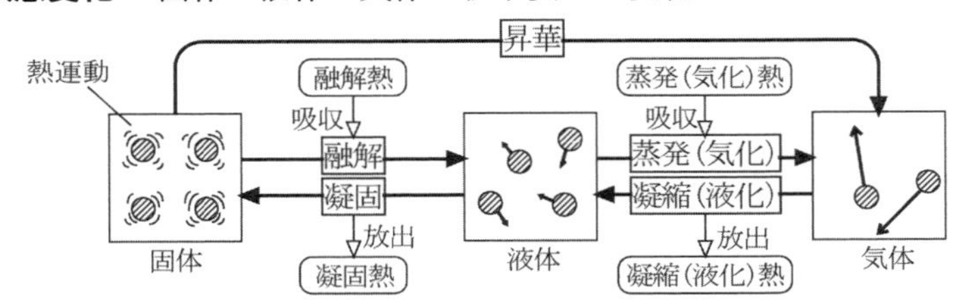

・常温で昇華をおこす物質…ドライアイス（二酸化炭素 CO_2）・ヨウ素

●沸点・融点

・沸点・融点では熱が状態変化に使われるため、温度が変化しない。

温度　沸点　融点　融解熱　融解　蒸発(気化)熱　沸騰　加熱時間　固体　液体　気体

③原子・分子・イオン

●原子の構造

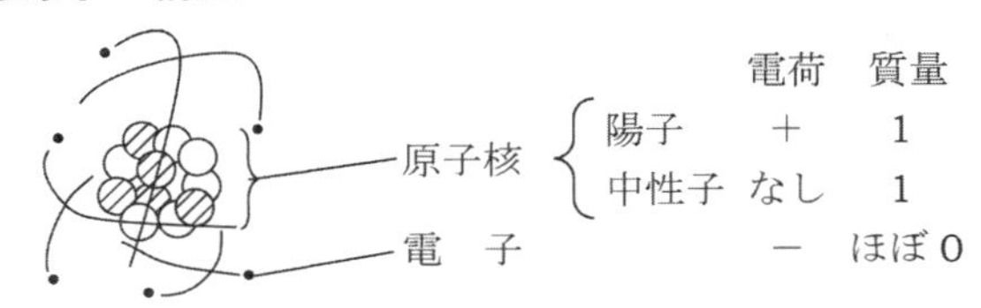

・陽子の数＝原子番号
原子の種類を決める

・陽子の数＋中性子の数＝質量数
原子の質量がわかる

・陽子の数＝電子の数
電気的に中性（＋－が同じ）

・元素記号の表記　質量数…12　原子番号…6　C

・同位体（アイソトープ）
（原子番号／陽子の数）は同じで（質量数／中性子の数）が異なる原子
ただし、化学的性質は同じ

●**イオン**　原子が電子を得たり、失ったりして電気を帯びた粒子

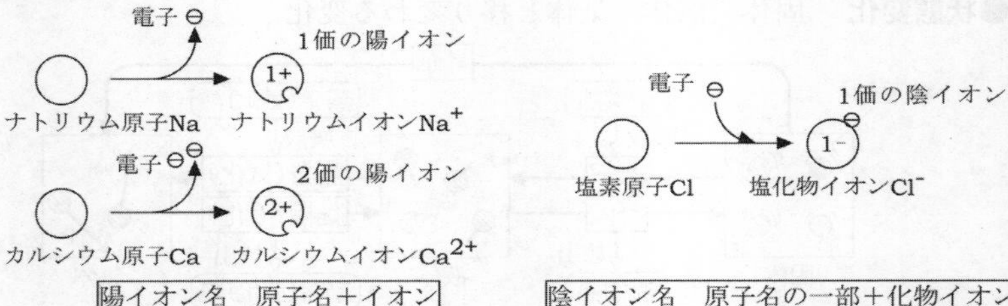

④周期律

●**周期表**　原子を原子番号（陽子の数）の順に並べたもの

周期＼族	1	2	13	14	15	16	17	18
1	${}_{1}H$	非金属元素↗						${}_{2}He$
2	${}_{3}Li$	${}_{4}Be$	${}_{5}B$	${}_{6}C$	${}_{7}N$	${}_{8}O$	${}_{9}F$	${}_{10}Ne$
3	${}_{11}Na$	${}_{12}Mg$	${}_{13}Al$	${}_{14}Si$	${}_{15}P$	${}_{16}S$	${}_{17}Cl$	${}_{18}Ar$
4	${}_{19}K$	${}_{20}Ca$	↙金属元素					

	1	2	13	14	15	16	17	18
同族元素	アルカリ金属	アルカリ土類金属					ハロゲン	貴ガス
価電子数（最外殻電子数）	1（1）	2（2）	3（3）	4（4）	5（5）	6（6）	7（7）	0（8）*
イオンの電荷	1＋	2＋	3＋	…	…	2－	1－	
イオンのなりやすさ	←陽イオンになりやすい　陽性が高い				→陰イオンになりやすい　陰性が高い			イオンにならない
イオン化エネルギー・電子親和力	←小さい				→大きい			

*Heの最外殻電子数は2

典型元素…1～2・12～18族（周期表の両端）　同じ族で性質が似ている
遷移元素…3～11族（周期表の中央部）　同じ周期で性質が似ている

※12族元素は典型元素に含める場合がある。

・原子番号20までの原子の覚え方

水	兵、	リー	ベ*	ボ	ク	ノ	オ	フ	ネ	七	曲	ぁり	Shi	p	s!	ク	ラー	ク	カァ?
H	He	Li	Be	B	C	N	O	F	Ne	Na	Mg	Al	Si	P	S	Cl	Ar	K	Ca
水素	ヘリウム	リチウム	ベリリウム	ホウ素	炭素	窒素	酸素	フッ素	ネオン	ナトリウム	マグネシウム	アルミニウム	ケイ素	リン	硫黄	塩素	アルゴン	カリウム	カルシウム

*Liebe（ドイツ語）＝Love

●**電子殻**　K殻から順に電子が満たされていく　満員（閉殻）となると安定

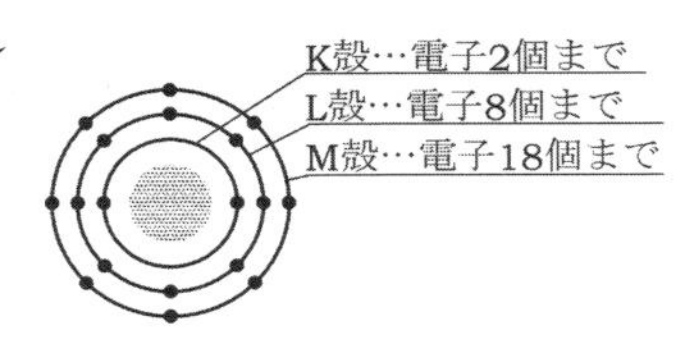

●**同族元素の性質**

・アルカリ金属（1族からHを除く）
　単体は、水と激しく反応し水素を発生させて溶け、強塩基性の水溶液（NaOHなど）をつくる
・アルカリ土類金属2族
　単体は、水と反応し水素を発生させて溶け、強塩基性の水溶液（$Ca(OH)_2$など）をつくる
・ハロゲン17族
　単体は、2原子分子（塩素Cl_2など）で、有色で毒性が強く、刺激臭を持つ
・貴ガス（希ガス）18族
　イオンにならず、化合物もつくりにくい（安定している）
　単体は、単原子分子（ヘリウムHe・アルゴンArなど）で、常温で気体として存在する

⑤化学結合

結合名	構成元素	結合の仕組み	結晶の性質
イオン結合	金属元素＋非金属元素	例）塩化ナトリウムNaCl イオンが静電気的引力（クーロン力）で、引き合う Na^+ Cl^- Na^+ / Cl^- Na^+ Cl^- / Na^+ Cl^- Na^+	イオン結晶… 水溶液は電気を通す（電解質）
共有結合	非金属元素	例）水H_2O 電子を共有する（共有電子） O H H 分子を構成する	分子結晶… 沸点･融点が低い 共有結合結晶…例外的存在 ダイヤモンドなど 沸点･融点が非常に高い
金属結合	金属元素	例）鉄Fe 自由電子 Fe Fe Fe / Fe Fe Fe	金属結晶… そのままで電気を通す

演　習

64 次は物質の分類、成分に関する記述であるが、A～Dに当てはまるものの組合せとして最も妥当なのはどれか。　**[海上保安等]**

物質は純物質と［A］に、純物質は［B］と単体に分類することができる。

純物質のうち、水は電気分解によって水素と酸素に分解することができるので、［B］であり、水素や酸素は、それ以上別の物質に分解できないため、単体である。

また、同じ元素からなる単体で性質の異なる物質を、互いに［C］であるといい、その例としては、黄リンと赤リンや、［D］などがある。

	A	B	C	D
1	混合物	化合物	同素体	一酸化炭素と二酸化炭素
2	混合物	化合物	同位体	酸素とオゾン
3	混合物	化合物	同素体	酸素とオゾン
4	化合物	混合物	同位体	酸素とオゾン
5	化合物	混合物	同素体	一酸化炭素と二酸化炭素

65 同一元素の原子からできている単体で、原子の結合状態が異なるため性質が異なるものを同素体というが、次のうち、互いに同素体であるものの組合せはどれとどれか。　**[市町村][警察官]**

A. 一酸化炭素、二酸化炭素
B. 濃硫酸、希硫酸
C. 黒鉛、ダイヤモンド
D. 塩素、ヨウ素
E. 酸素、オゾン

1　AとC
2　AとD
3　BとD
4　BとE
5　CとE

66 混合物から目的の物質を取り出す操作には様々なものがあるが、次のA、B、Cに用いる操作の組合せとして最も妥当なのはどれか。　[国家中途]

A：ワインから、エタノールを取り出す。
B：白く濁った石灰水から、透明な石灰水を得る。
C：少量の不純物を含む硝酸カリウムから、ほぼ純粋な硝酸カリウムを得る。

	A	B	C
1	昇　華	ろ　過	蒸　留
2	昇　華	再結晶	ろ　過
3	蒸　留	ろ　過	再結晶
4	蒸　留	再結晶	昇　華
5	ろ　過	昇　華	再結晶

67 原油を分留したときに得られる成分を、沸点の低い方から順番に並べたものの組合せとして、妥当なのはどれか。　[東京都]

低 ------→ 高
1　ナフサ、軽油、重油
2　ナフサ、重油、軽油
3　重油、ナフサ、軽油
4　重油、軽油、ナフサ
5　軽油、重油、ナフサ

II 化　学

68 図のA、B、Cは固体、液体、気体における水分子の集合状態を模式的に示したものである。それぞれの状態の組合せとして正しいのはどれか。

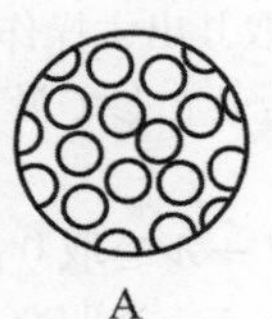
A

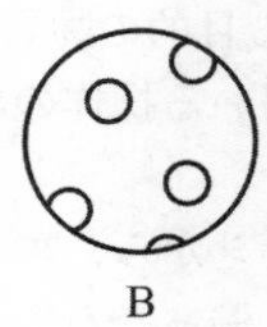
B

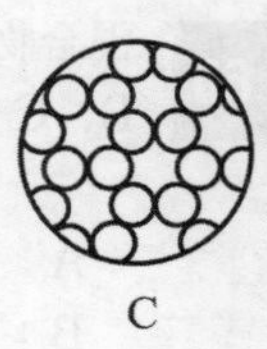
C

［刑務官］

	A	B	C
1	固　体	液　体	気　体
2	固　体	気　体	液　体
3	液　体	気　体	固　体
4	気　体	固　体	液　体
5	気　体	液　体	固　体

69 物質の変化に関する記述として、妥当なのはどれか。［東京都］

1　物質が液体から気体に変化するとき外部から吸収する熱を融解熱といい、打ち水は融解熱を利用して地面の温度を下げる。

2　物質が固体から液体になる変化を凝固といい、気体から液体になる変化を凝縮という。

3　物質が固体から直接気体になる変化を昇華といい、常温で昇華する物質の例として、ドライアイスがある。

4　物質を構成する粒子は熱運動をしており、熱運動は、液体及び気体では温度が高いほど激しくなるが、固体では温度によらず一定である。

5　物質を圧力が一定の下で加熱して沸騰させるとき、純物質の場合、沸騰中の温度は上昇し続ける。

70 グラフはある固体物質を一定条件下で加熱したときの物質の温度変化を示したものであるが、これに関する記述のうち正しいのはどれか。 **[市町村]**

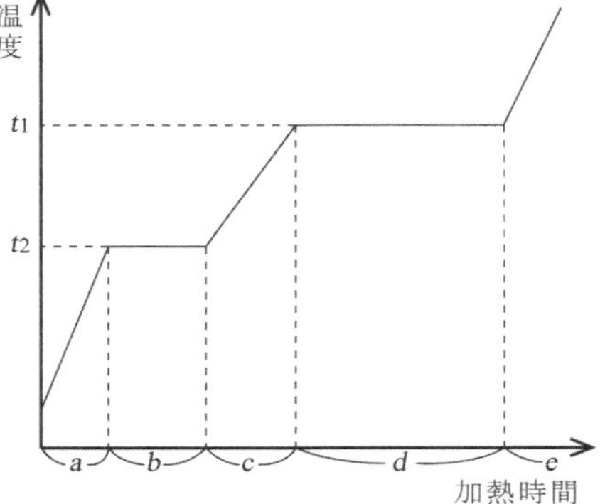

1　cの段階では液体と固体が混在している。
2　eの段階では気化が生じている。
3　この物質は固体や気体のときより液体のときの方が温まりにくい。
4　この物質を固体から液体に変えるためには、液体から気体に変えるよりも多くの熱エネルギーを必要とする。
5　この物質を2倍量とって同様の条件下で加熱すると、t_1、t_2の値のいずれもこのグラフの位置より高くなる。

71 次のA～Dのうち、原子の構造に関する記述として、妥当なものの組合せはどれか。 **[東京都]**

A　原子は正の電荷をもつ原子核と負の電荷をもつ電子とから構成されており、原子核には正の電荷をもつ陽子がある。
B　原子核の中の陽子の数を原子番号といい、原子核の中の陽子の数と中性子の数との和を質量数という。
C　同じ元素の原子で中性子の数が異なる原子を互いに同位体であるといい、同位体の化学的性質は、同じ元素であっても全く異なっている。
D　電子は原子核の周りで電子殻とよばれる層をなしており、電子殻は、内側から順に、M殻、L殻、K殻という。

1　A、B
2　A、C
3　B、C
4　B、D
5　C、D

72 原子の構造に関する下文のア～ウの｛ ｝内からそれぞれ正しいものを選んであるのはどれか。 ［市町村］

原子の中で最も軽いのは水素であるが、水素原子の原子核は、ア｛陽子１個／中性子１個／陽子１個と中性子１個｝からなり、その質量数は１である。炭素原子の場合は、原子核は陽子６個と中性子６個からなり、その質量数は12である。原子核のまわりには電子がまわっているが、炭素原子の電子数はイ｛６個／12個｝である。

水素原子にも炭素原子にも異なる質量数をもつ原子が天然でごくわずかに存在する。これを同位体といい、含まれるウ｛陽子／中性子／電子｝の数は通常の原子と比べて数個異なっているが、通常の原子と化学的性質はほとんど変わらない。

	ア	イ	ウ
1	陽子１個	６個	陽　子
2	陽子１個	６個	中性子
3	陽子１個と中性子１個	６個	中性子
4	陽子１個と中性子１個	12個	電　子
5	中性子１個	12個	電　子

73 次のマグネシウムイオンに関する記述として妥当なのはどれか。 ［刑務官］

$${}^{24}_{12}\mathrm{Mg}^{2+}$$

1　陽子数は24である。
2　中性子数は36である。
3　質量数は22である。
4　最外殻電子数は２である。
5　総電子数は10である。

74 遷移元素の組合せとして、最も妥当なのはどれか。 [警察官]

1 Ag、Al
2 Fe、Cu
3 Na、Ne
4 H、P
5 N、O

75 元素の周期表の1族に属するリチウム、ナトリウム、カリウムなどは、アルカリ金属と呼ばれ、化学的性質が類似している。これらのアルカリ金属元素に関する記述として正しいのはどれか。 [国家一般]

1 電子を放出しやすい原子や分子と化合して、イオン結合による分子をつくりやすい。
2 2個の原子が互いに1個ずつ電子を出し合って、共有結合による二原子分子をつくりやすい。
3 原子は、いずれも最外殻に7個の電子をもっている。
4 化学的に非常に安定しており、1原子が1分子となり、化合物もつくりにくい。
5 いずれも価電子を1個もち、これを放出して1価の陽イオンになりやすい。

76 図は、原子の第1イオン化エネルギーを原子番号順に示したものである。これらに関する次の文のア、イ、ウに入るものの組合せとして妥当なのはどれか。 [海上保安等]

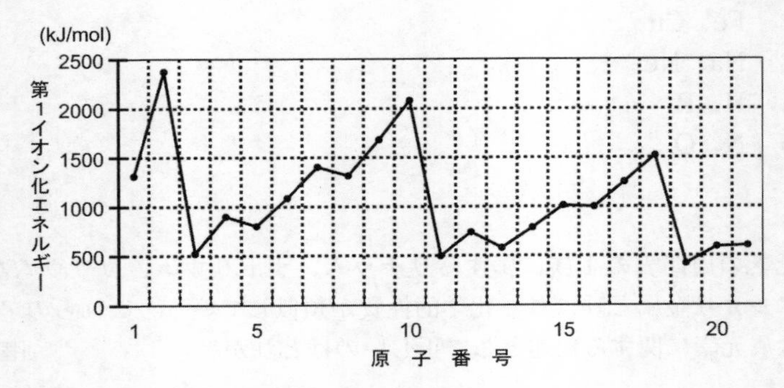

「原子から1個の電子を取り去って、1価の陽イオンにするのに必要なエネルギーを第1イオン化エネルギーという。

一般に（ ア ）元素と呼ばれるLiやNaなどはこのエネルギーが小さく、陽イオンになりやすい。一方、（ イ ）やClなどはこのエネルギーが大きく、陽イオンになりにくいが陰イオンにはなりやすい。

ただし、第1イオン化エネルギーが最も大きい（ ウ ）やNeなどの希ガス元素は、極めて安定であり、陽イオンにも陰イオンにもなりにくい。」

	ア	イ	ウ
1	アルカリ金属	K	O
2	アルカリ金属	F	He
3	ハロゲン	Ca	He
4	ハロゲン	F	N
5	アルカリ土類金属	K	N

77 以下の図は、ある原子の原子核とそのまわりの電子の配置（●が電子1個を表す）を模式的に示したものである。ア～オの電子配置に関する記述として正しいものはどれか。

［県・政令都市］

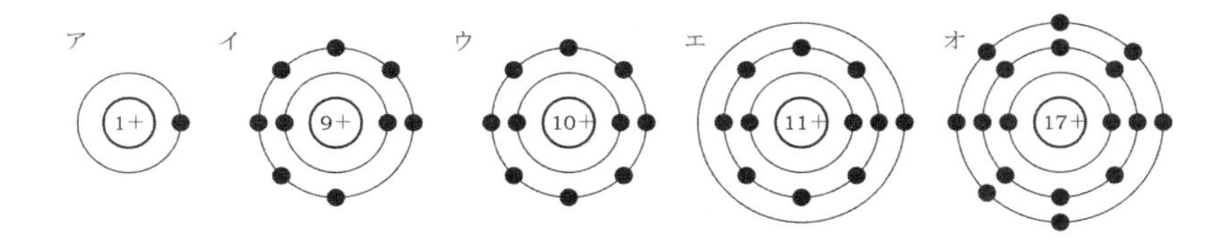

1　アは電子を1個もらって、1価の陰イオンになりやすい。
2　イとオはどちらも最外殻に7個の電子を持つので、性質がよく似ている。
3　ウはイオンになりにくいが、共有結合をして2原子分子をつくる。
4　エは電子を1個失うとウと同じ電子配置になり、よく似た性質を示すようになる。
5　アとエは陰イオンになりやすく、イとオは陽イオンになりやすい。

78 次の文の［A］、［B］にあてはまる語句の組み合わせとして、妥当なのはどれか。

右図のモデルによって示されるのは、［A］原子の電子配置である。この元素は［B］

A：　ア　アルゴン　　イ　塩素　　ウ　カリウム
B：　ア　単体で単原子分子として存在する。
　　　イ　周期表の左端の方にある元素とイオン結合しやすい。
　　　ウ　周期表の右端の方にある元素とイオン結合しやすい。

［東京消防庁］

	A	B
1	ア	ア
2	イ	ア
3	イ	イ
4	ウ	イ
5	ウ	ウ

79 化学結合の特性と化学結合名を正しく組み合わせたものとして、最も妥当なのはどれか。 [警察官]

ア　陽イオンと自由電子による結合
イ　クーロン力による結合
ウ　引力による結合
エ　分子をつくる結合

	ア	イ	ウ	エ
1	共有結合	イオン結合	分子間力	金属結合
2	金属結合	イオン結合	分子間力	共有結合
3	金属結合	分子間力	イオン結合	共有結合
4	イオン結合	分子間力	共有結合	金属結合
5	イオン結合	共有結合	金属結合	分子間力

II - 2

非金属の物質

出題頻度 ★★★

まとめ

①気　体

●主要な気体の性質

		水素 H_2	ヘリウム He	窒素 N_2	酸素 O_2	塩素 Cl_2	塩化水素 HCl	アンモニア NH_3	メタン CH_4	一酸化炭素 CO	二酸化炭素 CO_2	二酸化硫黄 SO_2	硫化水素 H_2S
空気より軽い（密度が小さい）		○	○					○	○				
可燃性がある		○			必要			○	○	○			○
色がある						**黄緑**							
有毒である						○	○	○		○		○	○
刺激臭がある						○	○	○				○	**腐卵臭**
水に溶ける	（◎はよく溶ける）					○	◎	◎			○	○	○
	水溶液が酸性					○	塩酸				炭酸	○	○
	水溶液が塩基性							○					
	水溶液が漂白・殺菌作用をもつ					○						○	
集め方	水上置換	○	○	○	○				○	○			
	下方置換					○	○				○	○	○
	上方置換							○					

※太字の部分は特に重要

下方置換

上方置換

水上置換

・二酸化炭素…石灰水を白濁させる　固体はドライアイス（冷却剤）として利用

・一酸化炭素…不完全燃焼で発生

・空気の組成…窒素 約80% 酸素 約20% アルゴン 1% 二酸化炭素 微量

●環境問題

・二酸化炭素…化石燃料（石油・石炭）の燃焼により増加→赤外線を吸収して気温の上昇（温室効果ガス）

・窒素酸化物（二酸化窒素 NO_2 など）…高温の燃焼で発生→オキシダン

トに変化して光化学スモッグ、雨水に溶けて酸性雨
・硫黄酸化物（二酸化硫黄 SO_2）…化石燃料（石油・石炭）に含まれる硫黄の燃焼で発生→雨水に溶けて酸性雨

②気体発生方法
・水素…イオン化傾向が水素より大きな金属＋酸 ――→ 水　素
・酸素…過酸化水素水（オキシドール）――酸化マンガン（Ⅳ）〈触媒〉――→ 酸　素
・二酸化炭素…
  - 炭酸○○　＋　酸 ――→ 二酸化炭素
  - 炭酸○○ ――【加　熱】――→ 二酸化炭素

※炭酸○○…炭酸カルシウム（石灰石）、炭酸水素ナトリウム（重曹）など
・アンモニア…○○アンモニウム＋塩基 ――→ アンモニア
※○○アンモニウム…塩化アンモニウムなど

③非金属の物質
●**有機化合物**　炭素をふくむ化合物（二酸化炭素、炭酸などをのぞく）
・メタン CH_4…都市ガスの主成分
・エタノール C_2H_5OH…アルコール飲料・消毒
・酢酸 CH_3COOH…食酢
・セッケン…油脂（脂肪）＋水酸化ナトリウム ――ケン化――→ セッケン
油になじむ疎水基（親油基）と水になじむ親水基をもち、両者をなじませる乳化作用により汚れを落とす　セッケンは硬水で使えないが、合成洗剤は使える
・プラスチック…軽くて丈夫で、薬品にも強く、加工しやすい
  - ・熱可塑性樹脂…熱で柔らかくなる
    - ・ポリエチレン…ポリバケツ・ポリ袋
    - ・ポリエチレンテレフタラート（PET）…飲料容器・繊維、リサイクルがすすんでいる
    - ・ポリ塩化ビニル…ビニルシート・水道管（パイプ）
  - ・熱硬化性樹脂…熱で柔らかくならない（耐熱性）
    - ・フェノール樹脂…鍋の取っ手・電気器具

●**そのほかの物質**
・電気伝導性のある非金属　黒鉛…電極に利用
・わずかに電気伝導性のある非金属　ケイ素…半導体に利用

・肥料の三要素（植物が多量に必要とする元素） 窒素・リン・カリウム
・地殻に含まれる主要元素 （多い順に）酸素・ケイ素・アルミニウム・鉄
※二酸化ケイ素は岩石の主成分

演 習

80 気体に関する次の文の空欄A～Cにあてはまる語句の組合せとして、妥当なのはどれか。 ［東京都］

水素、アンモニア、窒素、酸素、二酸化炭素、塩素のうち、常温・常圧で、最も水に溶けやすい気体は［A］であり、黄緑色をしている気体は［B］であり、石灰水を白く濁らせる性質のある気体は［C］である。

	A	B	C
1	水素	窒素	二酸化炭素
2	水素	塩素	酸素
3	アンモニア	窒素	酸素
4	アンモニア	塩素	酸素
5	アンモニア	塩素	二酸化炭素

81 図のように、気体をA、B、Cの三つの性質で分類した。

A：同温・同圧のもとで空気よりも密度が大きい。

B：無色・無臭である。

C：単体の気体である。

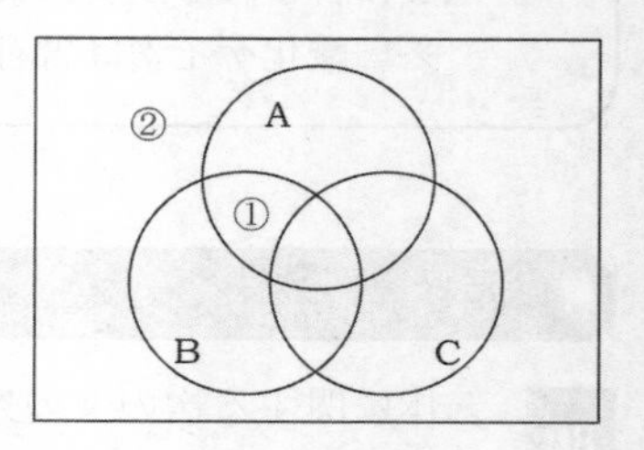

①、②に分類される気体の組合せとして最も妥当なのは次のうちではどれか。

［国家一般］

	①	②
1	二酸化炭素	アンモニア
2	アルゴン	ヘリウム
3	塩　素	アルゴン
4	ヘリウム	二酸化炭素
5	アンモニア	塩　素

82 気体を捕集するには図のA、B、Cのような方法があるが、B及びCの方法による捕集が適当ではなく、Aの方法で<u>捕集しなければならない</u>気体として最も妥当なのは次のうちではどれか。

［海上保安等］

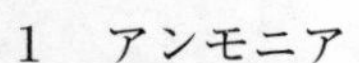

1　アンモニア
2　二酸化炭素
3　酸　素
4　塩化水素
5　水　素

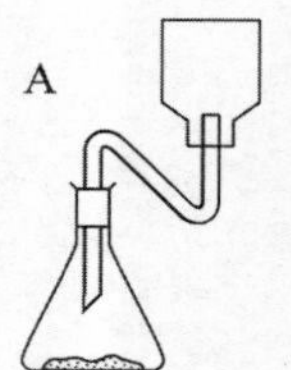

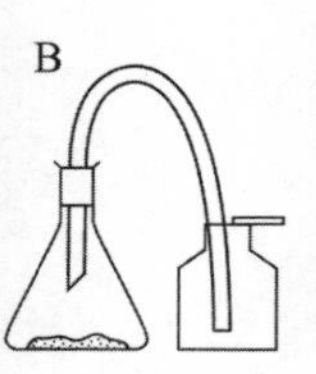

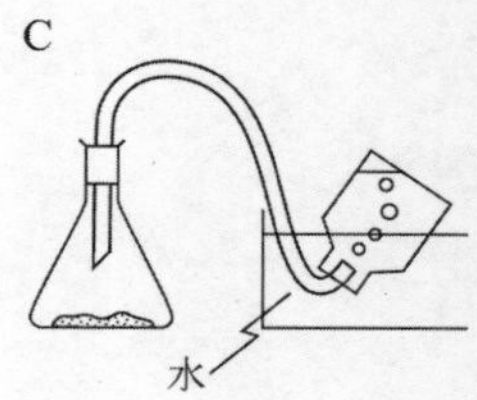

83 表は、乾燥した空気の主な組成とその成分気体の沸点を示したものである。A～Eに関する記述として妥当なのはどれか。

［海上保安等］

成　分	体　積(%)	沸　点(℃)
窒　素	78.08	−196
A	20.95	−183
B	0.93	−186
C	0.036	−79(昇華点)
D	0.0018	−246
E	0.0005	−269

1　Aは二酸化炭素である。二酸化炭素は、化石燃料の使用の急増によりその濃度がわずかに減少している。

2　Bは酸素である。酸素は、化学的に不活発であるため他の物質と化合物を作りにくく、単体で存在することが多い。

3　Cはネオンである。ネオンと大気中の水分とが反応してできる化合物は、酸性雨の主要な原因物質とされている。

4　Dはアルゴンである。アルゴンと塩素の化合物は、強い刺激臭を持ち、水によく溶けアルカリ性を示す。

5　Eはヘリウムである。ヘリウムは、沸点が低いため液体化して冷却剤として用いられるほか、気球用ガスとしても利用されている。

84 気体の性質に関する記述として最も妥当なのはどれか。　［刑務官］

1　窒素 (N_2) は、無色で刺激臭のある気体で、水によく溶ける性質を持つ。空気中の水蒸気と反応して、酸性雨の要因となっている。

2　酸素 (O_2) は、無色・無臭で、水に溶けにくい性質を持つ。地球上の植物や生物の呼吸によって作られるため、大気中に最も多く含まれる気体である。

3　二酸化炭素 (CO_2) は、無色・無臭で、水に溶けて弱い酸性を示す。近年、産業活動の拡大に伴い、大気中の二酸化炭素の濃度が上昇している。

4　オゾン (O_3) は、赤外線を吸収する性質を持つ。成層圏中のオゾン層は、太陽から放出される有害な赤外線を吸収して地球に到達する赤外線を減少させている。

5　ヘリウム (He) は、燃焼しやすく、かつ、気体の中で最も軽い性質を利用して、気球や飛行船などに用いられている。

85 次の記述は炭素やその化合物の説明であるが、内容が妥当なものを適切に選んだ組合せはどれか。

［市町村］［警察官］

ア　黒鉛は炭素の単体であり、薄くはがれやすい黒色の結晶で電気伝導性をもち、電極や鉛筆の芯などに使われている。

イ　ダイヤモンドは、炭素とガラスの主成分であるケイ素の化合物であり、人工的に作ることはできず宝飾品などに用いられている。

ウ　一酸化炭素は、黄緑色の気体で有臭であり、固体のものはドライアイスとして冷却剤に用いられている。

エ　二酸化炭素は、無色無臭の気体で水に溶かすと弱い酸性を示し、石灰水に通すと白濁する。

オ　メタンは、炭素と水素と酸素の化合物で、空気より重く自然界には存在せず、都市ガスとして使われている。

1　ア、ウ
2　ア、エ
3　イ、ウ
4　イ、オ
5　エ、オ

86 炭素とケイ素は、ともに自然界に広く存在し、周期表の同じ族に属する元素である。これらの元素とその化合物に関する記述として妥当なのはどれか。

［海上保安等］

1　炭素は周期表の第2周期、ケイ素は第3周期の元素であるため、価電子の数は炭素のほうが多い。

2　炭素の単体には黒鉛や石英などがあり、ケイ素の単体にはダイヤモンドや水晶などがある。

3　一酸化炭素は、淡黄色・腐卵臭で、人体に有害な気体であり、実験室では石灰石に塩酸を反応させてつくられる。

4　二酸化炭素は、炭酸飲料や消火器に用いられるほか、その固体であるドライアイスは冷却剤として利用される。

5　ケイ素は自然界に単体として多く存在しており、それから製造される二酸化ケイ素は高純度にして送電線の材料として用いられる。

87 実験室において、試験管に細かく砕いた石灰石を入れ、これに塩酸を加えたところ、2つの元素の化合物である気体が発生した。次の図は、元素の周期表を示しているが、ア～オからこの気体を構成する2つの元素を選び出しているのはどれか。 ［国家一般］

周期＼族	1	2	3	4	5	6	7	8	9	10	11	12	13	14	15	16	17	18
1	ア																	イ
2														ウ		エ		
3																	オ	
4																		
5																		
6																		
7																		

1　ア、ウ
2　ア、オ
3　イ、エ
4　イ、オ
5　ウ、エ

88 ア、イ、ウの製法で作られる気体と、その気体の説明A～Eを正しく組み合わせているのはどれか。 [海上保安等]

○気体の製法

ア：オキシドール（過酸化水素水）に酸化マンガン（Ⅳ）を混ぜる。

イ：亜鉛に希硫酸を加える。

ウ：塩化銅（Ⅱ）の水溶液に炭素電極を用いて電流を流す。

○気体の説明

A：無色無臭である。大気中の濃度が徐々に増加しており、地球の温暖化が危惧されている。

B：無色で刺激臭がある。空気よりも軽く水に溶けるので、上方置換によって集められる。

C：すべての気体のうちで最も軽く、水に溶けにくい。空気中では青白い炎を上げて燃える。

D：無色無臭で水に溶けにくく、空気中に約20％含まれている。

E：黄緑色で刺激臭があり、水道水の殺菌などに用いられる。

	ア	イ	ウ
1	A	C	E
2	A	E	B
3	D	C	A
4	D	C	E
5	D	E	B

89 サラダオイルなどの食用油や石油を水に入れて振っても、混ざらずに2層に分かれるが、セッケン水に入れてよく振ると、均一な乳濁液になる。これはセッケンの分子のある性質によるものであるが、この理由に関する記述として最も妥当なのはどれか。 [海上保安等]

1　疎水性の部分と親水性の部分の両方をもっているから
2　酸化剤と還元剤の両方の性質を持っているから
3　酸とも塩基とも反応して溶けるから
4　付加重合によって高分子化合物と結びつきやすいから
5　イオン化傾向が大きいので他の物質と結びつきやすいから

90 化合物の製法に関する記述A、B、Cと生成された物質に関する記述ア、イ、ウの組合せとして最も妥当なのはどれか。 ［刑務官］

A：テレフタル酸とエチレングリコールを縮合重合させると、ポリエチレンテレフタラートができる。
B：油脂に水酸化ナトリウムの水溶液を加えて加熱すると、油脂はけん化されて、高級脂肪酸のナトリウム塩ができる。
C：サリチル酸にメタノールと濃硫酸を作用させると、エステル化がおこって、サリチル酸メチルができる。

ア：疎水性の部分と親水性の部分からなり、洗浄作用がある。
イ：繊維として衣料に、樹脂としてペットボトルなどに利用される。
ウ：強い芳香をもつ無色の液体で、消炎鎮痛剤（湿布薬）として用いられる。

	A	B	C
1	ア	ウ	イ
2	イ	ア	ウ
3	イ	ウ	ア
4	ウ	ア	イ
5	ウ	イ	ア

91 次の文は、プラスチックに関する記述であるが、文中の空所A～Dに該当する語の組合せとして、妥当なのはどれか。 [特別区]

プラスチックは合成樹脂ともよばれ、熱による性質の違いにより［A］と［B］に大きく分類できる。［A］は、熱を加えるとやわらかくなり、冷やすと再びかたくなる性質で、ポリエチレンや［C］などがある。［B］は、熱を加えるとかたくなり、再びやわらかくならない性質で、メラミン樹脂や［D］などがある。

	A	B	C	D
1	熱可塑性樹脂	熱硬化性樹脂	ポリ塩化ビニル	フェノール樹脂
2	熱可塑性樹脂	熱硬化性樹脂	尿素樹脂	ポリ塩化ビニル
3	熱硬化性樹脂	熱可塑性樹脂	ポリ塩化ビニル	フェノール樹脂
4	熱硬化性樹脂	熱可塑性樹脂	尿素樹脂	ポリ塩化ビニル
5	熱硬化性樹脂	熱可塑性樹脂	尿素樹脂	フェノール樹脂

II - 3

金属の物質

出題頻度　★★★

まとめ

①金属と金属化合物

●アルミニウム Al

・表面に酸化皮膜をつけたアルマイトにして窓枠・やかん・鍋に利用…酸化物（サビ）が丈夫で内部まで腐食しない

製錬法　ボーキサイト ──→ アルミナ ─溶解塩電解→ アルミニウム
（酸化アルミニウム）（純粋な酸化アルミニウム）

※製造に多量の電気が必要なため、リサイクルすると経済的

合金　ジュラルミン（アルミニウム＋銅など）…軽くて丈夫

●鉄 Fe

・建築構造材（鉄骨・鉄筋）、鉄道レール、携帯カイロに利用

製錬法　鉄鉱石＋コークス ──→ 銑鉄（せんてつ） ──→ 鋼
（酸化鉄）（石炭 C）（炭素を多く含む鉄）（炭素を適量含む鉄）

合金　鋼（鉄＋炭素）…硬くて粘り強い
ステンレス鋼（鉄＋クロムなど）…さびにくい

メッキ　サビを防ぐため、表面を別の金属で薄くおおったもの
ブリキ（鉄←スズ）　トタン（鉄←亜鉛）

●銅 Cu・銀 Ag

・普通の酸には溶けず、硝酸・熱濃硫酸にしか溶けない
・電気伝導性・熱伝導性が高い　銅は電線に利用
・銅の単体は赤色、サビ（緑青）は青緑色、銅イオン Cu^{2+} は青色
・銀のハロゲン化物（塩化銀）は、感光すると変色するため写真フィルムに利用

製錬法　銅鉱石 ──→ 粗銅 ─電解精錬→ 銅
（酸化銅）（不純物を含む銅）

合金　真鍮（しんちゅう）［黄銅］（銅＋亜鉛）…金色の合金、楽器・5円玉
ブロンズ［青銅］（銅＋スズ）…美術品

II 化学

●ナトリウム Na・カルシウム Ca

・柔らかくて軽く、融点も低い

・禁水性（水と激しく反応して発火するため危険）で、石油中に保存

化合物　塩化ナトリウム（食塩）$NaCl$…調味料、水溶液は中性

炭酸水素ナトリウム（重曹）$NaHCO_3$

…ベーキングパウダー（ふくらし粉）・発泡入浴剤

塩化カルシウム $CaCl_2$…融雪剤、乾燥剤

炭酸カルシウム（石灰石）$CaCO_3$…貝殻・卵殻の主成分

酸化カルシウム（生石灰）CaO…乾燥剤、発熱剤

水酸化カルシウム（消石灰）$Ca(OH)_2$

…しっくいの原料、水溶液は石灰水

硫酸カルシウム（セッコウ）$CaSO_4$

…美術品に利用（セッコウ像）

●その他の金属

・水銀…常温で唯一液体の金属　水銀を含む合金はアマルガム

・はんだ…スズを主成分とする合金　金属の接合（はんだ付け）に利用

②金属イオンの検出

●炎色反応　炎中にかざしたときに示す色で判別

リチウム		ナトリウム		カリウム		銅		カルシウム		バリウム	
Li	赤	Na	黄	K	(赤)紫	Cu	(青)緑	Ca	橙(赤)	Ba	(黄)緑
リヤ	アカー	無	き	K	村	動	力	借る	ときは	馬	力

●沈殿反応　沈殿が生じることで判別

	SO_4^{2-}　硫酸イオン	CO_3^{2-}　炭酸イオン
Ca^{2+}　カルシウムイオン	$CaSO_4$ 硫酸カルシウム【白沈】	$CaCO_3$ 炭酸カルシウム【白沈】
Ba^{2+}　バリウムイオン	$BaSO_4$ 硫酸バリウム【白沈】	$BaCO_3$ 炭酸バリウム【白沈】

	Cl^-　塩化物イオン
Ag^+　銀イオン	$AgCl$　塩化銀【白沈】

硫酸バリウム
…胃の造影剤に利用

演　習

92 鉄に関する記述として最も妥当なのはどれか。 [海上保安等]

1　銑(せん)鉄は炭素を多く含んでおり、硬くて粘り強いため、鉄骨や鉄道のレールなどに用いられる。
2　湿った空気中で酸化されると黒サビが、空気中で高温で熱せられると赤サビができる。
3　鉛との合金は「はんだ」と呼ばれ、融点が高いため電熱線に用いられる。
4　塩酸や希硫酸には二酸化炭素を発生して溶け、濃青色の水溶液ができる。
5　「使い捨てカイロ」は、鉄の酸化による発熱反応を利用している。

93 次の記述は、Ag、Al、Cu、Fe、Pb のいずれかについて述べたものであるが、該当する金属と正しく組合せたのはどれか。 [市町村] [警察官]

1　赤橙色をした金属で延性・展性に優れており、湿った条件のもとでは緑色の緑青とよばれるさびを生じる。── Fe
2　さびやすい金属であるが、ニッケルやクロムとの合金である銀白色のステンレスはさびにくく、日用品として用いられている。── Ag
3　この金属を主体とする合金であるジュラルミンは、軽量で丈夫なため、航空機やトランクケースに用いられている。── Cu
4　金属の中で最も電気伝導性が高く、ハロゲン化合物は光に当たると変色するため写真フィルムなどに用いられている。── Al
5　溶解温度が比較的低く、柔らかく加工しやすい重金属で、車に搭載されている蓄電池の電極に用いられている。── Pb

94 金属の性質に関する記述として正しいのはどれか。 [国家一般]

1　水銀は銀白色の軽金属で展性、延性に富み、空気中に放置すると表面に酸化被膜をつくり、内部を保護し腐食しにくい。ジュラルミンなどの軽合金の成分となる。

2　銅は、赤色の金属光沢を持ち、電気伝導性がよく電線に用いられ、湿った空気中では表面に青緑色のさびを生じる。黄銅（しんちゅう）などいろいろな合金の成分となる。

3　鉛は常温で液体となるただ一つの金属である。他の金属との合金はアマルガムと呼ばれ歯科用材料になるほか、種々の機械、器具に用いられる。

4　アルミニウムは、美しい金属光沢を持ち、美術品や装飾品に用いられる。アルミニウムのハロゲン化合物は光によって分解しやすいため、写真のフィルム、印画紙などに用いられる。

5　鉄は天然に単体として存在し、採掘により得ており、湿った空気中では黄緑色のさびを生じる。炭素分を減らした鉄はステンレススチールといい、建築材、機械材などに大量に用いられる。

95 次の文は、金属元素の単体の性質に関する記述であるが、文中の空所A～Dに該当する語の組合せとして、妥当なのはどれか。 [特別区]

周期表の１族の水素を除く、ナトリウム、カリウムなどの同族元素を［A］といい、［B］金属である。美しい銀白色の光沢を示すが、空気中では表面がすぐにさび、その光沢を失う。また、［C］と激しく反応し、このとき生じる水溶液に［D］溶液を数滴滴下すると赤色に変化する。

	A	B	C	D
1	アルカリ金属	軟らかい	石油	BTB
2	アルカリ金属	硬い	石油	BTB
3	アルカリ金属	軟らかい	水	フェノールフタレイン
4	ハロゲン	硬い	石油	フェノールフタレイン
5	ハロゲン	軟らかい	水	フェノールフタレイン

次のア〜ウは、水酸化ナトリウム・炭酸水素ナトリウム・塩化ナトリウムについての説明である。それぞれの説明を正しく組み合わせたものはどれか。

［市町村］［警察官］

ア　白色粉末であり、ふくらし粉として利用されるほか、胃腸薬としても使われている。

イ　半透明の固体で、吸湿性があり、生石灰をこれと反応させたものは乾燥剤として用いられている。

ウ　無色透明であり、水溶液は中性で、食品の調理・加工に利用されるほか、工業的にさまざまな化学製品の原料となっている。

	ア	イ	ウ
1	水酸化ナトリウム	塩化ナトリウム	炭酸水素ナトリウム
2	水酸化ナトリウム	炭酸水素ナトリウム	塩化ナトリウム
3	炭酸水素ナトリウム	塩化ナトリウム	水酸化ナトリウム
4	炭酸水素ナトリウム	水酸化ナトリウム	塩化ナトリウム
5	塩化ナトリウム	水酸化ナトリウム	炭酸水素ナトリウム

97 次のＡ～Ｄは、ある物質の性質や日常的な用途に関する記述であるが、その化学式の組合せとして最も妥当なのはどれか。 [海上保安等]

Ａ：白色の粉末で、水にも酸にも溶けにくい。Ｘ線の吸収力が大きいので、胃腸のＸ線撮影の造影剤に用いられている。
Ｂ：白色の粉末で、「重曹」とも呼ばれ、加熱すると分解して二酸化炭素を発生する。胃薬やベーキングパウダーなどに用いられる。
Ｃ：白色の粉末で、「消石灰」とも呼ばれ、アルミニウム（粉末）とともに水と反応させると大きな発熱量が得られるのでヒートパックに用いられる。
Ｄ：吸湿性、潮解性が強く、乾燥剤に用いられるほか、完全に電離した時に凝固点が大きく降下するので、融雪剤など路面凍結防止のために用いられる。

	A	B	C	D
1	$BaSO_4$	$NaHCO_3$	$Ca(OH)_2$	$CaCl_2$
2	KOH	$NaHCO_3$	Na_2CO_3	$CaCl_2$
3	$BaSO_4$	$NaHCO_3$	Na_2CO_3	$CaSO_4 \cdot 2H_2O$
4	KOH	Na_2CO_3	$Ca(OH)_2$	$CaSO_4 \cdot 2H_2O$
5	$BaSO_4$	Na_2CO_3	$Ca(OH)_2$	$CaSO_4 \cdot 2H_2O$

98 ある種の元素を含んだ物質を炎の中に入れると、その元素に特有な色が現れる。今、洗浄された細い３本の白金線に、それぞれ塩化ナトリウム水溶液、塩化カリウム水溶液、塩化銅（Ⅱ）水溶液をつけてガスバーナーの外炎に入れて炎の色を観察した。このとき観察される炎の色の組合せとして最も妥当なのはどれか。 [刑務官]

	塩化ナトリウム水溶液	塩化カリウム水溶液	塩化銅（Ⅱ）水溶液
1	赤色	黄色	赤紫色
2	赤色	青緑色	黄色
3	黄色	赤紫色	青緑色
4	黄色	青緑色	赤紫色
5	赤紫色	黄色	青緑色

99 石灰石の成分元素を調べるために次のような実験を行った。文中のア～ウに入る語句がいずれも正しいのはどれか。 [市町村][警察官]

石灰石に希塩酸を加えると気体を発生させながら溶けた。この気体を、石灰水に通すと白色の沈殿が生じた。これからこの気体は［ア］とわかるので、石灰石には元素として［イ］が含まれていることになる。また、先ほどの石灰石を溶かした溶液を白金線の先につけて炎に入れると、燈赤色になった。このことから、石灰石には［ウ］も含まれていることがわかる。

	ア	イ	ウ
1	水　素	水　素	カルシウム
2	水　素	水　素	窒　素
3	二酸化炭素	炭素と酸素	カルシウム
4	二酸化炭素	炭素と酸素	窒　素
5	硫化水素	硫　黄	窒　素

100 次の文で説明している物質を正しく組み合わせているものを下の中から選べ。 [海上保安等]

A　硝酸銀水溶液に、この粉末を加えると白くにごる。
B　硫酸ナトリウム水溶液に、この溶液を加えると白くにごる。

	A	B
1	塩化ナトリウム	硫酸銅
2	水酸化カルシウム	水酸化バリウム
3	水酸化バリウム	塩化ナトリウム
4	塩化ナトリウム	水酸化バリウム
5	水酸化カルシウム	硫酸銅

II - 4

酸化還元

出題頻度　★★

まとめ

①酸と塩基

●酸と塩基の性質

	溶液中に存在するイオン	主な性質
酸	水素イオン(H^+)	果汁・食酢など、酸味をもつ 多くの金属が、水素を発生させて溶ける
塩基	水酸化物イオン(OH^-)	セッケン水など、苦みをもつ 手で触れるとぬるぬるする

●代表的な酸と塩基

	強弱	価　数	
		1価	2価
酸	強　酸	塩酸 HCl　硝酸 HNO_3	硫酸 H_2SO_4
	弱　酸	酢酸 CH_3COOH	炭酸 H_2CO_3
塩基	強塩基	水酸化ナトリウム $NaOH$	水酸化カルシウム $Ca(OH)_2$
	弱塩基	アンモニア NH_3 *	

*アンモニアは、水と反応してOH^-を生じるので塩基

・価数…酸（塩基）1個から生じる水素イオン（水酸化物イオン）の数
・強弱…100％電離してH^+（OH^-）を生じるのが強酸（強塩基）、一部しか電離しないのが弱酸（弱塩基）

● **pH**　水素イオン濃度を表す…1つ異なると10倍、2つ異なると100倍違う

		酸性 強い ←	中性	塩基性 → 強い
pH		0　1　2　3　4　5　6	7	8　9　10　11　12　13　14
指示薬	リトマス試験紙	青色リトマス紙→赤変	変色なし	赤色リトマス紙→青変
	フェノールフタレイン	無色	無色	無色（8まで）／赤色

● **中　和**　酸と塩基が反応して、水と塩を生じる反応

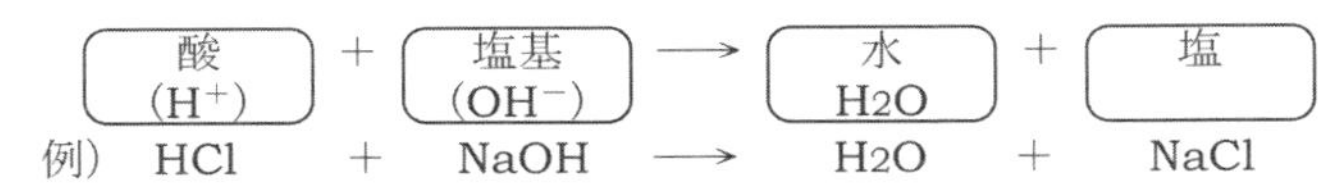

● **中和の計算**

酸のモル濃度×酸の価数×酸の体積

単位　mol/L　　　　L

＝塩基のモル濃度×塩基の価数×塩基の体積

mol/L　　　　L

②酸化・還元

	酸化反応	還元反応
酸　素	もらう	うしなう
水　素	うしなう	もらう
電　子	うしなう	もらう

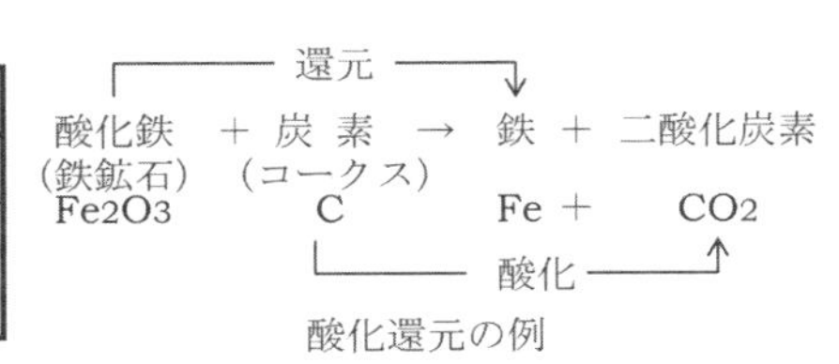

酸化還元の例

・酸化と還元は常に同時に起こる
・燃焼やサビができる反応は、代表的な酸化反応

③イオン化傾向

●イオン化傾向　金属の陽イオンへのなりやすさ

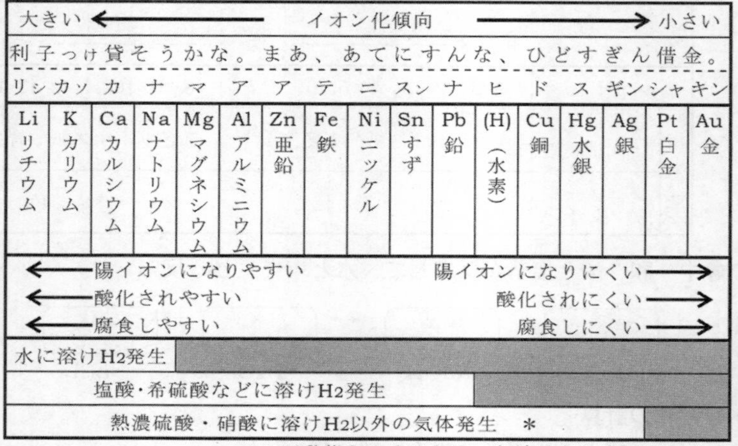

大きい ←　イオン化傾向　→ 小さい

利子っけ貸そうかな。まあ、あてにすんな、ひどすぎん借金。

リ	シ	カ	ソ	カ	ナ	マ	ア	ア	テ	ニ	スン	ナ	ヒ	ド	ス	ギン	シャキン

Li	K	Ca	Na	Mg	Al	Zn	Fe	Ni	Sn	Pb	(H)	Cu	Hg	Ag	Pt	Au
リチウム	カリウム	カルシウム	ナトリウム	マグネシウム	アルミニウム	亜鉛	鉄	ニッケル	すず	鉛	(水素)	銅	水銀	銀	白金	金

← 陽イオンになりやすい　　陽イオンになりにくい →

← 酸化されやすい　　酸化されにくい →

← 腐食しやすい　　腐食しにくい →

水に溶けH_2発生

塩酸・希硫酸などに溶けH_2発生

熱濃硫酸・硝酸に溶けH_2以外の気体発生　＊

＊不動態をつくるため一部溶けない金属がある。

●金属と金属イオンの溶液との反応

・イオン化傾向の大小によって、反応が変わってくる

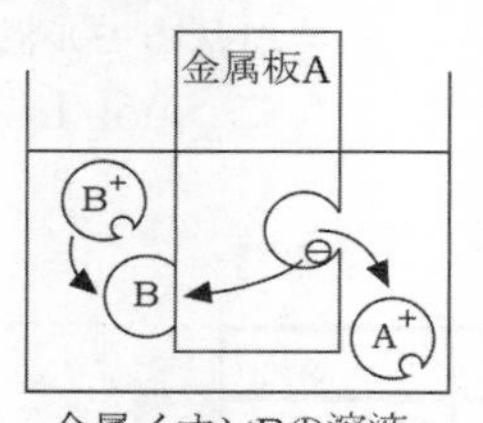

金属イオンBの溶液

金属板B

A^+

金属イオンAの溶液

イオン化傾向 A > B のときの変化
Aの溶出 Bの析出　　　A、Bとも変化なし

④電　池

●電解質　水に溶けると電離してイオンに分かれる物質

・電解質…酸・塩基・塩など　電解質溶液は電気を通す
・非電解質…スクロース（ショ糖）、エタノール（アルコール）など

●電　池

・電解質溶液に、2種類の金属を浸すと電池になる
・電流が流れると考える向きと、実際の電子の流れは逆

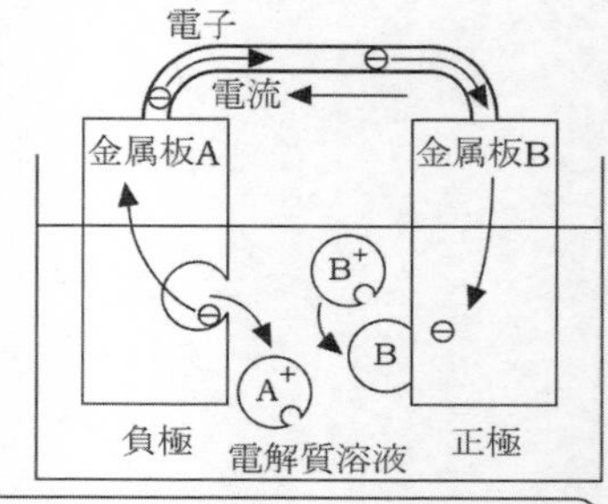

イオン化傾向　A　>　B

⑤電気分解

・電解質溶液に直流の電気を流すと、電極で金属の析出や気体の発生がおこる

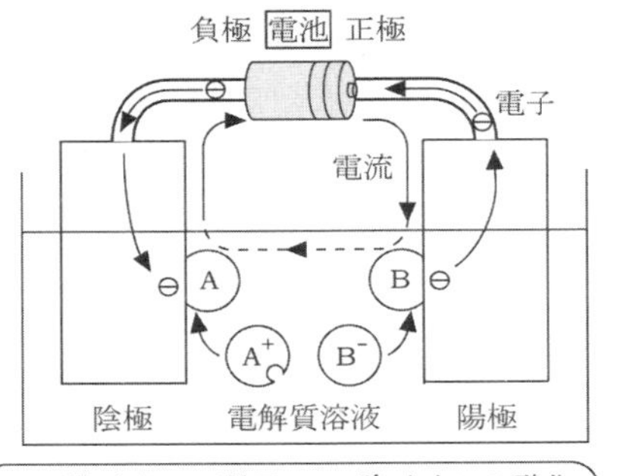

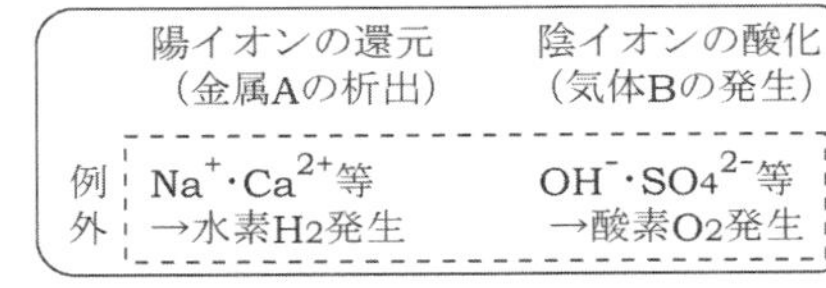

例題

濃度未知の硫酸（H_2SO_4）10 mL を濃度 0.10 mol/L の水酸化ナトリウム水溶液（NaOH）を使って中和滴定したところ、中和に要した体積は 5.0 mL であった。この硫酸の濃度は何 mol/L か。　［裁判所］

1　0.010 mol/L
2　0.025 mol/L
3　0.050 mol/L
4　0.10 mol/L
5　0.20 mol/L

解説

酸の価数、塩基の価数に注意する。中和の計算問題では、酸・塩基の化学式が添えられていることが多い。H_2SO_4 には H が 2 つあるので 2 価の酸、NaOH には OH が 1 組あるので 1 価の塩基というヒントになっている。

$$x \text{ mol/L} \times 2\text{価} \times \frac{10}{\cancel{1000}} \text{ L} = 0.10 \text{ mol/L} \times 1\text{価} \times \frac{5}{\cancel{1000}} \text{ L}$$

$$x = 0.025 \text{ mol/L}$$

●正答……2

演　習

101 次は、酸と塩基に関する記述であるが、A～Eに当てはまるものの組合せとして最も妥当なのはどれか。 [海上保安等]

塩酸や酢酸の水溶液は、1) 酸味をもつ、2) [A] リトマス紙を [B] に変える、3) 亜鉛や鉄などと反応して [C] を発生する、という性質を示す。塩酸や酢酸のように水溶液で電離し、[D] を生じる物質を酸という。また、水酸化ナトリウムやアンモニアの水溶液は、1) ごく薄い水溶液には苦みがある、2) [B] リトマス紙を [A] に変える、3) 手で触れるとぬるぬるした感じがする、という性質を示す。水酸化ナトリウムやアンモニアのように水溶液中で電離し、[E] を生じる物質を塩基という。

	A	B	C	D	E
1	青色	赤色	水素	H^+	OH^-
2	青色	赤色	酸素	H^+	OH^-
3	赤色	青色	水素	H^+	OH^-
4	赤色	青色	酸素	OH^-	H^+
5	赤色	青色	水素	OH^-	H^+

102 酸と塩基に関する記述として、妥当なのはどれか。 [東京都]

1　酸性の水溶液は、酢酸やクエン酸のように酸っぱい味があり、赤色のリトマス紙を青色に変える。

2　酸の化学式の中で電離してH^+となることのできる水素原子の数を、その酸の価数といい、価数が大きくなるほど酸性が強い。

3　電離度とは、電解質を水に溶かしたとき、溶解した電解質に対する電離した電解質の物質量の割合をいい、電離度が1に近い塩基を強塩基という。

4　pHは、水溶液の酸性や塩基性の程度を表す指数であり、pHの値が7より小さくなるほど水溶液の塩基性が強い。

5　中和反応とは、酸と塩基が反応して互いの性質を打ち消し合うことをいい、この反応により酸素と塩を生じる。

103 次の㋐、㋑、㋒の三つの液体に水を加えて10倍に薄めた。その場合のpHの変化の組合せとして最も妥当なのはどれか。 ［国家一般］

㋐ 0.1 mol/L の食塩水
㋑ 0.1 mol/L の水酸化ナトリウム水溶液
㋒ 0.1 mol/L の塩酸

	㋐	㋑	㋒
1	大きくなる	大きくなる	大きくなる
2	変わらない	小さくなる	大きくなる
3	変わらない	大きくなる	小さくなる
4	小さくなる	変わらない	変わらない
5	小さくなる	小さくなる	小さくなる

104 次は化学反応に関する記述であるが、A・Bに当てはまるイオンの組合せとして正しいのは、次のうちどれか。 ［刑務官］

ある濃度の水酸化ナトリウム（NaOH）水溶液に塩酸（HCl）を少しずつ入れていくと、水溶液中には水素イオン（H^+）、水酸化物イオン（OH^-）、ナトリウムイオン（Na^+）、塩化物イオン（Cl^-）が存在する。このとき（ A ）の数は塩酸の量が増加しても初めの数から変わらないが、（ B ）の数は塩酸の量が増加するにしたがって初めの数から徐々に減少し塩酸がある一定の量を超えたところからごくわずかなものになる。

	A	B
1	Na^+	OH^-
2	Na^+	Cl^-
3	Cl^-	OH^-
4	Cl^-	H^+
5	H^+	Cl^-

105 次の記述は酸と塩基の中和について述べたものである。空欄ア、イに入る数値として適切なものはどれか。
[市町村] [警察官]

水酸化ナトリウム水溶液 ($NaOH$) は1価の塩基、酢酸 (CH_3COOH) は1価の酸、硫酸 (H_2SO_4) は2価の酸である。

水酸化ナトリウムの0.10 mol/L水溶液2.0 Lを中和するためには、酢酸の0.10 mol/L水溶液は［ア］L必要であり、硫酸0.10 mol/Lの水溶液は［イ］L必要である。

	ア	イ
1	1.0	1.0
2	1.0	2.0
3	2.0	1.0
4	2.0	4.0
5	4.0	2.0

106 1 mol/Lの水酸化ナトリウム ($NaOH$) 水溶液が200 mLある。これを中和するのに2 mol/LのAが50 mL必要であった。Aとして妥当なのは次のうちどれか。
[県・政令都市]

1 水酸化カルシウム ($Ca(OH)_2$) 水溶液
2 炭酸カルシウム ($CaCO_3$) 水溶液
3 リン酸 (H_3PO_4) 水溶液
4 塩酸 (HCl)
5 希硫酸 (H_2SO_4)

次の酸化・還元に関する記述のㇷ゚～㋖のうち、㋐、㋑、㋓、㋕に入るものを正しく組み合わせているのはどれか。 [国家一般]

ある物質が（ ㋐ ）と化学反応して化合物を作ったり、生成する物質に含まれる（ ㋐ ）の量が元の状態より増加することを酸化といい、逆に化合物から（ ㋐ ）がはずれる化学反応を還元という。また、電子のやり取りから説明すると、一般にある物質又はイオンが（ ㋑ ）反応を酸化といい、（ ㋒ ）反応を還元といっている。

電子の移動が起こる反応で、酸化と還元が同時に起こる場合を酸化還元反応というが、たとえば、亜鉛板を銅イオンを含む溶液に浸すと、亜鉛板の表面に銅が析出する。

$$Zn + Cu^{2+} \rightarrow Zn^{2+} + Cu$$

この反応では、Zn は（ ㋓ ）されたといい、Cu^{2+}は（ ㋔ ）されたということができ、全体の化学反応は酸化還元反応である。

化合物を構成している原子の間で、電子のやり取りが生じていることを示すものとして酸化数というものが使われる。酸化数を使って還元や酸化を表現すると、酸化数が（ ㋕ ）ことが還元であり、（ ㋖ ）ことが酸化であるということができる。

上記の式では反応する前の酸化数は Zn では 0、Cu^{2+}では +2、反応の後の酸化数は Zn^{2+}では +2、Cu では 0 になったことになる。

	㋐	㋑	㋓	㋕
1	酸　素	電子を失う	還　元	増加する
2	酸　素	電子を失う	酸　化	減少する
3	酸　素	電子を得る	還　元	増加する
4	水　素	電子を得る	酸　化	増加する
5	水　素	電子を得る	還　元	減少する

108 下線を付した物質が還元される反応として妥当なもののみを挙げているのはどれか。

［国家一般］

A：マグネシウム（Mg）が、空気中で燃焼する反応

B：鉄鉱石（Fe_2O_3）に含まれる鉄が、コークスを使った製錬によって取り出される反応

C：塩素（Cl_2）と硫化水素（H_2S）が反応して、塩化水素（HCl）と硫黄（S）に変化する反応

D：銅（Cu）が、塩素（Cl_2）と反応して塩化銅（Ⅱ）（$CuCl_2$）に変化する反応

E：メタン（CH_4）の炭素原子が、燃焼により二酸化炭素（CO_2）に変化する反応

1　A、D
2　A、E
3　B、C
4　B、D
5　C、E

109 銀板、銅板、亜鉛板を硫酸銅溶液に浸したとき、それらの変化の様子を正しく組み合わせたのはどれか。

ただし、金属（水素だけ非金属）のイオン化列は次のとおりである。

［海上保安等］

K Ca Na Mg Al Zn Fe Ni Sn Pb (H_2) Cu Hg Ag Pt Au
高 ←→ 低

	銀　板	銅　板	亜鉛板
1	変化なし	変化なし	変化なし
2	変化なし	変化なし	銅が析出
3	変化なし	銅が析出	変化なし
4	銅が析出	変化なし	変化なし
5	銅が析出	銅が析出	銅が析出

5種の金属A～Eがある。それらの金属名をイオン化傾向の大きい順に並べると次のようである。

ナトリウム — アルミニウム — 鉄 — 銅 — 銀

金属A～Eについて、㋐～㋓で記述される性質が知られている。このとき、金属Aはどれか。 [海上保安等]

㋐ 常温で、Cだけは水と反応するが、他は水と反応しない。
㋑ Dの硝酸塩水溶液にAを入れると、Dが析出する。
㋒ 電解質の水溶液にAとBを電極として電池をつくると、Aが正極になる。
㋓ Eは希硫酸と反応して水素を発生する。

1 ナトリウム
2 アルミニウム
3 鉄
4 銅
5 銀

111

次のA～Eの液体のうち、図のようにそれら液体中に電極を差し込んだとき、電球が点灯するものの組合せとして最も妥当なのはどれか。 [海上保安等]

A：蒸留水
B：グルコース水溶液
C：塩化ナトリウム水溶液
D：エタノール水溶液
E：硫酸銅水溶液

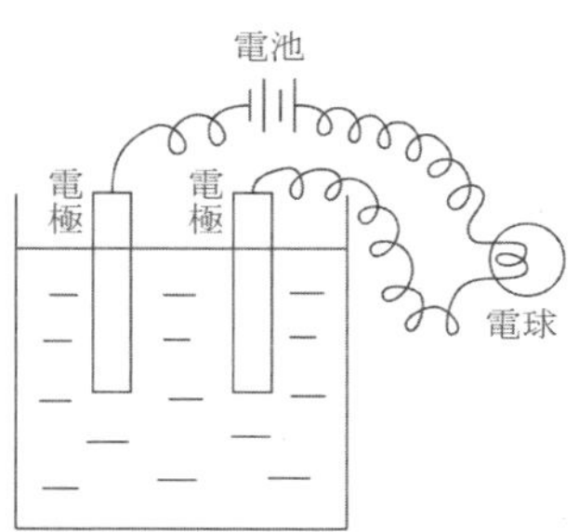

1 A、B
2 A、C
3 B、D
4 C、E
5 D、E

112 次の記述は電池について説明したものであるが、空欄ア〜エにあてはまる語句の組み合わせとして妥当なのはどれか。 **[市町村・警察官]**

図のように、亜鉛板と銅板を極板として導線でつなぎ、希硫酸溶液の中に浸す。すると、亜鉛は電子を放出して［ア］となる。これによって生じた電子が、導線を伝って銅板に流れていくことで電気が生じる。電子の流れる向きと電流の流れる向きは［イ］なので、亜鉛板は［ウ］、銅板は［エ］となる。

	ア	イ	ウ	エ
1	陽イオン	同じ	正極	負極
2	陽イオン	同じ	負極	正極
3	陽イオン	逆	負極	正極
4	陰イオン	同じ	正極	負極
5	陰イオン	逆	負極	正極

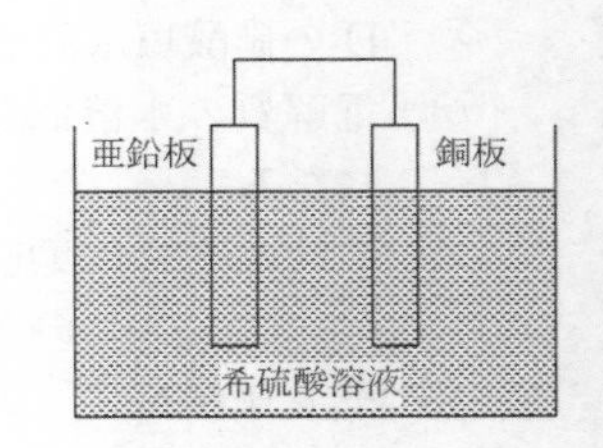

113 次の記述の空欄を補う適語の組合せとして正しいのはどれか。

[県・政令都市]

水溶液に黒鉛でできた電極を差し込み、直流の電源装置に接続して電気分解をすると、陽極ではCl^-のような陰イオンが酸化され、電子が陰極へ移動してくる。

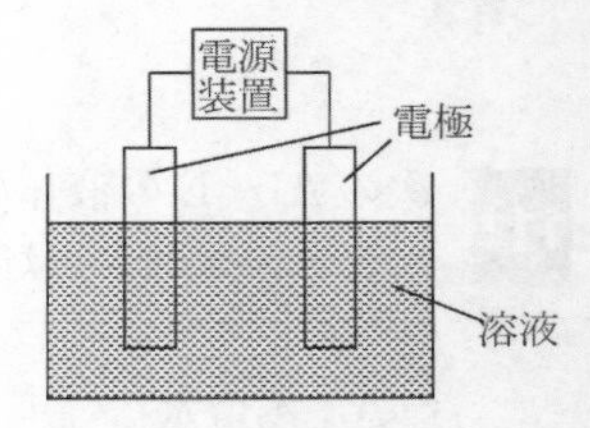

K^+、Na^+などのようなH^+よりイオン化傾向が非常に大きな金属イオンが含まれる溶液の場合は、陰極でその電子を受け取って［ア］。Ag^+、Cu^{2+}などのH^+よりイオン化傾向の小さな金属イオンが含まれる溶液の場合は、陰極では［イ］。また、水溶液として硫酸や硝酸を電気分解した場合は、陰極では［ウ］。

	ア	イ	ウ
1	水素が発生する	水素が発生する	酸素が発生する
2	金属が析出する	水素が発生する	酸素が発生する
3	変化はない	変化はない	水素が発生する
4	水素が発生する	金属が析出する	水素が発生する
5	金属が析出する	金属が析出する	変化はない

電気分解に関する記述として、妥当なのはどれか。 [東京都]

1　塩化銅（Ⅱ）($CuCl_2$) の水溶液に、陽極には炭素、陰極には白金の電極を入れて、両極を電池につなぐと、陽極には銅が析出し、陰極からは水素が発生する。
2　塩化銅（Ⅱ）($CuCl_2$) の水溶液に、陽極及び陰極ともに炭素の電極を入れて、両極を電池につなぐと、陽極からは水素が発生し、陰極からは塩素が発生する。
3　塩化ナトリウム (NaCl) の水溶液に、陽極には炭素、陰極には白金の電極を入れて、両極を電池につなぐと、陽極からは塩素が発生し、陰極からは水素が発生する。
4　塩化ナトリウム (NaCl) の水溶液に、陽極及び陰極ともに炭素の電極を入れて、両極を電池につなぐと、陽極からは水素が発生し、陰極からは塩素が発生する。
5　硫酸銅（Ⅱ）($CuSO_4$) の水溶液に、陽極及び陰極ともに白金の電極を入れて、両極を電池につなぐと、陽極からは水素が発生し、陰極からは硫黄が析出する。

II - 5

化学反応と量

出題頻度 ★★

まとめ

①化学反応の法則

・質量保存の法則（ラボアジエ）…化学反応の前後で、物質の総質量は変わらない

見かけ上、質量保存の法則が成り立たない例
・重くなる…金属がさびる反応、金属が燃焼する反応（空気中の酸素と化合）
・軽くなる…気体発生反応、有機化合物の燃焼

・定比例の法則（プルースト）…化合物の成分元素の質量の比は常に一定である
・倍数比例の法則（ドルトン）…A、Bからなる化合物が2種類あるとき、一定質量のAと化合しているBの質量の比は簡単な整数比となる
・気体反応の法則（ゲーリュサック）…反応に関係する気体の体積は簡単な整数比となる
・アボガドロの法則…同温・同圧・同体積の気体には、同数の分子が存在する
・原子説（ドルトン）…物質はそれ以上分割できない原子からなる
・分子説（アボガドロ）…気体はいくつかの原子が結合した分子からなる

②モル

●**原子量・分子量**　原子・分子の相対的な質量をあらわす量（$^{12}C = 12$を基準）

・原子量…水素 H = 1　炭素 C = 12　窒素 N = 14　酸素 O = 16
・分子量…分子に含まれる原子の原子量の合計

例）

1（Hの原子量）× 2個	12（Cの原子量）× 1個
+）16（Oの原子量）× 1個	+）16（Oの原子量）× 2個
H_2Oの分子量　18	CO_2の分子量　44

●物質量　原子・分子などの個数をあらわす量

・6.0×10^{23} 個を 1 mol（1 モル）とする

・標準状態（0℃、1.0×10^{5} Pa）で 6.0×10^{23} 個（1 mol）の気体は、常に 22.4 L となる

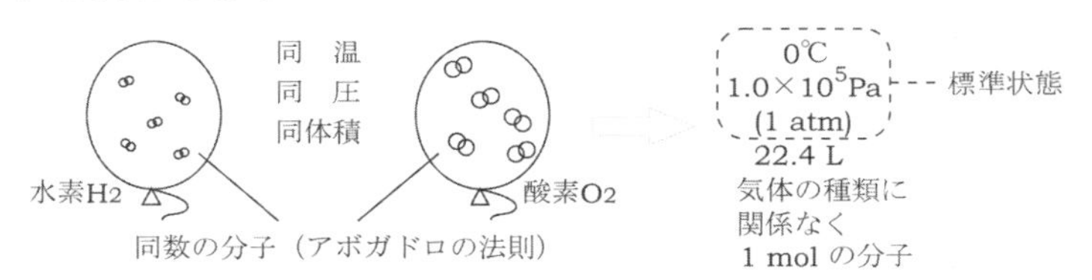

●物質量・質量・気体の体積の関係

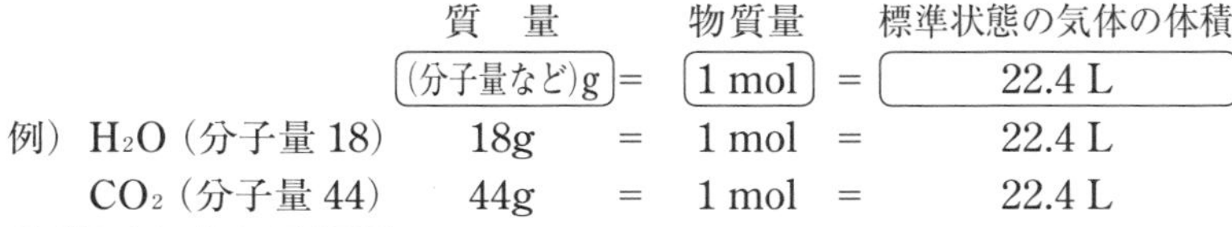

	質　量		物質量		標準状態の気体の体積
	(分子量など)g	=	1 mol	=	22.4 L
例）H_2O（分子量 18）	18g	=	1 mol	=	22.4 L
CO_2（分子量 44）	44g	=	1 mol	=	22.4 L

③化学反応式と量関係

●化学反応式のつくりかた

1. 反応物質と、生成物質を書き、矢印で結ぶ

例）$CH_3OH + O_2 \longrightarrow CO_2 + H_2O$

2. 含まれる箇所の少ない元素から、数を合わせる

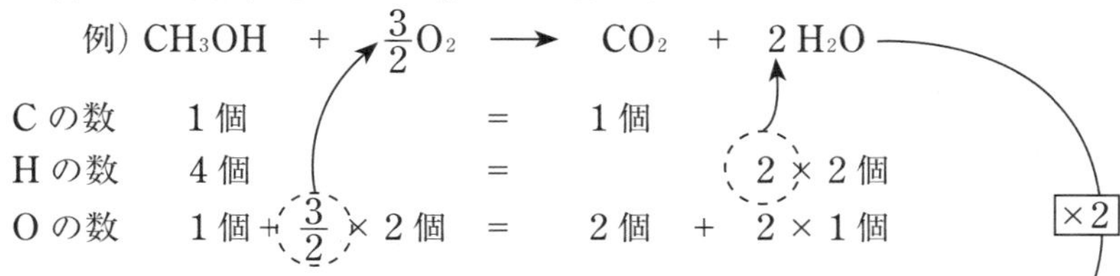

3. 係数に分数が出たら、分母の数をすべての係数にかけて整数化する

$2CH_3OH + 3O_2 \longrightarrow 2CO_2 + 4H_2O$

・C･H･O 原子からなる物質の燃焼は、酸素 O_2 と化合して二酸化炭素 CO_2･水 H_2O ができる反応となる

●化学反応の量関係

・反応式の係数比から、反応する物質の物質量比・気体の体積比がわかる
※質量は係数比の関係にならない

例）	CH_4	+	$2O_2$	$\longrightarrow$	CO_2	+	$2H_2O$
係 数 比	1	:	2	:	1	:	2
物質量比	1 mol	:	2 mol	:	1 mol	:	2 mol
気体の体積比	1 L	:	2 L	:	1 L	:	2 L

練 習

① 酸素の分子量はいくらか。
② 酸素 0.2 mol は何 g か。
③ 酸素 1.6 g は何 mol か。
④ 酸素 0.25 mol は標準状態（0℃、1.0×10^5 Pa）で何 L か。
⑤ 標準状態（0℃、1.0×10^5 Pa）で 5.6 L の酸素は何 g か。
⑥ 標準状態（0℃、1.0×10^5 Pa）で 11.2 L、16 g の気体の分子量はいくらか。

練習の解答

① 酸素分子は O_2 だから、16[O の原子量] × 2 個 = 32
② O_2 の分子量 = 32 より
1 mol : 32 g = 0.2 mol : x g　　x = 6.4 g
③ O_2 の分子量 = 32 より
1 mol : 32 g = x mol : 1.6 g　　x = 0.05 mol
④ 1 mol : 22.4 L = 0.25 moL : x L　　x = 5.6 L
⑤ O_2 の分子量 = 32 より
〔1 mol : 〕32 g : 22.4 L = x g : 5.6 L　　x = 8.0 g
⑥ 1 mol のときの質量が分子量相当となるから
〔1 mol : 〕x g : 22.4 L = 16 g : 11.2 L　　x = 32 g　∴分子量 32

例 題

12 mol のメタノール（CH_3OH）を完全燃焼させるのに必要な酸素の量は何 mol か。
[市町村]

1　16 mol
2　18 mol
3　24 mol
4　36 mol
5　48 mol

解 説

まず、化学反応において量を問われている場合は、必ず化学反応式を作成する必要がある。ここでは、係数を変数でおいて化学反応式をつくる方法を解説する。（「まとめ」にあるやり方でやってもよい）

燃焼反応であるから、反応する物質はメタノール CH_3OH と酸素 O_2、生成する物質は二酸化炭素 CO_2 と水 H_2O である。これらを書き出して矢印で結ぶ。

$$CH_3OH + O_2 \longrightarrow CO_2 + H_2O$$

次に、係数を a、b、c、d とおく。原子がそれぞれ何個含まれるかを考え、反応の前後で原子数が等しいことから等式をつくる。

$$a\,CH_3OH + b\,O_2 \longrightarrow c\,CO_2 + d\,H_2O$$

水素H　$4a = 2d$　…①

炭素C　$a = c$　…②

酸素O　$a + 2b = 2c + d$　…③

その次に、含まれる式が最も多い変数の値を仮に1とおく。上式では a が3式いずれにも含まれるので、$a = 1$ として他の変数の値を求める。

①より　$4 \times 1 = 2d$　$\therefore d = 2$　…①′

②より　$1 = c$　$\therefore c = 1$　…②′

①′、②′、③より　$1 + 2b = 2 \times 1 + 2$

$$\therefore b = \frac{3}{2}$$

$$\therefore a = 1 \quad b = \frac{3}{2} \quad c = 1 \quad d = 2$$

もし、分数がでたら、全部の係数に分母をかけて払う。この場合は2倍すればよい。

$$a = 2 \quad b = 3 \quad c = 2 \quad d = 4$$

式にあてはめる。

$$2CH_3OH + 3O_2 \longrightarrow 2CO_2 + 4H_2O$$

最後に、係数比と物質量比が等しいことを利用して、酸素の物質量を求める。

$$2CH_3OH + 3O_2 \longrightarrow 2CO_2 + 4H_2O$$

係数比　2 : 3 : 2 : 4

物質量比　12 mol : x mol

12 mol のメタノールと反応する酸素を x mol とすると、上記の係数比の関係から

$$(CH_3OH : O_2 =) \quad 2 : 3 = 12\text{ mol} : x\text{ mol}$$

$$x = 18\text{ mol}$$

●正答……2

例　題

炭素を空気中で完全燃焼させると二酸化炭素になり、これを化学反応式で表すと、$C + O_2 \rightarrow CO_2$ となる。2 mol の炭素を空気中で完全燃焼させると、何 g の二酸化炭素が発生するか。ただし、炭素の原子量は 12、酸素の原子量は 16 とする。
［警察官］

1　44 g
2　56 g
3　66 g
4　78 g
5　88 g

解　説

化学反応式は設問中に与えてあるから、まずこの式を使って係数比の関係から発生する二酸化炭素の物質量を求める。（質量は、係数比の関係では求められないことに注意する）

	C	+	O_2	$\longrightarrow$	CO_2
係　数	1	:	1	:	1
物質量比	2 mol			:	x mol

2 mol の炭素から生成される二酸化炭素を x mol とすると、上記の係数比の関係から、

$$(C : CO_2 =)\quad 1 : 1 = 2\ \text{mol} : x\ \text{mol}$$
$$x = 2\ \text{mol}$$

次に、二酸化炭素の物質量を質量に直す。

二酸化炭素の分子量は、

12［C の原子量］× 1 個 + 16［O の原子量］× 2 個 = 44

したがって二酸化炭素 1 mol は 44 g となるから、

$$1\ \text{mol} : 44\ \text{g} = 2\ \text{mol} : y\ \text{g}$$
$$y = 88\ \text{g}$$

●正答……5

演　習

115 ア、イ、ウは、化学の基本法則に関する記述であるが、これらを唱えた科学者の名前の組合せとして正しいのはどれか。　［国家一般］

ア　化学反応の前後で、反応に関係した物質全体の質量は変わらない。

イ　AとBの２種の元素からなる化合物が２種以上あるとき、一定量のAと化合しているBの質量を各化合物で比べると、簡単な整数の比になる。

ウ　気体は、同温・同圧では、同体積の中に気体の種類によらず同数の分子を含む。

	ア	イ	ウ
1	ラボアジエ	ドルトン	アボガドロ
2	ラボアジエ	ボルタ	ジュール
3	ジュール	ドルトン	ボルタ
4	ドルトン	ジュール	アボガドロ
5	ドルトン	ラボアジエ	ジュール

116 A～Dの法則名とその内容の記述の組合せのうち、正しいものをすべて挙げているものはどれか。　［警察官］

A　アボガドロの法則――気体が関係する反応では、同温・同圧において、各気体の体積の間には簡単な整数比が成り立つ。

B　倍数比例の法則――2つの元素が化合してできる物質が２種類以上あるとき、一方の元素の一定量と化合する他方の元素の質量の間には、簡単な整数比が成り立つ。

C　ボイル・シャルルの法則――一定量の気体の体積は、圧力に比例し、その絶対温度に反比例する。

D　質量保存の法則――化学反応の前後で、物質の質量の総和は変わらない。

1　A、B
2　A、C
3　B、C
4　B、D
5　C、D

117

A：塩酸と水酸化ナトリウム水溶液
B：マグネシウムの粉末
C：濃塩酸とアルミニウム片

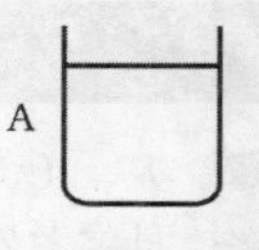

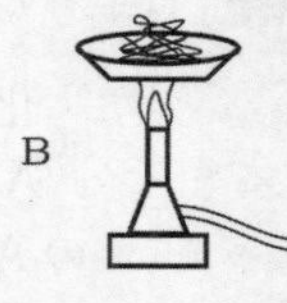

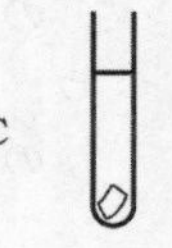

があり、A、B、Cは同じ重さであった。図のように、Aについては、塩酸と水酸化ナトリウム水溶液を混ぜ合わせてしばらく放置し、Bについては、燃焼させ、Cについては、濃塩酸のなかにアルミニウム片を入れしばらく放置した。このような処理を行った後の容器に残ったA、B、Cの重さを比較したとき、その大小関係として正しいのはどれか。　［国家一般］

1　A < B < C
2　A = C < B
3　B = C < A
4　C < B = A
5　C < A < B

118

次の分子を、分子量の大きい順に正しく並べたものはどれか。ただし、原子量はH = 1.0、C = 12、N = 14、O = 16とする。　［特別区］

A　CO_2　　B　O_2　　C　NH_3　　D　NO_2　　E　H_2O

1　A→D→B→C→E
2　A→D→E→B→C
3　B→D→C→A→E
4　C→D→A→B→E
5　D→A→B→E→C

119 容積と重さが同じである二つの容器があり、それぞれ窒素（N_2）と二酸化炭素（CO_2）を入れて栓をした。このことに関する下文のア、イの｛　｝から、それぞれ正しいものを選んであるのはどれか。ただし、原子量はC = 12、N = 14、O = 16である。　［県・政令都市］

容器の中でこの二つの気体が同温・同圧だったとすると、容器中の窒素と二酸化炭素の分子の数はア｛窒素の方が多い／同数である／二酸化炭素の方が多い｝。また、この二つの容器の重さを、気体を入れたまま比べてみると、イ｛窒素が入っている方が重い／同じ重さである／二酸化炭素が入っている方が重い｝。

	ア	イ
1	窒素の方が多い	窒素が入っている方が重い
2	窒素の方が多い	同じ重さである
3	同数である	同じ重さである
4	同数である	二酸化炭素が入っている方が重い
5	二酸化炭素の方が多い	二酸化炭素が入っている方が重い

120 次は、物質量に関する記述であるが、ア、イ、ウに当てはまるものの組合せとして最も妥当なのはどれか。なお、原子量は H = 1、C = 12、O = 16 とする。 [国家一般]

物質は原子・分子・イオンなど粒子からできており、物質の量を表すときには含まれている粒子の個数を用いるが、[ア] 12 g 中に含まれる原子の数をアボガドロ数といい、約 6.0×10^{23} である。アボガドロ数個の粒子の集団を1単位として表した粒子の量を物質量といい、単位記号 mol をつけて表す。たとえば、水 H_2O 360 g の物質量は [イ] mol である。

また、同じ 1 mol の水素 H_2 と酸素 O_2 の気体の体積を、同温、同圧の条件で比較すると、[ウ]。

	ア	イ	ウ
1	炭素原子 ^{12}C	20	酸素は水素より大きい
2	炭素原子 ^{12}C	20	両者は等しい
3	炭素原子 ^{12}C	30	両者は等しい
4	酸素原子 ^{16}O	30	両者は等しい
5	酸素原子 ^{16}O	30	酸素は水素より大きい

質量 5.5 g の二酸化炭素の標準状態 (0℃、1.0×10^5 Pa) における体積は、次のうちどれか。ただし、標準状態における 1 mol の気体の体積は 22.4 L であり、原子量は C = 12.0、O = 16.0 とする。 [裁判所]

1 2.0 L
2 2.2 L
3 2.4 L
4 2.6 L
5 2.8 L

標準状態（0℃、1.0×10^5 Pa）で 400 mL の気体がある。その質量は 0.5 g であった。この気体の分子量はいくらか。ただし、標準状態の気体 1 mol の体積は 22.4 L である。

［警察官］

1　14
2　21
3　28
4　42
5　56

文中の空欄 A、B に当てはまる数値として正しいものはどれか。

［警察官］

プロパンガス（C_3H_8）を完全燃焼させるためには、同温、同圧、同体積のメタン（CH_4）を完全燃焼させるのと比較して（　A　）倍の空気（酸素）を必要とする。また、このとき発生する二酸化炭素も（　B　）倍となるので、風通しの悪い場所では酸欠状態を引き起こすこともある。

	A	B
1	2.0	2.0
2	2.5	2.0
3	2.5	3.0
4	3.0	2.5
5	3.0	2.0

プロパンガス（C_3H_8）24 L を空気中で完全燃焼させるには、同温同圧の空気を何 L 必要とするか。ただし空気中の酸素の割合は 20%とする。

［市町村］

1　120 L
2　240 L
3　360 L
4　480 L
5　600 L

II 化学

エタノール（C_2H_5OH）4.6 g を酸素を充分与えて燃焼させると、水と二酸化炭素ができる。このとき必要な酸素の質量はいくらか。ただし原子量を H = 1、C = 12、O = 16 とする。 ［裁判所］

1　64 g
2　32 g
3　16 g
4　9.6 g
5　4.8 g

次のような水素と酸素の混合気体を燃焼させたとき、最も発生する水蒸気量が多いのはどれか。ただし、温度、圧力は変化しないものとする。 ［警察官］

混合気体	A	B	C	D	E
水素(L)	20	40	30	10	40
酸素(L)	40	20	30	40	10

1　A
2　B
3　C
4　D
5　E

III

生　物

III - 1

生命の連続

出題頻度　★★★★

まとめ

①細　胞

●真核生物の細胞構造

・核…生存・増殖に欠かせない
　核膜に包まれ、核小体や染色体（＝遺伝子・DNA）を含む
・ミトコンドリア…呼吸によりエネルギーを生産　独自のDNAをもつ
・葉緑体…光合成によりグルコースを生産　独自のDNAをもつ
　色素クロロフィルを含み緑色（色素体の一種）
　光合成を行う植物細胞のみ存在
・リボソーム…タンパク質を合成
・小胞体…タンパク質の通路
・ゴルジ体…物質の分泌　動物細胞で発達
・中心体…細胞分裂のとき働く　動物細胞・一部の植物細胞に存在
・液胞…物質の貯蔵や濃度調節　細胞液で満たされている
　植物細胞で発達
・細胞膜…物質の出入りの調節　細胞を包む薄い膜
・細胞壁…内部を保護　細胞膜の外側の厚い膜　植物細胞のみ存在
・細胞質基質…上記以外の液状の部分

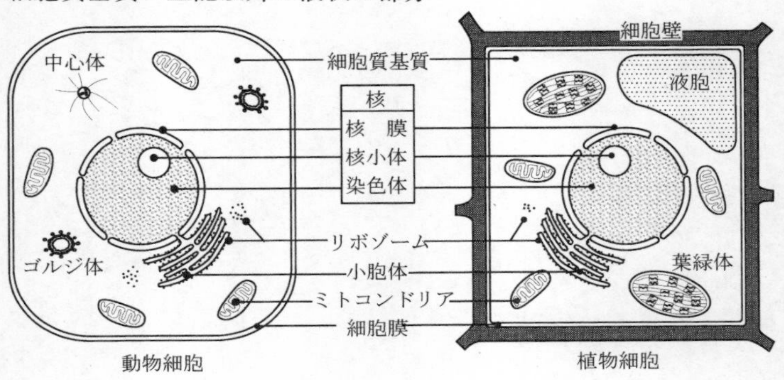

②細胞分裂

●体細胞分裂　ふつうの細胞（体細胞）をつくる細胞分裂

・母細胞から2個の娘細胞ができる

・分裂後も染色体の数は変わらない（＝同じ生物であれば染色体は同じ数）

間　期　染色体（DNA）の複製が行われる
　※複製後、染色体の数（DNA量）は一時的に2倍となる

分裂期
- 前期：核膜が消滅、染色体・紡錘体が現れる
- 中期：染色体が中央に並ぶ
- 後期：染色体が紡錘体にひかれて2つに分かれる
- 終期：中央がくびれる（動物細胞）　細胞板ができる（植物細胞）

※分裂後、2倍となっていた染色体の数（DNA量）は元に戻る

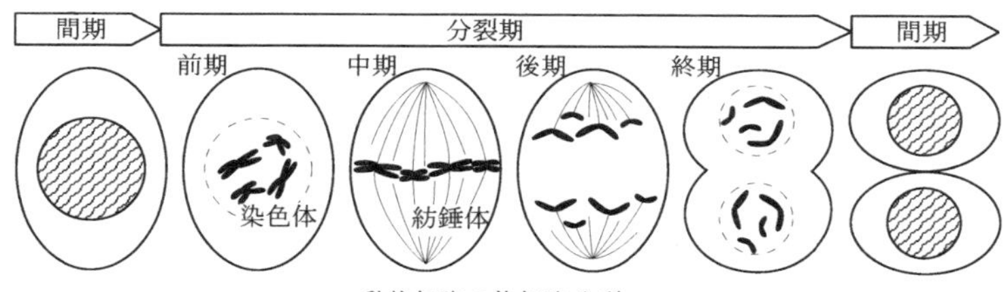

動物細胞の体細胞分裂

●減数分裂　生殖細胞（配偶子＝精子・卵子など）をつくる細胞分裂

・2回の分裂を経て、母細胞から4個の娘細胞ができる

・分裂後にできた生殖細胞の染色体の数は、体細胞の$\frac{1}{2}$となる

③核　酸

●核酸の構造

● DNA（デオキシリボ核酸）　遺伝子の本体（タンパク質合成の情報をもつ）

・染色体に含まれる

・二重らせん構造

・塩基の相補性…塩基は決まった相手と対をつくる

　アデニン（A）─チミン（T）　グアニン（G）─シトシン（C）

● **RNA（リボ核酸）** DNAの情報をもとに（転写）、タンパク質を合成する（翻訳）

・伝令RNA(mRNA)…DNAから情報を写し取る
・運搬RNA(tRNA)…必要なアミノ酸を運んでくる
・リボゾームRNA(rRNA)…タンパク質を合成するリボゾームを構成する
・塩基の相補性
アデニン（A）―ウラシル（U） グアニン（G）―シトシン（C）

④遺　伝

●遺伝の用語

・形質…特徴となる形状や性質　・対立形質…対になる形質
・優性形質…両方の対立遺伝子を持ったとき、現れる方の形質
・劣性形質…両方の対立遺伝子を持ったとき、現れない方の形質
・対立遺伝子…対立形質の遺伝子
・優性遺伝子…優性形質の遺伝子 アルファベット大文字で表記 AB等
・劣性遺伝子…劣性形質の遺伝子 アルファベット小文字で表記 ab等
・遺伝子型…遺伝子の組合せ　・表現型…実際に現れる形質
・純系…遺伝子がAA・aaとなる組合せ
・雑種…遺伝子がAaとなる組合せ
・交配・交雑…遺伝子型が異なるものの受精
・自家受精（自家受粉）…同じ個体の配偶子どうしの受精
・親P…交配する個体（親）
・雑種第1代F_1…純系どうしを交配して得られる子
・雑種第2代F_2…F_1の自家受精によって得られる子

●メンデルの遺伝の法則

例）エンドウ　丸形の種子×しわ型の種子

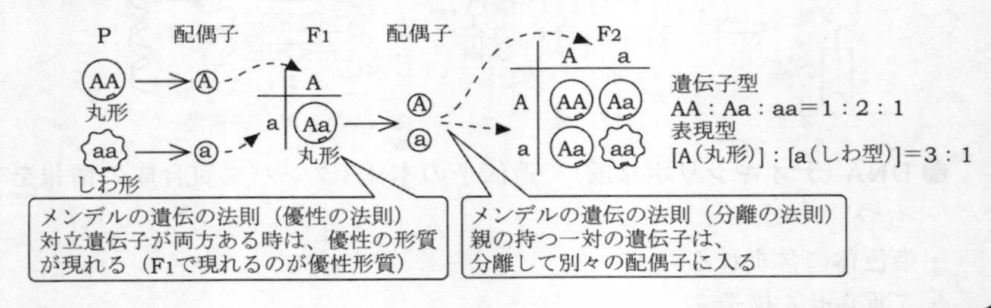

例　題

エンドウの種子には丸形としわ型のものがあり、種子を丸形にする優性遺伝子をA、しわ型にする劣性遺伝子をaとする。表現型が丸形のエンドウには、遺伝子型がAAのものとAaのものがあるが、外見からは区別することはできない。

いま、表現型が丸形のエンドウがある。このエンドウの遺伝子型を調べるため、種子がしわ型であるaaのエンドウと交雑させたところ、得られた種子の分離比から、丸形のエンドウの遺伝子型はAaであったことが分かった。この分離比として最も妥当なのはどれか。　［海上保安等］

	丸形		しわ形
1	1	：	0
2	1	：	1
3	2	：	1
4	3	：	1
5	1	：	2

解　説

丸形の種子をつける遺伝子型がAa、しわ型のものはaaとなるから、メンデルの遺伝の法則に従って考えていけば、図のようになる。

●正答……2

演 習

127 図は、光学顕微鏡で観察できる細胞の構造を模式的に示したものである。図中のA、B、Cと細胞における働きに関する説明ア～オの組合せとして最も妥当なのはどれか。 [国家一般]

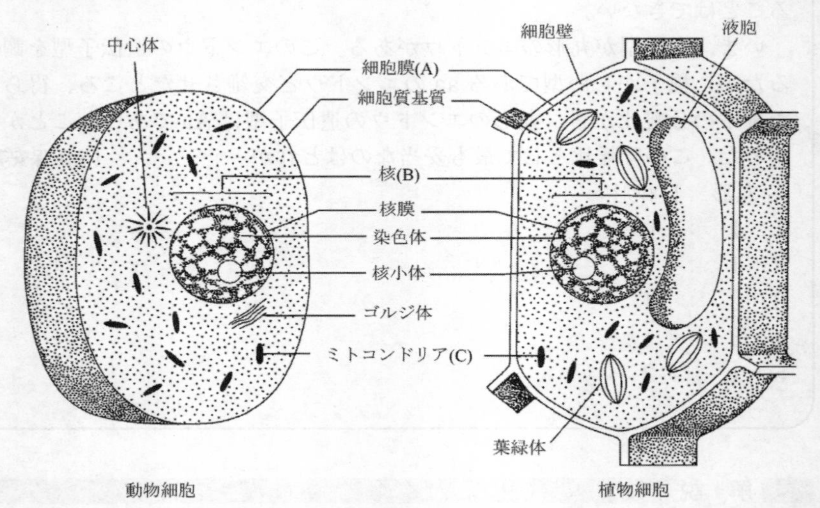

ア．いろいろな物質を必要に応じて出入りさせたり、外界からの刺激を受けとめる働きがある。

イ．細胞内の活動を調節する働きと、生物の個体のいろいろな特徴を次の世代に伝える働きがある。

ウ．成熟した細胞では、糖・有機酸・アントシアン（色素）などを含み、水分調節の働きがある。

エ．クロロフィルなどを含み、光エネルギーを吸収して光合成を行う働きがある。

オ．呼吸に関係する酵素を含み、有機物から効率よくエネルギーを取り出す働きがある。

	A	B	C
1	ア	イ	オ
2	ア	ウ	エ
3	イ	ア	オ
4	イ	ウ	オ
5	ウ	イ	エ

128 次の文章は、ある日の生物の授業における先生と生徒の会話である。文中の［A］～［E］に関する記述として、最も妥当なのはどれか。

先生：今日の授業は『細胞のはたらき』についてです。
生徒：細胞は何で構成されているのですか。
先生：大きく分けると、原形質と後形質からできています。原形質には、染色体や核小体を含む［A］、二重の膜で囲まれ、光合成を行う場である［B］、粒状で、タンパク質合成を行う［C］などがあります。
生徒：染色体は知っています。染色体の中には［D］が含まれていますよね。
先生：その通りです。［D］は遺伝に関する情報を持つ重要なものです。
生徒：後形質にはどのようなものがあるのですか。
先生：後形質には、細胞の一番外側を包む丈夫な膜である［E］や、中に細胞液を含んだ液胞などがあります。また、［E］と［B］は動物細胞には見られず、植物細胞のみに見られるものです。

［東京消防庁］

1　［A］には「ゴルジ体」が入る。
2　［B］には「中心体」が入る。
3　［C］には「リボソーム」が入る。
4　［D］には「ATP」が入る。
5　［E］には「細胞膜」が入る。

細胞の構造および働きに関する記述として正しいものは、次のうちどれか。 [警察官]

1　タンパク質合成の場は、動物細胞ではリボソームであるが、植物細胞では葉緑体である。
2　細胞壁は植物細胞特有のもので、セルロースなどからなり、細胞の形を保ち原形質を保護する。
3　ミトコンドリアは植物細胞のみにみられ、呼吸に必要な酵素を生成する役割を持つ。
4　色素体のうち、植物細胞に存在するのはクロロフィルを含む葉緑体であり、これ以外の色素体は植物細胞には存在しない。
5　中心体は核の中心組織であり、動物細胞、植物細胞の両方に存在し、細胞分裂の際には消失する。

130 次の図および文章は、ある生物の細胞分裂の様子を表したものである。A、Bに当てはまるものの組合せとして最も妥当なのはどれか。

[海上保安等]

細胞壁がなく、分裂の終期に細胞質がくびれて二分することから、この図は［A］における細胞分裂を示していることが分かる。また、後期には、縦に裂け目の入った各染色体がそれぞれ分かれ、紡錘糸に引かれるようにして紡錘体の両極へ移動し、等しい二つの染色体群ができることから分かるように、これは［B］を示している。

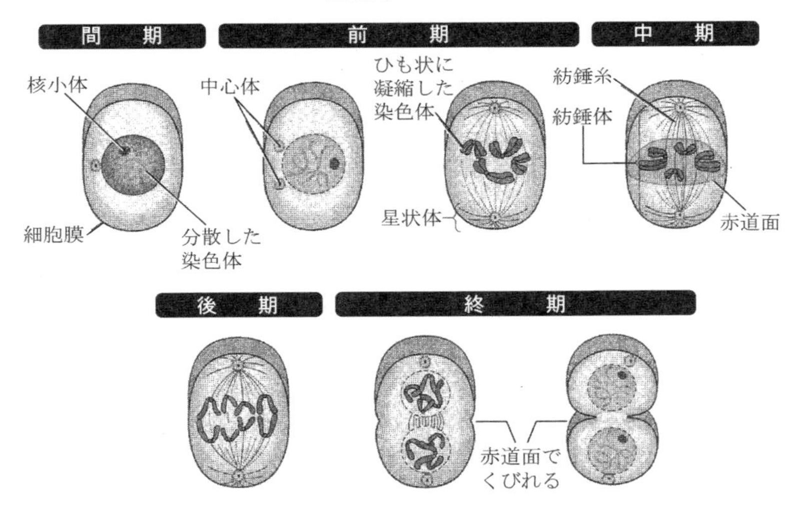

	A	B
1	動物細胞	体細胞分裂
2	動物細胞	減数分裂
3	植物細胞	体細胞分裂
4	植物細胞	減数分裂
5	生殖細胞	減数分裂

131 細胞分裂には体細胞分裂と減数分裂があるが、両者に関する記述として最も妥当なのはどれか。 ［刑務官］

1　体細胞分裂は多細胞生物が体細胞を増やす際に行われる細胞分裂であり、減数分裂は単細胞生物が個体を増やす際に行われる細胞分裂である。
2　体細胞分裂は植物の生殖の際に行われる細胞分裂であり、減数分裂は動物の生殖の際に行われる細胞分裂である。
3　体細胞分裂では1個の母細胞から4個の娘細胞が生じるが、減数分裂では1個の母細胞から2個の娘細胞が生じる。
4　体細胞分裂では娘細胞の染色体数は母細胞と同じであり、減数分裂では娘細胞の染色体数は母細胞の半分である。
5　体細胞分裂においても減数分裂においても、母細胞から娘細胞がつくられる際には第一分裂と第二分裂が行われる。

132 次の記述は、染色体について述べたものである。｛　｝に入る語句の組合せとして、最も妥当なものはどれか。 ［市町村］［警察官］

染色体は、体細胞分裂の前期にア｛a. 核の中のひも状の染色体が分散してバラバラとなり／b. 核の中に分散していた染色体がひも状にまとまり｝、明瞭に観察できるようになる。その際に、体細胞の中に含まれる染色体の数を数えると、イ｛a. 生物の種類とわずすべて同じ／b. 生物の種類によって異なるが、ヒトでは｝46本となっている。

減数分裂を経てつくられた細胞どうしが受精して子となるが、このとき子の体細胞がもつ染色体の数は、ウ｛a. 親の体細胞の2倍／b. 親の体細胞と同じ｝になる。

	ア	イ	ウ
1	a	a	a
2	a	b	a
3	b	a	b
4	b	b	a
5	b	b	b

133 DNAに関する次の文章の空欄ア～エに当てはまる語句の組み合わせとして、妥当なのはどれか。 [東京都]

染色体を構成する主な物質は、タンパク質とDNA(デオキシリボ核酸)であり、DNAが遺伝子の本体である。DNAの構成単位を[ア]といい、A、T、G、Cの記号で表される4種類の[イ]のいずれかを有する。これらが多数つながって鎖状となり、全体は[ウ]をしている。このとき、構成単位のAに対しては、[エ]が結合するというように、特定の構成単位どうしが結合する性質をもつ。そして、遺伝情報は、4種類の構成単位の配列により決定される。

	ア	イ	ウ	エ
1	ヌクレオチド	塩基	単純らせん構造	A
2	ヌクレオチド	塩基	二重らせん構造	T
3	ヌクレオチド	酸	二重らせん構造	A
4	ペプチド	塩基	単純らせん構造	T
5	ペプチド	酸	二重らせん構造	A

134 真核生物の核酸にはDNAとRNAがあるが、RNAについての記述として最も妥当なのはどれか。 [刑務官]

1 RNAには、タンパク質の合成にそれぞれの役割を果たしているリボソームRNA、伝令RNA、運搬RNAがある。
2 RNAは、遺伝子本体であると考えられ、遺伝子そのものであるといわれている。
3 RNAは、親からの遺伝情報を、自己複製によって増殖しながら子に伝える。
4 RNAは、糖と塩基とリン酸でヌクレオチドをつくり、二重らせんの構造をもっている。
5 RNAは、核内のみにあり、代謝が進行することにより形質を発現する。

135 次は遺伝に関する記述であるが、A～Dに当てはまるものの組合せとして正しいのはどれか。 [国家一般][海上保安等]

（　A　）はエンドウを使って遺伝の研究を行った。エンドウのさやには黄色のものと緑色のものとの２種類があり、一つの個体には２色のさやが混じることはなく、どちらか一方の色のさやしかできない。

黄色のさやのエンドウと緑色のさやのエンドウを「親」として、これを交配してできた種子から成長した「子」のさやを見ると、すべての個体のさやの色が緑色であった。このように「子」に一方の形質だけが現れることを（　B　）という。次にこの「子」どうしを交配してできた種子から成長した「孫」は、緑色のさやのものと黄色のさやのものが（　C　）で現れる。

また「親」の緑色のさやのものと「孫」の黄色のさやのものを交配してできた種子から成長したものでは、緑色のさやのものと黄色のさやのものが（　D　）で現れる。

	A	B	C	D
1	メンデル	優性の法則	3：1	1：0
2	ダーウィン	優性の法則	1：1	3：1
3	メンデル	優性の法則	3：1	1：1
4	ダーウィン	分離の法則	3：1	1：0
5	メンデル	分離の法則	1：1	3：1

136 次の文は遺伝に関する記述であるが、文中の空所ア～ウに該当する語の組合せとして、妥当なのはどれか。 ［特別区］

エンドウの種子には丸形としわ形の個体がある。丸形を現す遺伝子をA、しわ形を現す遺伝子をaとし、Aがaに対して優性であるとき、遺伝子型がAAとaaの個体を両親として交雑し、生じた個体F_1に、遺伝子型［ア］、［イ］、［ウ］の個体を交雑すると次のような結果が得られた。

F_1 ×［ア］………丸形：しわ形 = 1：0
F_1 ×［イ］………丸形：しわ形 = 1：1
F_1 ×［ウ］………丸形：しわ形 = 3：1

	ア	イ	ウ
1	Aa	aa	AA
2	Aa	AA	aa
3	aa	AA	Aa
4	AA	Aa	aa
5	AA	aa	Aa

137 丸い形状のエンドウの種子を5個と、しわの形状のエンドウの種子を5個、合計で10個の種子を庭に植えた。その後、すべての種子が成長し花が咲いた。エンドウは自然には自家受粉をし、丸い種子の形状がしわの形状より優性となっている。このとき、A～Dの中で確実なことをすべてあげている組合せはどれか。 ［市町村］

A　丸い種子のエンドウからは、丸い種子しかとれない。
B　しわの種子のエンドウからは、しわの種子しかとれない。
C　丸い種子の花としわの種子の花を受粉させたとき、丸い種子しかとれない。
D　丸い種子の花としわの種子の花を受粉させたとき、しわの種子しかとれない。

1　Aのみ
2　Bのみ
3　A、B
4　A、C
5　B、D

III 生物

III - 2

同化と異化

出題頻度　★★★

まとめ

①光合成

●光合成の反応

二酸化炭素 + 水 + 光エネルギー → グルコース + 酸素 + 水

色素クロロフィルが吸収 ──↑　　　　　　└→ デンプン（炭水化物）

●光の強さの影響

・補償点…光合成によるCO_2吸収（光合成量）と呼吸によるCO_2放出（呼吸量）が等しい（つりあっているが、成長にはこれより強い光が必要）

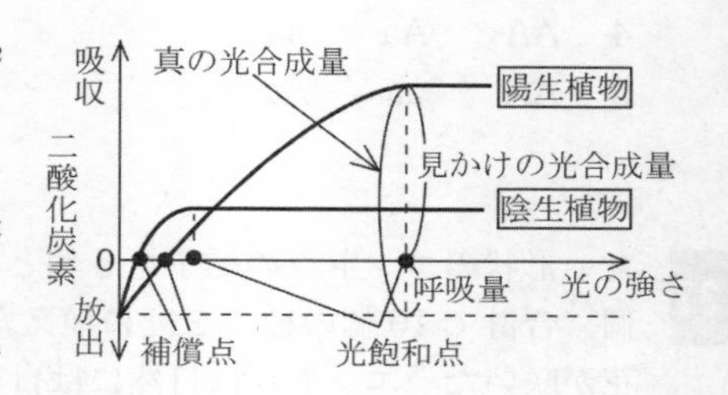

・光飽和点…CO_2吸収（光合成量）がこれ以上増えない

・真の光合成量＝見かけの光合成量＋呼吸量

・陽生植物（日なたでよく育つ植物）は陰生植物（日陰でもよく育つ植物）に比べて、補償点も光飽和点も高い

②呼吸と発酵

●呼　吸　酸素が必要で、多量のエネルギー（ATP）を生産できる

グルコース + 酸素 + 水 → 二酸化炭素 + 水 + エネルギー（ATP）

●発　酵　酸素は不要で、少量のエネルギー（ATP）しか生産できない

・アルコール発酵…酵母菌　酒・パンの製造に利用

グルコース→エタノール（アルコール）＋二酸化炭素＋エネルギー（ATP）

・乳酸発酵…乳酸菌　ヨーグルト・チーズの製造に利用

グルコース → 乳酸 + エネルギー（ATP）

● ATP　エネルギーを蓄える物質　「ATPの生産」は「エネルギーの生産」と同じ意味

③消化と吸収

●**酵　素**　生体内の化学反応をスムーズにすすめる

・タンパク質でできている
・基質特異性…一種類の酵素が作用する相手（基質）は一種類
・最適温度…30～40℃で最もよく働く
・最適pH…pH7前後で最もよく働く　（例外）胃で働くペプシンはpH2前後
・細胞の外（体外）でも働く
・触媒の働き…反応にあたって自らは変化しないので、少量で繰り返し作用する

●**ヒトの消化**

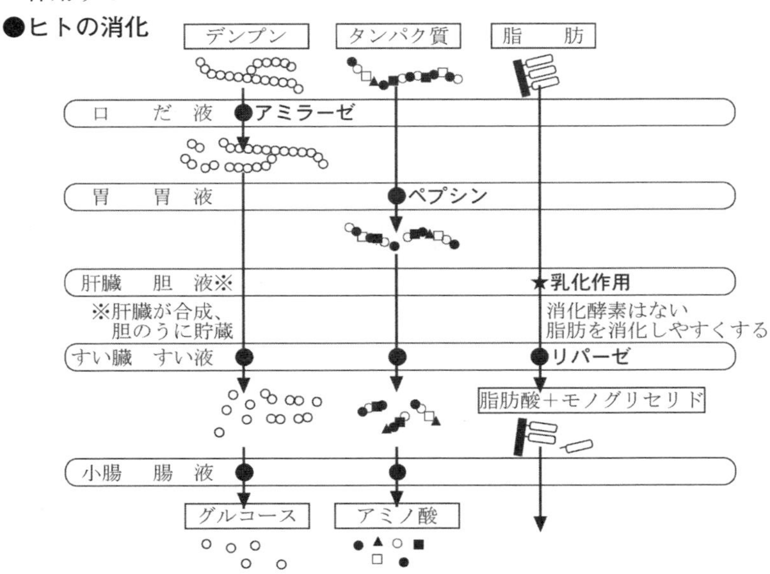

●**ヒトの吸収**

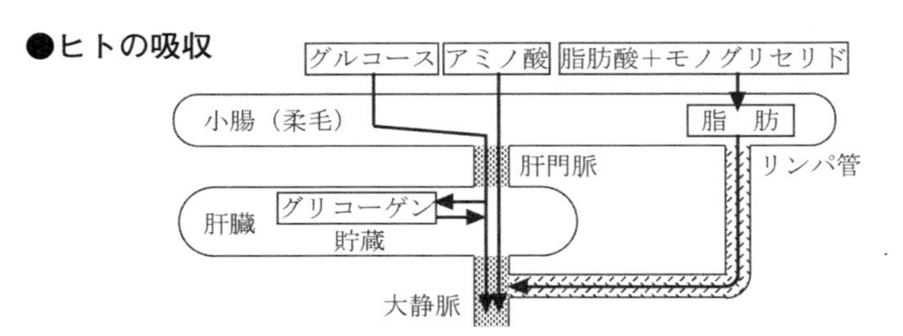

④肝臓と腎臓

●肝　臓

・グリコーゲンの貯蔵（血糖量の調節）…グルコースをグリコーゲンにかえて貯蔵し、血液中のグルコースの量（＝血糖量）を一定に保つ
・胆液の合成…肝臓で合成し、胆のうに蓄えて分泌する
・尿素の合成…タンパク質の分解で生じる有害なアンモニアを、無害な尿素にかえる
・解毒作用…体内に入った有毒物質を無毒化する
・赤血球の分解…古くなった赤血球を分解する
・体温の発生…上記の様々な化学反応により体温を発生させる

●腎　臓

・血液中の不要物（水分・塩分・尿素など）をこしだして、尿をつくる
※水分・塩分を調節して、浸透圧（血液中の塩分濃度）を一定に保つ

演　習

138 次の記述は、光合成と光の強さの関係について述べたものであるが、ア～エの｛　｝に入る語句の組合せとして最も妥当なのはどれか。　［警察官］

光合成とは、緑色植物が光とア｛a. 酸素／b. 二酸化炭素｝を用い、イ｛a. 糖／b. タンパク質｝を合成する反応で、光の量が少ない時には、光の強さが強くなるほど反応速度はウ｛a. 速く／b. 遅く｝なる。また、光がある強さ以上になると、光合成の反応速度はエ｛a. さらに盛んに／b. 一定に｝なる。

	ア	イ	ウ	エ
1	a	a	a	a
2	a	b	a	b
3	b	a	b	a
4	b	a	a	b
5	b	b	b	a

139 植物の光合成や呼吸に関する次のＡ～Ｆの記述のうち、適当なもののみをすべて挙げているものはどれか。 ［裁判所］

Ａ　植物は、光エネルギーを利用して光合成を行い、水と酸素から有機物を合成する。
Ｂ　植物は、動物と同じように常に呼吸によって有機物を分解し、生活のためのエネルギーを得ている。
Ｃ　植物は光が弱いと、光合成による二酸化炭素発生量よりも呼吸による二酸化炭素発生量の方が多くなる。
Ｄ　植物の光合成速度は、常に温度に比例して大きくなる。
Ｅ　陰生植物のヤブツバキは、陽生植物のクロマツと比べて補償点が低い。
Ｆ　同じブナの葉でも、光が十分当たるところにある陽葉は、弱い光しか当たらないところにある陰葉に比べて葉の厚さが薄くなる。

1　A、D
2　B、E
3　B、F
4　C、E
5　C、F

140 図は一定温度のもとで、緑藻を暗黒の中に置き、光の強さを0から少しずつ増加したときのCO_2の出入りを調べたものであるが、図中のＥに関する記述として正しいものはどれか。 ［市町村］

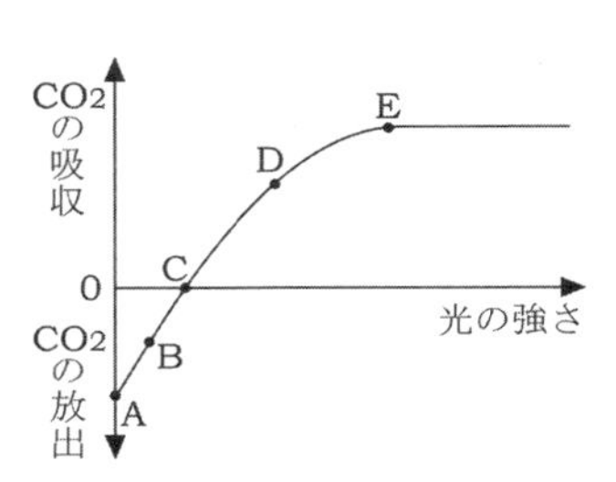

1　光合成と呼吸とが同時に行なわれているが、呼吸の方が勝っている。
2　光合成は行なわれているが、呼吸は行なわれていない。
3　光合成と呼吸が同時に行なわれているが、光合成の方が勝っている。
4　呼吸は行われているが、光合成は行なわれていない。
5　光合成と呼吸が同時に行なわれているが、光合成の方が勝っている。ここでは光の強さに比例して光合成が行われている。

141 植物が行う光合成の速度（二酸化炭素吸収速度）は、光の強さ、二酸化炭素濃度及び温度の影響を大きく受ける。また、イネ、タンポポ、アカマツのような陽生植物とアオキ、シダ植物、コケ植物のような陰生植物では、同じ光の強さのもとでの二酸化炭素吸収速度が異なる。

二酸化炭素濃度と温度を一定にしたとき、陽生植物と陰生植物のそれぞれについて、光の強さ（横軸）と二酸化炭素吸収速度（縦軸）の関係を示した図として最も妥当なのはどれか。

なお、図の横軸の左端は暗黒状態（光の強さ＝0）を示す。［海上保安等］

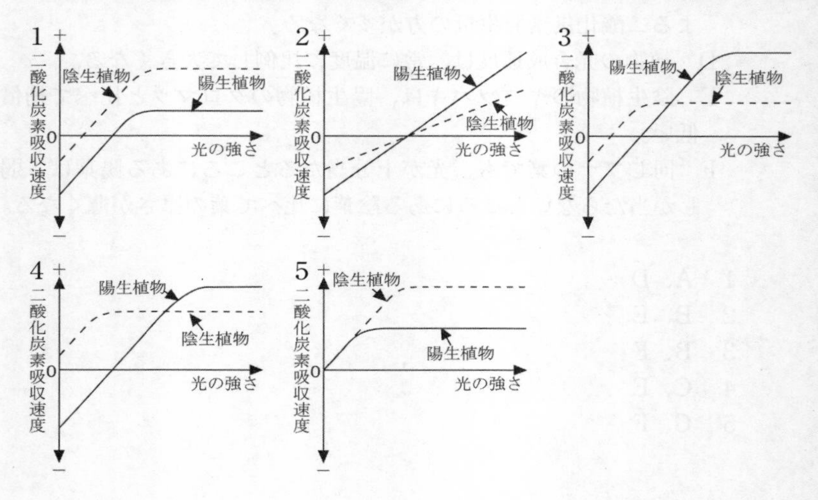

142 無酸素状態の下で、酵母菌や乳酸菌などの微生物がグルコースなどの糖類を分解して、エタノールや乳酸を生成する作用は、次のうちどれか。

［裁判所］

1　解　糖
2　呼　吸
3　光合成
4　発　酵
5　腐　敗

143 次の文は、発酵に関する記述であるが、文中の空所Ａ～Ｃに該当する語の組合せとして、妥当なのはどれか。 ［特別区］

有機物が微生物によって分解される現象のうち、生成物が人間にとって有用である場合を発酵という。発酵には、［Ａ］菌がグルコースなどの単糖類を分解してエタノールと［Ｂ］を生成するアルコール発酵のほか、［Ｃ］菌によりチーズやヨーグルトが作られる［Ｃ］発酵、酢酸菌により食酢が作られる酢酸発酵などがある。

	A	B	C
1	酵母	酸素	酪酸
2	酵母	二酸化炭素	乳酸
3	コウジ	酸素	酪酸
4	コウジ	二酸化炭素	乳酸
5	コウジ	二酸化炭素	酪酸

144 酵素に関する次の記述のア～エの｛ ｝内からそれぞれ正しい語を選んであるのはどれか。 ［県・政令都市］

酵素は生体内での反応において、ア｛遺伝子／触媒｝として機能している。酵素と結びつく物質はイ｛タンパク質／基質｝と呼ばれ、一般に酵素はウ｛一種類／数種類｝のイ｛タンパク質／基質｝に対して働くという性質をもっている。酵素の反応速度は温度によって異なり、温度と反応速度の関係を図で表すと、エ｛a／b／c｝のようになる。

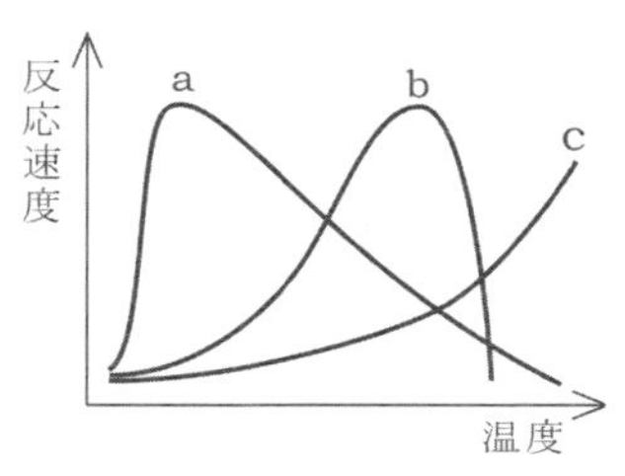

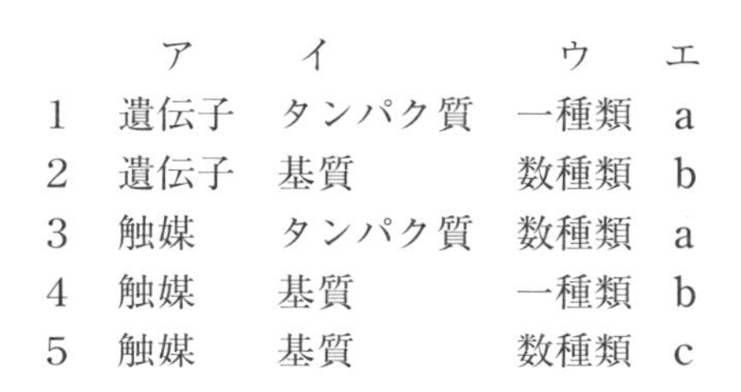

	ア	イ	ウ	エ
1	遺伝子	タンパク質	一種類	a
2	遺伝子	基質	数種類	b
3	触媒	タンパク質	数種類	a
4	触媒	基質	一種類	b
5	触媒	基質	数種類	c

酵素に関する記述のうち、正しいのはどれか。　［市町村］

1　酵素は、一度働くと、二度目は働かなくなるため、常に大量に必要とされる。
2　ビタミンは、微量で働く酵素の一種類で、特にビタミンCが重要である。
3　アミラーゼがデンプンを分解するように、酵素は特定の物質にしか働かないが、これを基質特異性という。
4　酵素は、温度を上げるほど活性が増し、80 ℃ぐらいで最高になるが、これを酵素の最適温度という。
5　タンパク質を分解する酵素であるペプシンは、アルカリ性でもよく働くことができる。

146

次は酵素に関する記述であるが、A、B、Cに当てはまる語句の組合せとして最も妥当なのはどれか。　［刑務官］

ヒトの体内ではさまざまな酵素がはたらいている。酵素には、細胞内でつくられたのちに、細胞内ではたらくものと細胞外ではたらくものがある。

消化酵素は、［A］ではたらくもので、［B］は唾液に含まれ、デンプンを分解する。また、［C］は胃液に含まれ、タンパク質を分解する。

	A	B	C
1	細胞内	アミラーゼ	マルターゼ
2	細胞内	マルターゼ	ペプシン
3	細胞外	アミラーゼ	マルターゼ
4	細胞外	アミラーゼ	ペプシン
5	細胞外	マルターゼ	ペプシン

147 人の消化器官についての記述で正しいものはどれか。　［国家一般］

1　口腔にあるだ液腺から分泌されるアルカリ性のアミラーゼは、タンパク質をアミノ酸に分解する。
2　胃壁から分泌される胃液は酸性で、その中に含まれるペプシンはタンパク質を分解する。
3　胆のうで作られ十二指腸から分泌される胆液は、アミラーゼを含み脂肪をグリコーゲンに分解する。
4　大腸壁から分泌される腸液には、リパーゼが含まれデンプンをマルトースに分解する。
5　肝臓で作られすい臓から分泌されるすい液は、消化酵素を含まないが腸内で腸液の働きを促進する。

148 次の文は、ヒトの有機養分の吸収と行方に関する記述であるが、文中の空欄A～Cに当てはまる語の組み合わせとして正しいものはどれか。
［特別区］

食物が消化されてできたグルコースや［A］は、小腸にある柔毛の中にある毛細血管に吸収され、また［B］とモノグリセリドは、柔毛の中にあるリンパ管へ吸収される。小腸で吸収されたグルコースは、生命活動に使われるほか、肝臓で［C］に変えられて蓄えられている。

	A	B	C
1	アミノ酸	脂肪酸	グリコーゲン
2	アミノ酸	デンプン	タンパク質
3	アミノ酸	デンプン	グリコーゲン
4	乳化脂肪	デンプン	タンパク質
5	乳化脂肪	脂肪酸	グリコーゲン

149 肝臓の働きに関する記述として**誤っている**ものは、次のうちどれか。

［警察官］

1　血液中の余分な水分や塩分を排出し、血液中の塩分濃度を調節する。
2　胆汁をつくり、十二指腸に分泌する。
3　吸収した養分を一時蓄え、必要に応じて血液中に送り出す。
4　食物中に紛れ込んだ有害な物質を無害化する。
5　細胞から生じたアンモニアを尿素に変える。

150 次のア～オは、腎臓と肝臓の働きについて述べたものである。腎臓のはたらきの組み合わせとして正しいのものはどれか。［市町村］［警察官］

ア　浸透圧を一定に保つ働きをする。
イ　グルコースをグリコーゲンにかえて貯蔵する。
ウ　体温を発生させる。
エ　アンモニアから尿素を合成する。
オ　原尿から栄養分を再吸収する。

1　ア、ウ
2　ア、オ
3　イ、ウ
4　イ、エ
5　エ、オ

151 次は、ヒトの臓器に関する記述であるが、A、B、Cに当てはまるものの組合せとして最も妥当なのはどれか。 ［刑務官］

［A］は、血液の循環量を調節する、血液中の糖の濃度を一定に保つなどのほか、体内でタンパク質が分解されて生じる毒性の強いアンモニアを毒性の弱い［B］に合成するはたらきをしている。また、［C］は、［A］で合成された［B］やその他の老廃物を排出し、体液中の塩分や水分の量を調節している。

	A	B	C
1	肝　臓	尿　素	腎　臓
2	肝　臓	グリコーゲン	ぼうこう
3	すい臓	尿　素	ぼうこう
4	すい臓	グリコーゲン	腎　臓
5	腎　臓	尿　素	ぼうこう

III－3

ヒトの体内環境（1）

出題頻度 ★★★

まとめ

①体　液

●血液の組成

有形成分（細胞）約$\frac{1}{2}$
- 赤血球
  - ・円盤状で核がない
  - ・酸素の運搬
  - ・色素ヘモグロビン（鉄を含むタンパク質）を含む

酸素が多い	酸素と結合（鮮紅色）
↓↑	
酸素が少ない	酸素を離す（暗赤色）

  - ・骨髄でつくられ、肝臓でこわされる
- 白血球
  - ・食作用（細菌等を取り込み分解する）
  - ・骨髄でつくられる
- 血小板
  - ・血液凝固によって出血を止める

血小板＋赤血球＋白血球、フィブリン → 血餅（べい）［凝　固］
血しょう → 血清［上澄み］

液体成分 約$\frac{1}{2}$
- 血しょう
  - ・90％が水分
  - ・酸素以外（栄養・老廃物、二酸化炭素、ホルモン）の運搬

●組織液・リンパ液

・組織液…血しょうが毛細血管から細胞中へしみ出たもの
・リンパ液…組織液の一部が血管に戻らず、リンパ管に集まったもの
・リンパ球…白血球の一種、免疫に関係

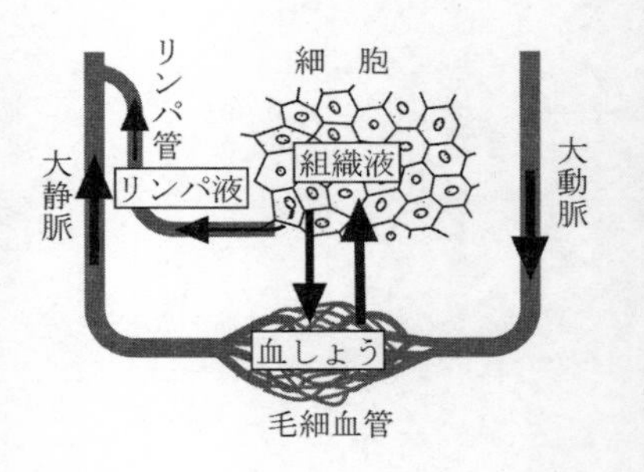

●血液の循環

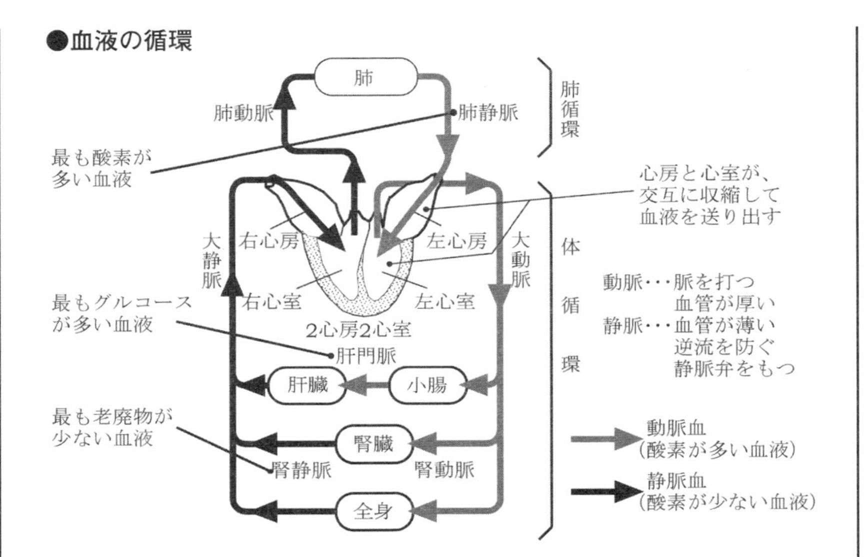

②神　経

●中枢神経

脳
- 大脳
  - 髄質
  - 皮質
    - 古皮質…本能行動の中枢
    - 新皮質…感覚（視覚・聴覚など）・随意運動・思考・記憶・感情の中枢　［ほ乳類で発達］
- 間脳
  - 視床
  - 視床下部…自律神経（体内環境の調節）の中枢
  - 脳下垂体　ホルモンの分泌
- 中脳…眼球の運動、姿勢保持の中枢 ｝［鳥類・魚類で発達］
- 小脳…運動の調節の中枢（体の平衡を保つ）｝［鳥類・魚類で発達］
- 延髄…呼吸・（血液）循環・消化の中枢→生命維持に欠かせない

脊髄……………排出・脊髄反射の中枢、情報伝達の経路

●**反　射**　意識することなく（＝大脳の判断なく）すばやくおこる反応

例）熱いものに手を触れると思わず手を引っ込める

・反射弓（反射の経路）…受容器→感覚神経→反射中枢→運動神経→効果器

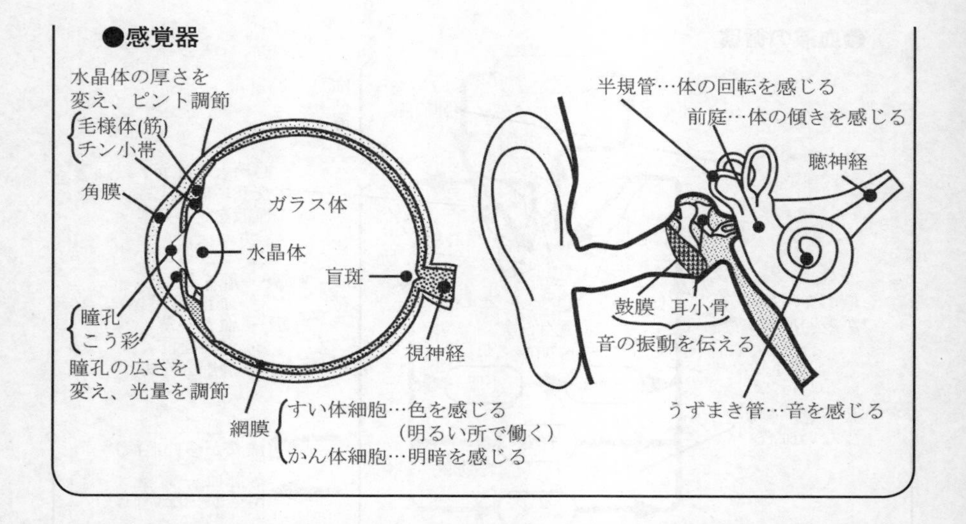

演　習

152 ほ乳類の血液に関する下文のア～オの［　　］に入る語が正しいのはどれか。

［市町村］［警察官］

血液は有形成分約45%と血しょうとよばれる液体成分約55%からなり、有形成分の赤血球、白血球、血小板は［ア］でつくられる。一般にほ乳類の赤血球は円盤状で［イ］であり、白血球と血小板は不定形である。赤血球中には呼吸色素［ウ］が含まれ、これが肺で酸素と結合して、全身の細胞に酸素を運搬する。各細胞で生じた二酸化炭素を肺へ運搬するのは［エ］の働きである。また、体外から入った異物や細菌を捕食する食作用を行うのは［オ］である。

1　ア－骨髄
2　イ－有核
3　ウ－トロンビン
4　エ－白血球
5　オ－血小板

ヒトの体液に関する記述として、妥当なのはどれか。　［東京都］

1　血液は、2つの経路で体内を循環しており、そのうち体循環では、血液が左心房から肺及び頭へいき右心室に戻る。
2　血液には、有形成分として赤血球、白血球、血小板があり、液体成分として血しょうがある。
3　血液は、血管から外に出て空気にふれると、主に血小板とフィブリンとがからみあい、血ぺいと白血球とに分かれる。
4　リンパ液とは、組織液の一つで、体液がリンパ管からしみ出て血管に入ったものをいう。
5　リンパ球は、骨髄でつくられ、赤血球と同じはたらきをして、細菌類の増殖を抑えている。

154

次の文のA～Eに入る語の組合せとして正しいのはどれか。
［海上保安等］

哺乳動物は肺呼吸をするため循環系は肺循環と体循環の二つに分かれている。そのうち（　A　）循環では（　B　）が収縮すると、静脈血が（　C　）を通って肺に運ばれる。肺で二酸化炭素を出し、酸素を血液に取り入れ、（　D　）を通って（　E　）に入る。

	A	B	C	D	E
1	肺	右心室	肺動脈	肺静脈	左心房
2	肺	右心室	肺静脈	肺動脈	左心房
3	肺	左心室	肺静脈	肺動脈	右心房
4	体	左心室	肺動脈	肺静脈	右心房
5	体	左心室	肺静脈	肺動脈	右心房

155 図はヒトの心臓のつくりと血液の循環を示したものである。この図に関する記述として正しいのはどれか。 [国家一般]

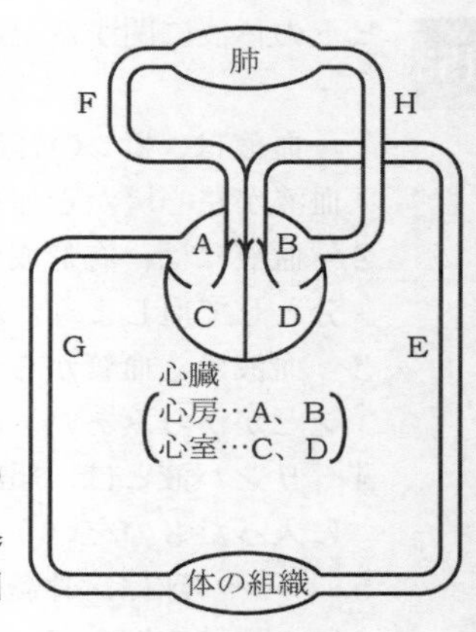

1 血液が循環する順序は、A→G→体の組織→E→D→B→H→肺→F→C→Aの順で、血液が流れる速度は肺からFへ流れ出すときが最も速い。

2 心臓から肺に送り出されるFとHの血液中には、体内で不要な細菌を取り込んだ白血球が多く含まれており、この細菌は肺から体外に出される。

3 心臓は図の左側のAとCが同時に、図の右側のBとDも同時に、また右側と左側が交互に収縮するため、身体中に勢いよく血液を巡らせることができる。

4 体の組織は多くの酸素を必要とするため、E及びGのうち体の組織に近い部分の血管は太くなっており、この部分は大動脈と呼ばれている。

5 Cの中の血液は暗い赤色をしており、Dの中の血液は鮮やかな赤色をしているが、これは後者のほうが酸素を多く含んでいるからである。

156 図はヒトの体の血液の流れを示したものであり、表はヒトの血液中の物質の濃度についてまとめたものである。表中のA、B、Cに当てはまるものの組合せとして最も妥当なのはどれか。 ［国家中途］

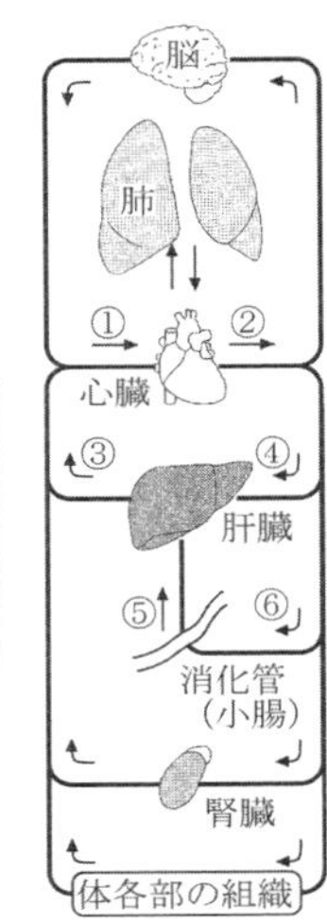

物質名	濃　度
酸　素	①中の濃度は、②中と比較して［A］
尿　素	③中の濃度は、④中と比較して［B］
グルコース	⑤中の濃度は、⑥中と比較して［C］

ただし、表中の①～⑥の番号は図中の血管に付したものに対応し、図中の矢印は血液の流れる向きを示す。

	A	B	C
1	高い	低い	高い
2	高い	低い	変わらない
3	低い	高い	高い
4	低い	高い	変わらない
5	低い	低い	高い

157 図はヒトの脳を、A～Eはヒトの脳の各部分の働きとその位置を示したものであるが、B及びDに該当する名称の組合せとして妥当なのはどれか。　［刑務官］

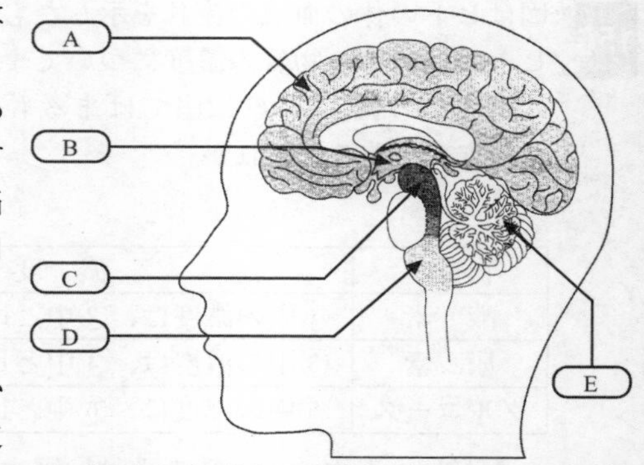

A. 左右の半球に分かれ、それぞれ皮質と髄質から成り立っている。皮質には、感覚や、意志による運動を支配する中枢があるほか、記憶・言語・思考・感情など、さまざまな精神活動の中枢がある。

B. 視床と視床下部に分けられる。視床下部は自律神経系の中枢として、さまざまな器官の働きや体温・代謝などの調節を行っている。また、脳下垂体を支配し、内分泌機能を調節する働きがある。

C. 眼球の働き、瞳孔の開閉、姿勢の保持などに関係する反射の中枢である。

D. 心臓の拍動、血流、呼吸の強弱などを自動的に調節する、生命維持に欠かすことのできない反射の中枢がある。

E. 耳にある平衡器官や、筋肉から送られてくる信号を受け取って、体の姿勢を保つのに必要な命令を筋肉に向けて送り出す中枢の働きがある。

	B	D
1	小　脳	延　髄
2	小　脳	中　脳
3	間　脳	延　髄
4	間　脳	小　脳
5	中　脳	小　脳

158 ヒトの大脳に関する記述として正しいものは、次のうちどれか。

［県・政令都市］

1　皮質と髄質からなり、髄質には感覚中枢や随意運動の中枢、記憶・判断・創造などの高等な精神作用の中枢などがある。
2　皮質のうち大脳辺縁系と呼ばれる部分は、古皮質・原皮質とも呼ばれ、本能行動の中枢や情動・欲求の中枢である。
3　交感神経と副交感神経からなる自律神経系の中枢で、体温や水分調節、血圧の調節などを行う中枢である。
4　運動の調節中枢や体の平衡や筋肉の緊張などを正しく保つ中枢である。
5　姿勢を保つ中枢や眼球の運動、瞳孔を調節する反射中枢がある。

159 図は、人が熱いやかんにうっかり触ったときの反射の仕組みを示している。図の空欄Ａ～Ｃにあてはまる神経系に関する語句の組合せとして、妥当なのはどれか。

［警視庁］

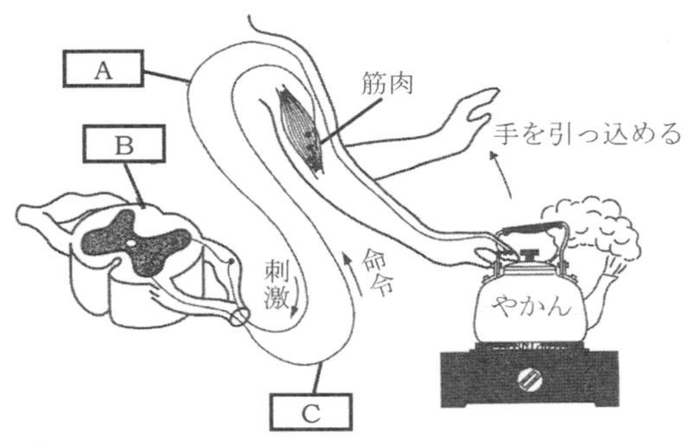

	A	B	C
1	運動神経	感覚神経	感覚神経
2	運動神経	せき髄	感覚神経
3	運動神経	大脳	感覚神経
4	感覚神経	せき髄	運動神経
5	感覚神経	大脳	運動神経

Ⅲ 生物

160 下文は、反射についての記述である。ア～ウの｛　｝内から正しい語を選んでいるのはどれか。　[市町村][警察官]

「ボールが飛んできたときに思わずよける」といった、無意識におこる反応を反射という。これと同じ反応には、

ア｛a. 熱いものに触れると思わず手を引っ込める／b. 暑い部屋にいると思わずうちわであおぐ｝などがある。反射の中枢となっているのは、イ｛a. 大脳／b. 脊髄・延髄・中脳｝等で、刺激を受けてから反応が起こるまでの経路は、

受容器→ウ｛a. 感覚神経→反射中枢→運動神経／b. 運動神経→反射中枢→感覚神経｝→効果器の順となっている。

	ア	イ	ウ
1	a	a	a
2	a	a	b
3	a	b	a
4	b	a	a
5	b	b	a

161 次の記述は、ヒトの目のつくりについて述べたものであるが、{　}を補う語の組合せとして正しいものはどれか。 [県・政令都市]

目は光を受容する視覚器官である。光をレンズによって屈折させ、ちょうど網膜の上に像をむすぶようになっている。例えば、近くのものを見るときは、毛様体筋が収縮し水晶体がア{a. 厚く b. 薄く}なって、レンズの焦点距離がイ{a. 長く b. 短く}なってピントが合う。また光量の調節は、瞳孔が行っている。例えば暗い部屋に入ったときには、瞳孔がウ{a. 拡大 b. 縮小}して取り込む光量を増やす。

	ア	イ	ウ
1	a	a	a
2	a	a	b
3	a	b	a
4	b	a	a
5	b	b	b

162 耳における音を伝える仕組みについて、順序の正しいものはどれか。 [警察官]

1　耳小骨→鼓膜→聴細胞→うずまき管のリンパ→前庭階
2　鼓膜→耳小骨→うずまき管のリンパ→前庭階→聴細胞
3　鼓膜→耳小骨→前庭階→うずまき管のリンパ→聴細胞
4　前庭階→うずまき管のリンパ→耳小骨→鼓膜→聴細胞
5　聴細胞→うずまき管のリンパ→鼓膜→前庭階→耳小骨

ヒトの受容器又は感覚細胞の働きとその名称の組合せとして正しいのはどれか。

［国家一般］

ア　網膜にあり、弱い光に敏感で光の明暗を感じるが、色の区別はできない。

イ　内耳にあり、内部のリンパ液の振動が神経によって脳へと伝えられ聴覚が生じる。

ウ　皮膚の感覚器で指先に特に集中しており、強い圧力・熱・化学物質などを認識する。

	ア	イ	ウ
1	すい体細胞	うずまき管	冷　点
2	すい体細胞	半規管	冷　点
3	すい体細胞	半規管	痛　点
4	かん体細胞	うずまき管	痛　点
5	かん体細胞	半規管	冷　点

III - 4

ヒトの体内環境（2）

出題頻度　★★★

まとめ

①免　疫

●免疫の種類

・自然免疫…白血球による食作用　どの抗原にも作用する
・獲得免疫…特定の抗原に作用　保存され２度目は素早く作用（免疫記憶）
　体液性免疫…リンパ球によって抗原に対応する抗体がつくられる
　細胞性免疫…抗原を直接攻撃するリンパ球がつくられる

●免疫の利用

・予防接種…弱めた病原体・毒素等（ワクチン）を注射し、抗体をつくらせる
・血清療法…すでに抗体のできている血液成分（血清）を注射する

●免疫の負の作用

・アレルギー…本来無害なものを抗原とする過剰な免疫反応（スギ花粉症など）
・アナフィラキシー…アレルギーのうち、とくに症状が激しいもの
・臓器移植の拒絶反応…移植した他人の臓器を異物として攻撃する
・HIV 感染症（AIDS（エイズ））…リンパ球が破壊され、獲得免疫が働かなくなる

②自律神経

・自律神経…意思とは無関係に、２つの神経が互いに拮抗（きっこう）（反対の作用をうながす）して調節する

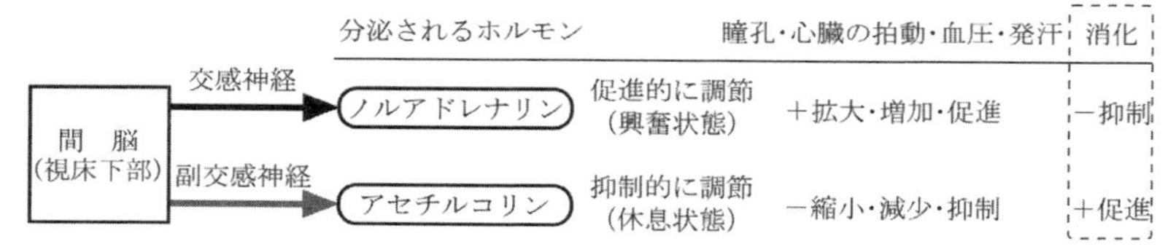

III 生物

③ホルモン

・ホルモン…内分泌腺で作られる物質で、血液中に分泌されて運ばれ、目的とする特定の器官（標的器官）の働きを調節する

●体温の維持

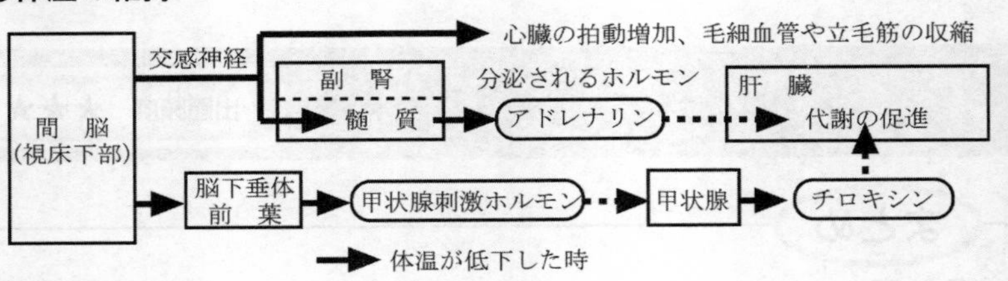

●血糖量の調節

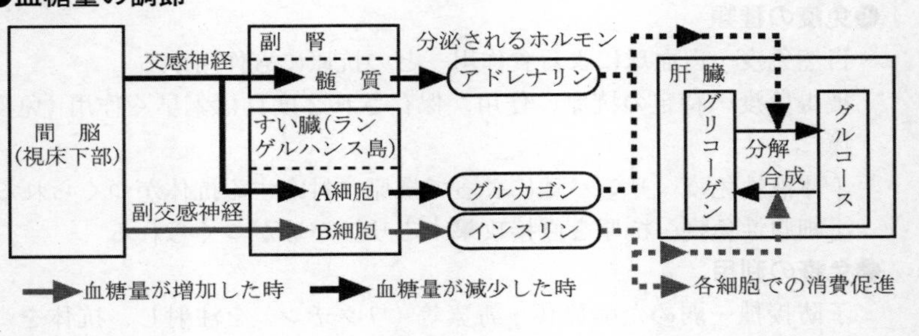

演　習

164 次の記述はヒトの生体防御について述べたものであるが、下線部ア～エのうち、妥当なもののみを選んだ組み合わせはどれか。　［県・政令都市］

体内に侵入した病原体などの異物を抗原という。抗原が体内に侵入すると、ア．血小板が抗原をとりこんで分解する食作用が起こり、そこで得られた情報をもとに抗原を排除する抗体がつくられる。イ．1つの抗体は、様々な種類の抗原に対して作用する非特異性を持っており、この働きによって私たちは、病気にかかりにくい健康な体を保っている。また、ウ．はしかやポリオなどの予防接種は、無毒化または弱毒化した抗原を接種して、あらかじめ抗体をつくらせることでその病気にかかることを防いでいる。一方、花粉症は、本来は体に無害な花粉などに対して、エ．抗原抗体反応が過剰におこることによって生じるアレルギーの一種である。

1　ア、イ
2　ア、エ
3　イ、ウ
4　イ、エ
5　ウ、エ

165 ヒトの免疫に関する記述として妥当なのはどれか。　［国家一般］

1　伝染病に最初に感染した場合は、抗体が速やかに作られるので発病しないが、2回目の感染では免疫反応が遅くなるので症状は重くなる。
2　白血病治療のための骨髄移植は、免疫反応に関係していないので、骨髄提供者と患者のリンパ球の適合性を考慮する必要はない。
3　花粉症は、スギなどの花粉が抗体となって働き、本来の免疫反応が低下するために生じるアレルギー反応である。
4　BCGなどの予防接種は、あらかじめ抗体となる物質を接種して免疫を成立させる方法である。
5　エイズウイルスは抗原を取り除く働きをするリンパ球を破壊するため、エイズを発病したヒトの免疫機能は徐々に低下する。

166 ヒトの生体防御に関する次の記述の［ ア ］から［ オ ］に当てはまる語句の組合せとして、最も妥当なのはどれか。 ［東京消防庁］

体内に抗原が入ると、［ ア ］は抗体と呼ばれるタンパク質をさかんに分泌する細胞になる。抗体は、［ イ ］結合する性質をもっていて、抗原を凝集するなどして無毒化する。このように、抗体と抗原とが結合して起こる反応を［ ウ ］、抗体の作用による生体防御のしくみを［ エ ］という。

また、スギ花粉症のように、［ ウ ］が過剰に起こることで生じる、生体に不都合な反応を、［ オ ］という。

	ア	イ	ウ	エ	オ
1	血ぺい	多種多様な抗原と無差別的に	食作用	体液性免疫	免疫記憶
2	血ぺい	特定の抗原にだけ選択的に	抗原抗体作用	細胞性免疫	免疫記憶
3	血ぺい	多種多様な抗原と無差別的に	抗原抗体作用	細胞性免疫	アレルギー
4	リンパ球	特定の抗原にだけ選択的に	抗原抗体作用	体液性免疫	アレルギー
5	リンパ球	多種多様な抗原と無差別的に	食作用	細胞性免疫	アレルギー

167 ヒトでは恒常性を保つために、意志とは無関係に交感神経と副交感神経が働き、さまざまな調節を行っている。次のうち、交感神経系が働いたときに生じる変化として妥当なものを組合せたのはどれか。

［市町村］［警察官］

ア　瞳孔の拡大
イ　心拍の抑制
ウ　血圧の低下
エ　胃腸の蠕動（ぜんどう）運動の抑制

1　ア、イ
2　ア、ウ
3　ア、エ
4　イ、ウ
5　ウ、エ

168 自律神経の働きに関する次の記述中の空欄ア～エに当てはまる語の組み合わせとして、正しいものはどれか。 [警察官]

自律神経には、交感神経と副交感神経の２種類がある。内臓には、その２種類の神経が分布し、互いに反対の作用をしている。たとえば、急に敵に襲われたような場合には、（ ア ）神経が作用し、心拍数は増加するが、消化管の活動は抑制される。また、（ア）神経は、（ イ ）を刺激し、（ ウ ）を分泌させる。環境が平和になり安心すると、（ エ ）神経が作用し、心拍数や消化管の活動は元に戻る。

	ア	イ	ウ	エ
1	交　感	副腎髄質	アドレナリン	副交感
2	交　感	すい臓	インスリン	副交感
3	交　感	すい臓	アドレナリン	副交感
4	副交感	副腎髄質	アドレナリン	交　感
5	副交感	すい臓	インスリン	交　感

169 動物のホルモンについての記述として妥当なのはどれか。 [県・政令都市]

1　体外から摂取されたのち分解吸収され、生体に必要な有機物の合成やエネルギーの産出の際にその基質となる物質である。
2　細胞質に微小体の一つとして存在する物質であり、生体の環境変化や成長段階に応じて活性化して物質交代やエネルギー交代を調節する。
3　内分泌腺と呼ばれる器官でつくられて血液によって運ばれ、それぞれ特定の器官に作用して物質交代、形態形成などに影響を及ぼす物質である。
4　すい臓と肝臓の外分泌腺でつくられて消化管内に放出され、そこで行われる栄養素の加水分解などの異化作用にはたらく物質である。
5　甲状腺と生殖腺から分泌されて生体触媒として作用する物質であり、細胞内の化学反応の速度はこの濃度の変化によって調節される。

170 ヒトの体温は外界の温度が変化しても常に一定の温度を保つように調節されている。次は体温が低下したときにヒトの体内で起こる反応を模式図で示したものであるが、この図のA～Dに当てはまるものの組合せとして最も妥当なのはどれか。　［海上保安等］

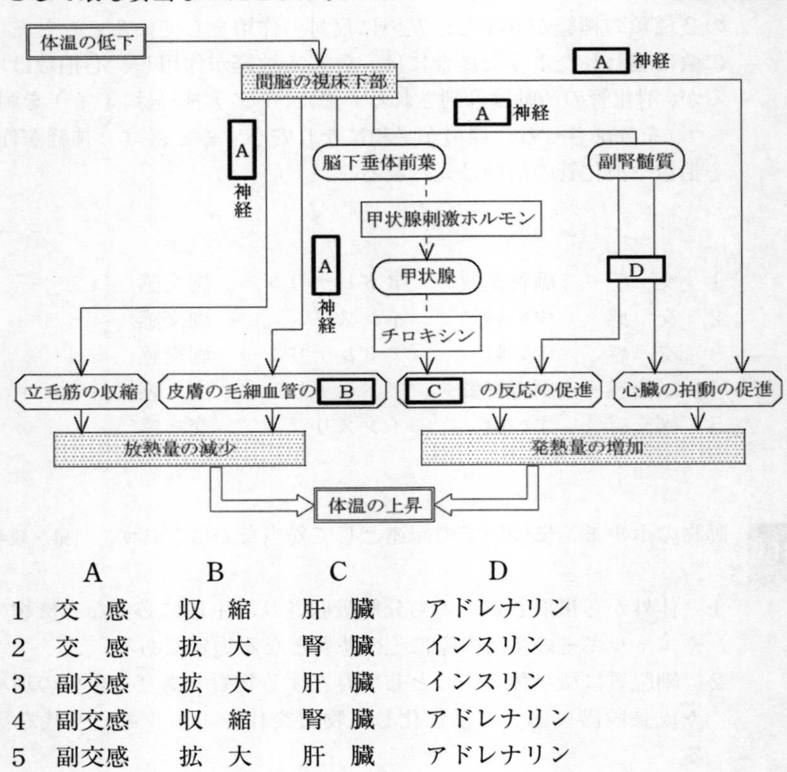

	A	B	C	D
1	交　感	収　縮	肝　臓	アドレナリン
2	交　感	拡　大	腎　臓	インスリン
3	副交感	拡　大	肝　臓	インスリン
4	副交感	収　縮	腎　臓	アドレナリン
5	副交感	拡　大	肝　臓	アドレナリン

171 以下は血糖値の調節に関する記述であるが、空所A～Eに該当する語句の組み合わせとして、妥当なものはどれか。 [警視庁]

血液中のグルコース濃度（血糖値）は、（ A ）の視床下部の血糖調節中枢で感知され、自律神経系やホルモンのはたらきにより、一定の濃度に調節されている。細胞活動などにより血糖値が減少すると、この刺激が直接または（ B ）神経を経て、ランゲルハンス島のA細胞にはたらく。A細胞から分泌された（ C ）は、（ D ）にたくわえられたグリコーゲンがグルコースに分解される反応を促すので、血糖値が増す。また、運動などで糖の消費が激しくなると、（ B ）神経が作用し、副腎髄質からの（ E ）の分泌が促されて、（ C ）のはたらきを助ける。

	A	B	C	D	E
1	小脳	交感	グルカゴン	肝臓	アドレナリン
2	小脳	副交感	アドレナリン	すい臓	インスリン
3	間脳	交感	グルカゴン	肝臓	アドレナリン
4	間脳	副交感	アドレナリン	すい臓	インスリン
5	中脳	交感	グルカゴン	胆嚢	インスリン

172 次はヒトの血糖量に関する記述であるが、(　　)のA～Dのうち、A、B、Cに当てはまる語句の組合せとして妥当なのはどれか。　[刑務官]

ヒトの血糖量はほぼ0.1%と一定に保たれている。血糖量が増加すると、(　A　)が刺激される。(　A　)は副交感神経系によって、すい臓を刺激し、(　B　)というホルモンを分泌させる。(　B　)は血流にのって肝臓にはたらきかけ、グルコースから(　C　)を合成するはたらきを促進するとともに各組織の細胞でのグルコースの消費を促進させる。その結果、血糖量は減少する。

一方、呼吸などで血糖量が減少すると、血糖量の減少を感知した(　A　)は交感神経系によって副腎の髄質を刺激し、(　D　)を分泌させる。グルカゴンや(　D　)は肝臓での(　C　)の分解を促進して血糖量を高める。

	A	B	C
1	大　脳	インスリン	グリセリン
2	大　脳	アドレナリン	グリコーゲン
3	間　脳	チロキシン	グリセリン
4	間　脳	インスリン	グリコーゲン
5	小　脳	アドレナリン	グリセリン

III - 5

生物の集団

出題頻度　★★

まとめ

①生　殖

●**無性生殖**　体の一部がそのまま「子」になる　「親」と「子」で遺伝子が全く同じ（クローン）

・分裂…単細胞生物（ゾウリムシなど）・イソギンチャク
・出芽…酵母菌・ヒドラ
・胞子生殖…菌類（カビ・キノコ）・藻類・コケ植物・シダ植物
・栄養生殖（栄養繁殖）…種子植物の一部　イモ・さし木など

●**有性生殖**　配偶子（精子・卵子など）が合体し「子」になる

・環境の変化に対応しやすい

②植物の分類

●**植物の分類**

	コケ植物	シダ植物	種子植物
維管束	ない	ある	
根・茎・葉の区別			
生　殖	主に胞子 ※受精に水が必要		主に種子 ※受精に水は不要

●**種子植物の分類**

裸子植物…胚珠がむきだしである
　　例）マツ・スギ・イチョウ・ソテツ
被子植物…胚珠が子房に包まれている　重複受精をする

	子葉	根	葉脈	維管束
単子葉類 例）ユリ・イネ トウモロコシ		ひげ根 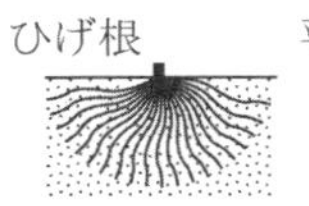	平行脈 	散在 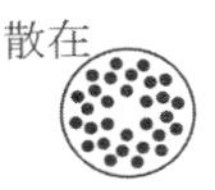

III 生物

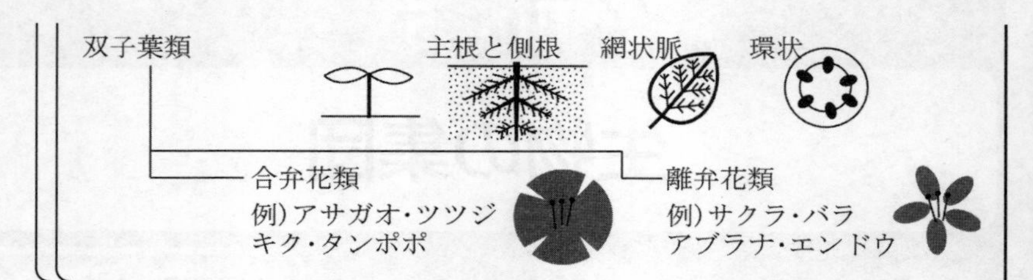

●種子植物のつくり

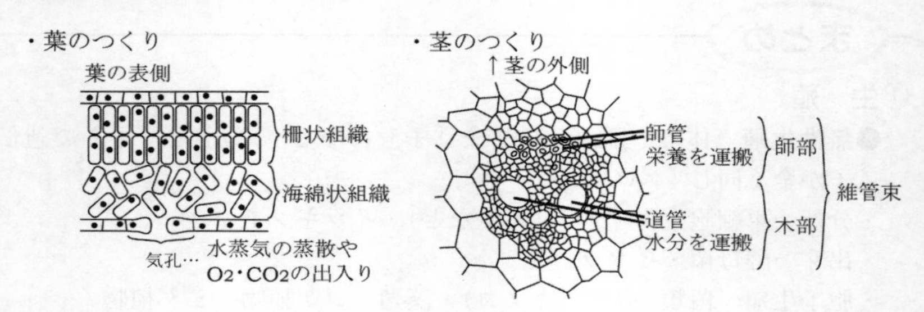

③脊椎動物の分類

	魚　類	両生類	は虫類	鳥　類	哺乳類
体温	変　温			恒　温	
皮膚	うろこ	粘　膜	うろこ	羽毛・うろこ	毛・爪
呼吸	えら		肺		
心臓	一心房一心室	二心房一心室		二心房二心室	
受精	体外受精		体内受精		
卵胎	卵　生				胎　生
	水中に産卵		陸上に産卵　硬い殻		

④生 態 系

・食物連鎖（食物網）…被食ー捕食の関係は連続してつながっている

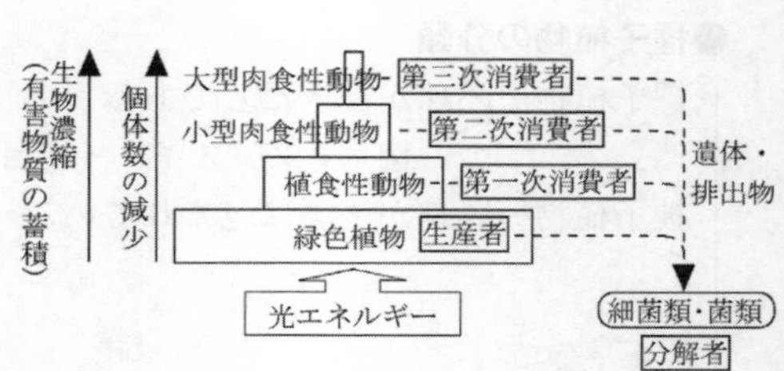

・生態ピラミッド…高次消費者ほど個体数が少ない

・生物濃縮…有害物質が食物連鎖の過程で濃縮されていく

・生態系の復元力…突然、被食者が減っても、それをエサとする捕食者も減るため、やがて被食者の数も回復する

・侵略的外来生物…従来その生態系にいなかった生物が入り込み、在来の種を激減させる　例）ブラックバス（オオクチバス）、ブルーギル

●炭素循環・窒素循環

・炭素循環…光合成で取り入れられた炭素は、有機物となってさまざまな生物のエネルギー源となる

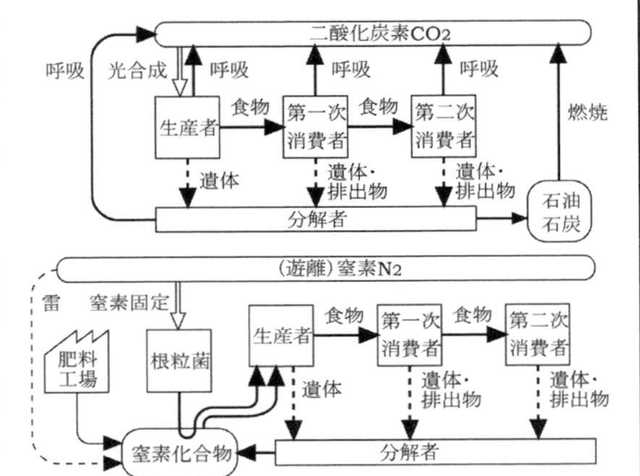

・窒素循環…植物は空気中の窒素を直接利用できないが、マメ科植物に共生する根粒菌は直接取り入れることができる

●植生の遷移　裸地や湖沼から森林へ移り変わっていく順序

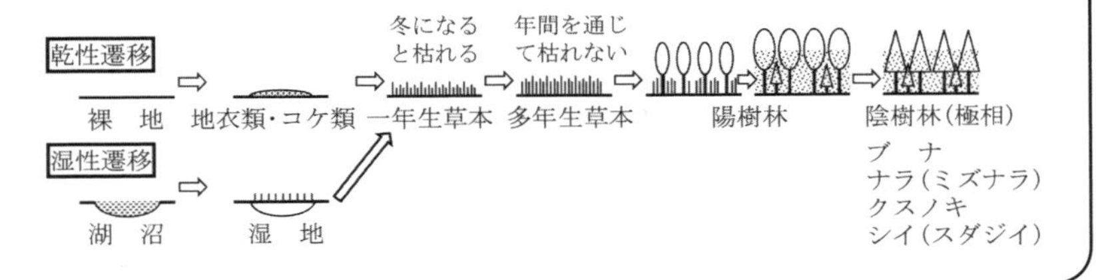

演　習

173　次の記述は、生殖について述べたものであるが、｛　｝を補う語を正しく選んでいるものは次のうちどれか。　**[県・政令都市]**

生物が子孫をつくるはたらきを生殖といい、その方法は２つの種類がある。

１つは、生殖のための特別な細胞をつくらず、親の体の一部が分かれてそのまま独立した新しい子となるもので、無性生殖とよばれる。たとえば酵母菌がおこなうア｛出芽／栄養生殖｝などがある。

もう１つは、有性生殖といい、染色体数が母細胞のイ｛２倍／半分｝となるウ｛体細胞分裂／減数分裂｝によって生殖細胞がつくられ、２つの生殖細胞が接合することにより、新しい子となる。有性生殖の場合、両親から遺伝子を受けつぐので、エ｛親が同じであれば、その子の遺伝子も同じ／親が同じでも、その子の遺伝子は多様｝となる。

生育に好適な環境が保たれていれば、短時間に多くの子孫をつくることができるのは、オ｛有性生殖／無性生殖｝である。

1　ア ― 栄養生殖
2　イ ― ２倍
3　ウ ― 体細胞分裂
4　エ ― 親が同じでも、その子の遺伝子は多様
5　オ ― 有性生殖

174 生物の生殖方法に関する次の表の空欄A～Dに当てはまる語句の組合せして、妥当なのはどれか。 ［警視庁］

	名　称	説　明	生物の例
無性生殖	分　裂	細胞や個体がほぼ同じ大きさに分かれて新しい個体ができる。	（　A　）
	（　B　）	親の体の一部に小さなふくらみができ、それが成長して分かれて新しい個体ができる。	ヒドラ
	（　C　）生殖	根･茎などの（　C　）器官の一部から新しい個体ができる。	オニユリのむかご
	胞子生殖	体細胞分裂などでできた胞子が発芽して新しい個体ができる。	アオカビ
有性生殖	同形（D）接合	形や大きさに違いのない（　D　）が合体して新しい個体ができる。	クラミドモナス
	異形（D）接合	形や大きさに違いのある（　D　）が合体して新しい個体ができる。	アオサ
	受　精	卵と精子が合体して新しい個体ができる。	ヒト

	A	B	C	D
1	酵母菌	分化	純系	四分子
2	イソギンチャク	出芽	栄養	配偶子
3	アメーバ	独立	形質	四分子
4	ミドリムシ	分化	栄養	配偶子
5	コウジカビ	独立	形質	四分子

175 シダ植物の特徴に関する記述として正しいものは、次のうちどれか。 ［特別区］

1　シダ植物は、維管束を持っている。
2　シダ植物は、胚珠がむき出しになっている。
3　シダ植物は、葉緑体を持っていない。
4　シダ植物は、雄株・雌株にそれぞれ花を付ける。
5　シダ植物は、根、茎、葉の区別がない。

176 植物の分類に関する記述として、妥当なのはどれか。 [大阪府]

1 植物には、種子をつくる種子植物と、種子をつくらない植物があり、種子をつくらない植物の例として、イチョウ、スギ、マツがある。

2 種子植物は、子房が胚珠の中にある被子植物と、胚珠がなく子房がむき出しの裸子植物に分けることができる。

3 被子植物は、道管と師管の本数によって、単子葉類と双子葉類に分けることができ、単子葉類の例として、エンドウ、サクラ、タンポポがある。

4 単子葉類は、主根と側根からなる根をもち、葉脈の通り方は網目状で、茎の維管束は輪のような形に並んでいる。

5 双子葉類は、花びらが１枚ずつに分かれている離弁花類と、花びらが一つにくっついている合弁花類に分けることができる。

177 被子植物は、単子葉類と双子葉類の２つに分類することができる。例えばユリは単子葉類、アサガオは双子葉類であり、それぞれ茎、葉、根のつくりに違いが見られる。次の記述は、その違いを説明したものであるが、ア～エの{　}に入る語句の組合せとして、最も妥当なのはどれか。

［市町村］［警察官］

茎の断面を薄く輪切りにして観察すると、管が集まっている部分がある。道管はア{根から吸収した水分／葉で作られた栄養分}を運び、師管はイ{根から吸収した水分／葉で作られた栄養分}を運ぶが、その分布が異なっており図Ⅰのａは、ウ{双子葉類／単子葉類}を示している。

道管、師管はそのまま葉につながって葉脈となっているが、その形状もそれぞれで異なっており、図Ⅱのａは、エ{双子葉類／単子葉類}のものである。

図Ⅰ

a.　b.

図Ⅱ

a.　b.

	ア	イ	ウ	エ
1	根から吸収した水分	葉で作られた栄養分	単子葉類	双子葉類
2	根から吸収した水分	葉で作られた栄養分	双子葉類	単子葉類
3	根から吸収した水分	葉で作られた栄養分	単子葉類	単子葉類
4	葉で作られた栄養分	根から吸収した水分	双子葉類	単子葉類
5	葉で作られた栄養分	根から吸収した水分	単子葉類	双子葉類

178 脊椎(せきつい)動物に関する記述として、妥当なのはどれか。 [東京都]

1　カメは、両生類に分類され、水中に卵を産み、子も親もえらと肺の両方で呼吸する。
2　コウモリは、鳥類に分類され、コウモリの体の周りの温度が変化しても体温が一定に保たれる。
3　サンショウウオは、魚類に分類され、水中に卵を産み、子はえらで呼吸し、親は肺で呼吸する。
4　トカゲは、は虫類に分類され、トカゲの体の周りの温度変化に伴って体温が変化する。
5　ペンギンは、ほ乳類に分類され、陸上に卵を産み、卵からかえった子に乳を与えて育てる。

179 脊椎動物の体の造り、繁殖の仕方に関する記述として妥当なのはどれか。 [国家一般]

1　魚類は、尾とひれをもち、水中の生活遊泳に適した体の造りをしており、体はうろこや粘液で覆われ、えら呼吸を行っている。交尾による体内受精で生み出された卵で増える。
2　両生類は、親になると肺呼吸をするので、陸上の乾燥地帯でも生活でき、皮膚は体の熱を逃がさないように粘液に覆われている。交尾による体内受精をし、水中で産卵を行っている。
3　は虫類は、皮膚・肺が発達し、陸上生活に適応しており、体は、うろこや甲らで覆われている。卵の受精は雌の体内で行われ、親と同じ形になるまで卵殻の中で成長する。
4　鳥類は、翼や羽毛を持ち、空中生活に適した体をしている。変温動物であり冷水の中でも凍死しない。少しの酸素や養分で飛行できることから肺や心臓は未発達で体を軽くしている。交尾による体内受精で卵生である。
5　ほ乳類は、背骨を中心とした外骨格を持ち、体全体が毛と厚い皮で覆われ、肺・心臓・脳などが発達している。交尾によって体内受精し、受精卵の中で胚は卵黄の養分を吸収して成長する。

180 生物界をみると、AはBの食物となり、BはCの、そしてCはDの食物になるといったつながりがある。このような関係を(　)というが、(　)のはじまりのAは必ず(　)で、Bは必ず(　)である。そして、B、C、Dの順により強い動物につながっている。この場合、Aに対してB、C、Dは(　)とよばれる。

上文の(　)内に、次の5つの言葉のうち4つを入れると、生物相互の関係を表わす文章になる。不要なものはどれか。　　[県・政令都市]

1　植　物
2　肉食動物
3　消費者
4　食物連鎖
5　植食動物

181 生態系は、生物群集と大気・光・温度・水・土壌などの非生物的環境から成り立っており、お互いに影響しあっている。この生態系の構造と機能に関する記述として最も妥当なのはどれか。　　[国家一般][刑務官]

1　緑色植物は、太陽の光エネルギーを利用して光合成を行い、無機物から有機物を作り出しているので、生産者としてはたらいている。
2　菌類や細菌類は、緑色植物や動物の遺体や排出物などの無機物を有機物に変えてエネルギーを得ているので、消費者としてはたらいている。
3　動物は、緑色植物や動物を食べ、体内でタンパク質をアミノ酸に分解しているので、分解者としてはたらいている。
4　生物の遺体は、細菌によって分解されるが、それによって生じた炭素は、大部分が緑色植物の根から吸収された後、呼吸によって大気中に放出される。
5　緑色植物の光合成によって、光エネルギーから変換された熱エネルギーは消費者や分解者を通して生態系の中を絶えず循環している。

182 表は、食魚性鳥類に異常死のおこった湖でその生態系のDDT含有量を測定した結果である。これに関する下文のア～オの｛　｝内から正しい語を選んであるのはどれか。 [市町村]

測定対象	DDT (ppm)
湖　水	0.0006
無脊椎動物	0.0～6.0
藻　類	0.1～0.3
ウ グ イ	痕跡～1.6
ペリカン(死体)	63.0
カイツブリ(死体)	75.5

湖水中に含まれるDDTはア｛窒素循環／食物連鎖／光合成｝の過程で濃縮されるため、藻類のようなイ｛生産者／低次消費者／分解者｝では含有濃度が低いが、ペリカンやカイツブリのようなウ｛生産者／低次消費者／高次消費者｝では高く、湖水のエ｛1000／1万／10万｝倍以上の濃縮率をしめす。これはDDTが生物体内で分解しにくくオ｛筋肉／骨／体脂肪｝に蓄積しやすいことが主な原因である。

1　ア－窒素循環
2　イ－分解者
3　ウ－低次消費者
4　エ－10万
5　オ－筋肉

183 図は、生産者、植食動物、肉食動物の個体数を模式的に示した生態ピラミッドである。図Aの状態から何らかの理由で図Bのような生態系ピラミッドに移行した場合、どのような経路をたどって回復するか。C、Dに当てはまる図として最も適切な組合せはどれか。

［県・政令都市］

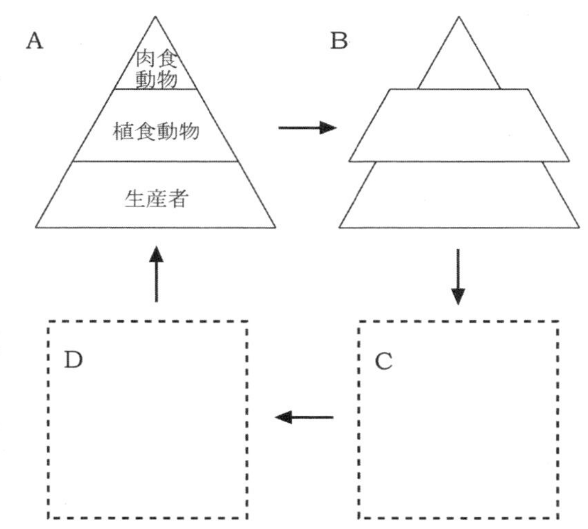

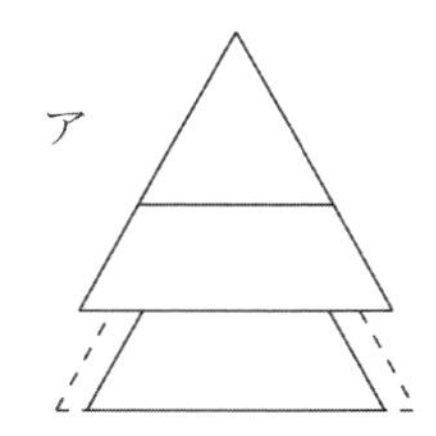

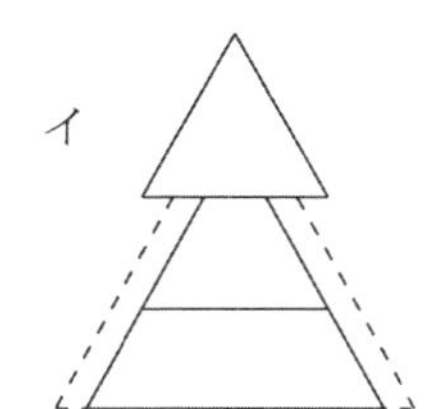

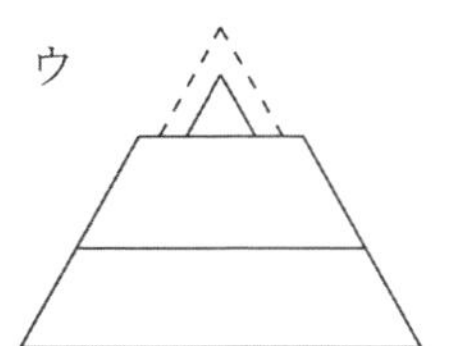

	C	D
1	ア	イ
2	ア	ウ
3	イ	ウ
4	ウ	ア
5	ウ	イ

184 図は炭素化合物が生体内と大気中とを循環する「炭素循環」の主な部分を示したものであるが、A～Dに当てはまる語の組合せとして妥当なのはどれか。 **[県・政令都市]**

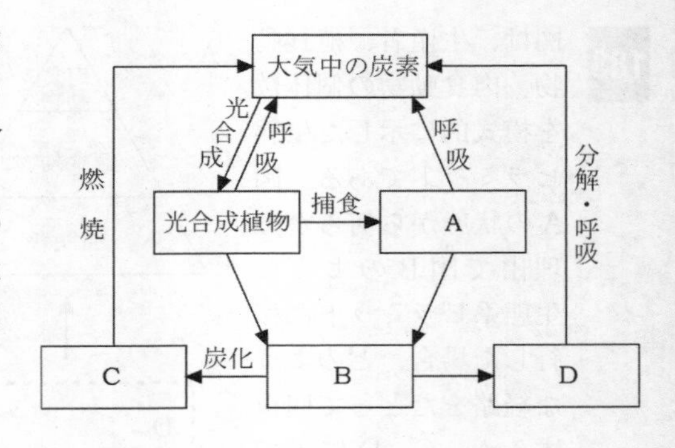

	A	B	C	D
1	微生物	遺体・排出物	植食性動物	石炭・石油
2	微生物	石炭・石油	遺体・排出物	植食性動物
3	遺体・排出物	植食性動物	石炭・石油	微生物
4	植食性動物	石炭・石油	微生物	遺体・排出物
5	植食性動物	遺体・排出物	石炭・石油	微生物

185 次は生態系に関する記述であるが、A～Eに当てはまるものの組合せとして正しいのはどれか。 ［国家一般］

生物群集を構成する生物の間には、一般に食物連鎖の関係が見られるとともに、それぞれの生物は、光・温度・空気・水・土壌など、生物を取り巻く非生物的環境との間で、物質やエネルギーのやりとりをしながら生活している。

例えば、大気中の二酸化炭素に含まれる（ A ）は、（ B ）によって有機物に変えられ、植物自身の成長と（ C ）に使用され、また一部は食物連鎖を通して動物や微生物に利用され、最後に大気中に放出される。また、太陽エネルギーは（ B ）によって化学エネルギーに変換され植物に取り入れられる。化学エネルギーは植物の（ C ）に利用されたり、また一部は食物連鎖を通して動物や微生物の（ C ）に利用され、最後に熱エネルギーとなって大気中に放出される。このように（ A ）は生態系を（ D ）が、エネルギーは生態系を（ E ）。

	A	B	C	D	E
1	酸 素	光合成	呼 吸	循環する	循環しない
2	酸 素	光合成	呼 吸	循環しない	循環する
3	炭 素	光合成	呼 吸	循環する	循環しない
4	炭 素	呼 吸	光合成	循環する	循環しない
5	炭 素	呼 吸	光合成	循環しない	循環する

186 根粒細菌に関する記述として正しいものは、次のうちどれか。 [警察官]

1 根粒細菌は根の細胞を増殖させて根粒をつくり、宿主のマメ科植物から栄養分を吸収して宿主を枯死させる。

2 根粒細菌は土壌中の養分を取り入れて窒素化合物を合成する。根粒細菌はそれを宿主のマメ科植物に提供し、宿主は炭水化物を根粒細菌に供給する。

3 根粒細菌は根の細胞を増殖させて根粒をつくるが、宿主のマメ科植物には利益も害も与えない。

4 根粒細菌がつくる根粒には多量の水分が含まれており、必要に応じて宿主のマメ科植物に水を供給する。

5 根粒細菌は空気中の窒素を取り入れて窒素固定を行い、窒素化合物を宿主のマメ科植物に供給する。

187 植物の群落は、長い年月の間に次々と変化していき、ついには安定した状態となるが、火山の爆発や山火事などで裸地化した土地でみられる植物群落の移り変わりとして妥当なものはどれか。 [警察官]

1 地衣類→一年生草本→多年生草本→陽樹→陰樹
2 地衣類→多年生草本→一年生草本→陰樹→陽樹
3 一年生草本→多年生草本→地衣類→陽樹→陰樹
4 コケ類→陰樹→陽樹→一年生草本→多年生草本
5 コケ類→一年生草本→多年生草本→陰樹→陽樹

188 植物群落の遷移には、火山活動などによって生じた裸地から始まる乾性遷移と、湖沼や海洋から始まる湿性遷移がある。ア～オは乾性遷移の過程を順に述べたものであるが、{ }内から正しい語を選んであるのはどれか。 [市町村]

ア 岩石の風化にともなって{地衣類やコケ類／シダ類やコケ類}が侵入し、しだいに土壌が形成される。

イ 1年生草本、多年生草本が侵入し、{陽生草本／陰生草本}中心の草原になる。

ウ {シラカバ、ヤナギ／シイ、タブノキ}などの陽樹が侵入して森林を形成する。

エ 陽樹林のなかに{光量が少ない方が発芽しやすい／光量が少なくても幼木が生育できる}陰樹が侵入する。

オ 陰樹を主とした極相林ができ、安定する。{コメツガ林／アカマツ林}は極相林の例である。

1 ア ― シダ類やコケ類
2 イ ― 陰生草本
3 ウ ― シイ、タブノキ
4 エ ― 光量が少なくても幼木が成長できる
5 オ ― アカマツ林

IV
地　学

Ⅳ - 1

地　球

出題頻度　★★★★

まとめ

①地球の内部

●内部の層構造

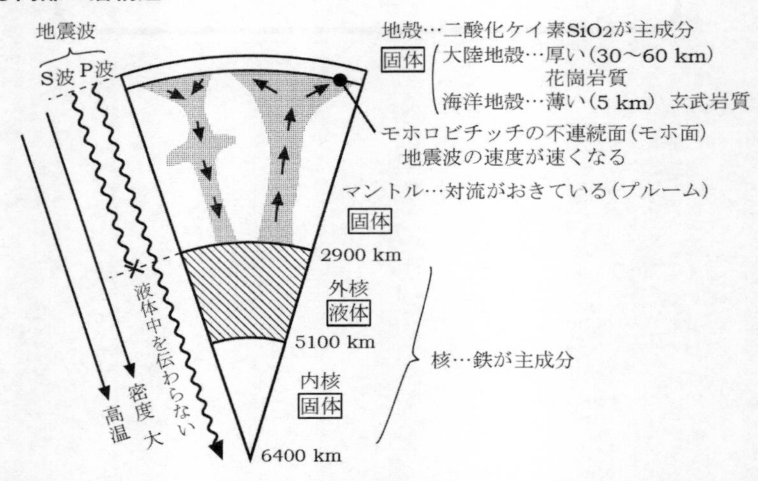

●プレートテクトニクス　地球表面の10数枚のプレートの移動により起きる現象

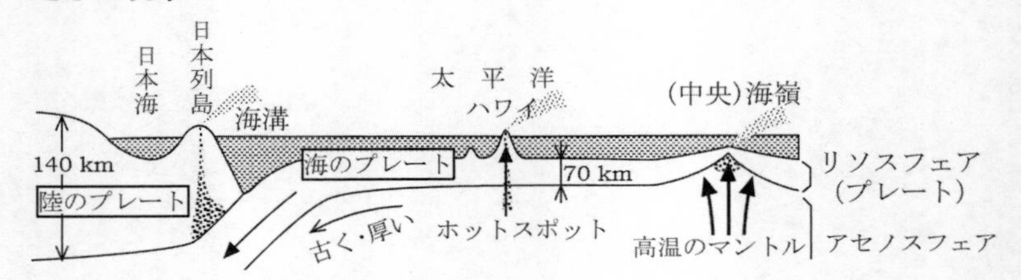

・海嶺…プレートが互いに離れていく（プレートが拡大する）境界
・海溝…プレートが互いに近づく（プレートが収束する）境界

・プレートの境界（環太平洋など）では、地震・火山活動・造山運動が活発

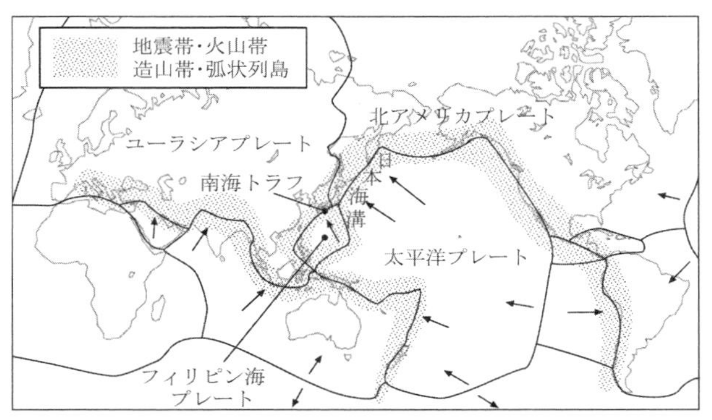

②地　震

●地震波の種類

・P 波（縦波）…速度は速いが、ゆれは小さい（Primary-Wave 最初の波）
・S 波（横波）…速度は遅いが、ゆれが大きい（Secondary-Wave 2 番目の波）

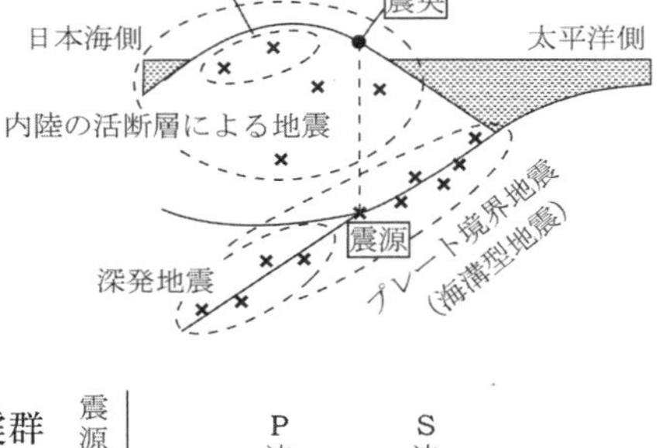

●地震の用語

・余震…大地震後に生じる小地震群
・液状化現象…三角州・埋立地などで地盤が液体のようになる現象（地盤が軟らかいほど震度は大きくなる）
・津波…地震で生じる海面の波
・初期微動継続時間…震源から離れた地点ほど長い
・緊急地震速報…震源近くの P 波の観測データから各地の S 波到達時刻を速報

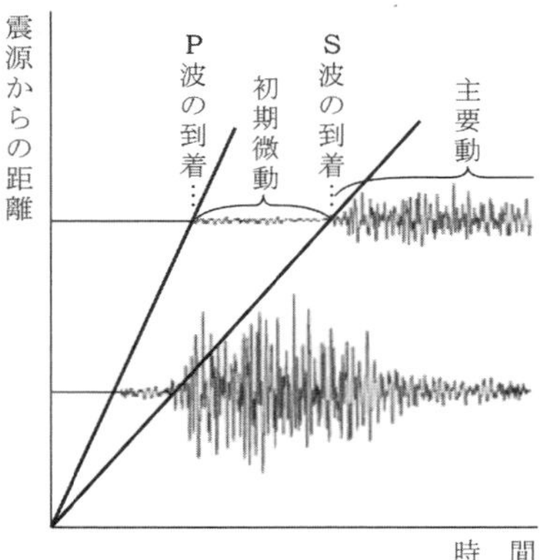

●震度とマグニチュード

・震度…観測地点でのゆれの大きさ（場所によって異なる）
・マグニチュード（M）…地震のエネルギー（規模）の大きさ　1 増えると約 32 倍のエネルギーとなる

③岩　石

●堆積岩　堆積物が固まってできた岩石　地層をつくっている

例）礫(れき)岩←礫(れき)（小石）が堆積　砂(さ)岩←砂が堆積　泥(でい)岩←泥が堆積

石灰岩←サンゴの殻などが堆積　凝灰(ぎょうかい)岩←火山灰が堆積

●火成岩　マグマが固まってできた岩石　地殻のほとんどは火成岩からなる

		色合い	黒っぽい	灰色っぽい	白っぽい
		有色鉱物の割合	多い ←→		少ない
		SiO_2の割合	少ない ←→		多い
	冷却の様子	結晶構造			
火山岩	地表近くで急激に	斑状組織 小さくて不ぞろい（石基・斑晶）	玄武(げんぶ)岩	安山(あんざん)岩	流紋(りゅうもん)岩
深成岩	地下深くで緩やかに	等粒状組織 大きくてそろっている	斑(はん)れい岩	閃緑(せんりょく)岩	花崗(かこう)岩

●変成岩　熱や圧力によって変化した岩石

例）ホルンフェルス←砂岩・泥岩が変化　大理石←石灰石が変化

●火山の種類

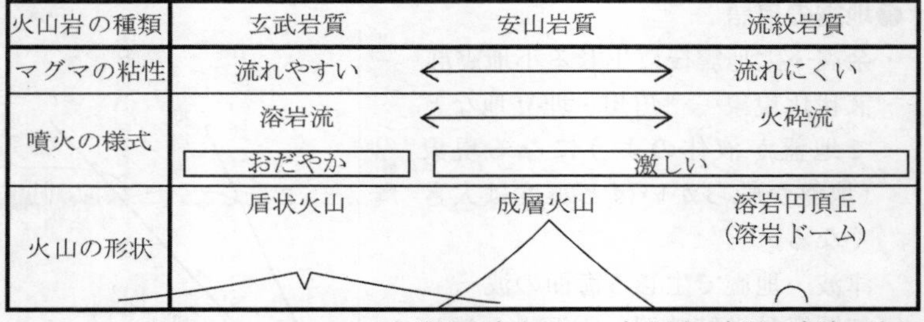

火山岩の種類	玄武岩質	安山岩質	流紋岩質
マグマの粘性	流れやすい	←→	流れにくい
噴火の様式	溶岩流	←→	火砕流
	おだやか	激しい	
火山の形状	盾状火山	成層火山	溶岩円頂丘（溶岩ドーム）

※火砕流…火山ガス＋火山灰の高温で高速の流れ

④地質時代

●地層の新旧関係

・地層累重の法則…地層は上にある方が原則として新しい

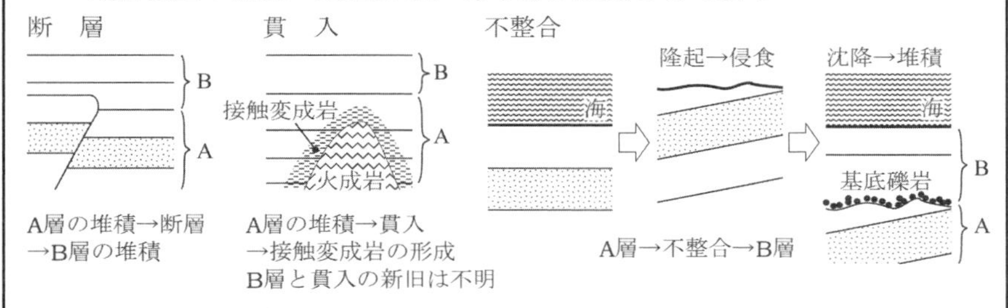

●示準化石と示相化石

・示準化石…堆積した年代がわかる　特定の年代に広範囲に生息した生物
・示相化石…堆積した環境がわかる　特定の環境で現代まで生息する生物
　サンゴなど

●地質時代

地質時代	主に栄えた動植物		示準化石
先カンブリア代	シアノバクテリア(ラン藻類)		
	エディアカラ生物群(多細胞生物)		
古生代 (前半)	藻　類	バージェス動物群	サンヨウ虫
	オゾン層形成→生物の陸上進出		ボウスイ虫
古生代 (後半)	シダ植物(→石炭)	魚類　両生類	(フズリナ)
	生物の大量絶滅		
中生代	裸子植物	は虫類(恐竜)	アンモナイト
	隕石の衝突による寒冷化で絶滅		
新生代	被子植物	哺乳類	

演　習

189

地球に関する記述として最も妥当なのはどれか。　［国家一般］

1　地球は、完全な球形ではなく、南北両極に長い回転楕円体で近似することができる。
2　地殻の厚さは一様ではなく、大陸部の地殻は薄く、海洋部の地殻は厚くなっている。
3　マントルは、地震波のＰ波（縦波）もＳ波（横波）も伝わることから固体であると考えられている。
4　地球の内部にある核は、化学組成の違いから外核と内核に分けられているが、いずれも液体であると考えられている。
5　地球内部の密度は、中心に向かって段階的に小さくなっていくことが知られている。

190

地球に関する記述として最も妥当なのはどれか。　［海上保安等］

1　海洋プレートは、アセノスフェアの構成物質がわき上がる中央海嶺で、マグマが固まることによって生まれ、両側に移動していく。
2　地殻の下にあるマントルは、液体であり、地殻よりも密度が小さく、地球の体積の約30％を占める。
3　マントルの下にあり、地球の中心部にある核を構成する物質は金属であり、マグネシウムやアルミニウムが多く鉄は少ない。また、外核は固体で、内核は液体である。
4　地球内部の温度は、地表からマントルまでは深くなるにつれて一定の割合で高くなるが、核では温度が下がっていく。
5　地下数 km くらいのところでマグマがゆっくりと冷えて固まってできた火成岩を深成岩という。深成岩は、斑晶と石基からなる斑状組織を示す。

191 プレートテクトニクスに関する下文の{　}のうちから、それぞれ正しい語を選んであるのはどれか。　［市町村］

海洋の淵には、水深が深くなっている海溝があり、また海洋の中央部には海底の大山脈ともいうべき海嶺が存在している。海洋底は一枚の板（プレート）のようになっており、プレートは絶えず、ア{海嶺／海溝}で生まれ、イ{海嶺／海溝}に沈んでいく。そのため、海洋底は常に更新され、海底の岩石には2億年以上前のものは存在しない。海溝部分では、深い位置にある岩石ほどその年代がウ{新しい／古い}。このプレート移動は、マントル対流が原因であり、そのため海溝付近の方が海嶺よりも地殻の熱流量がエ{大きい／小さい}。

	ア	イ	ウ	エ
1	海嶺	海溝	古　い	小さい
2	海嶺	海溝	新しい	大きい
3	海嶺	海溝	新しい	小さい
4	海溝	海嶺	古　い	大きい
5	海溝	海嶺	新しい	小さい

192 プレートや地震に関する記述として最も妥当なのはどれか。 [刑務官]

1　地球の表面は、プレートと呼ばれる厚さ 10 km ほどの約 100 枚のかたい岩盤で覆われており、これらプレートは互いに運動している。
2　日本付近では、ユーラシアプレートなどの大陸プレートが、太平洋プレートなどの海洋プレートの下に沈み込んでいる。
3　日本付近で発生する地震の震源の深さの分布をみると、日本海側では浅く、太平洋側の海溝付近に向かうほど深くなっている。
4　三角州や埋立地などの砂地とかたい地盤を比較すると、砂地では地震のエネルギーが吸収されて建物に伝わりにくいので、被害が生じにくい。
5　地震波には、P 波と S 波があり、初めに伝わる小さな揺れは縦波である P 波によるもので、その後に続く主要動と呼ばれる大きな揺れは横波である S 波によるものである。

193 次は地震に関する記述であるが、A ～ D に当てはまるものの組み合わせとして最も妥当なのはどれか。 [刑務官]

地震が起こると、始めに小刻みな振動である初期微動を、続いて大きな振動である主要動を感じる。初期微動は [A]（P 波）による振動で、主要動は主に [B]（S 波）による振動である。地震が発生した場所を震源といい、地震が発生すると P 波と S 波が同時に発生する。P 波は S 波より速く伝わるので、震源から遠ざかるにつれて、両者の到達時刻の差（初期微動継続時間）は、[C] なる。

地震によって放出されるエネルギーの大きさ（地震の規模）を表す尺度として、[D] が用いられ、[D] が 1 増すごとに、エネルギーは約 32 倍になる。

	A	B	C	D
1	縦波	横波	大きく	震度
2	縦波	横波	大きく	マグニチュード
3	縦波	横波	小さく	震度
4	横波	縦波	大きく	震度
5	横波	縦波	小さく	マグニチュード

194 地震に関する次の記述のうち正しいのはどれか。 ［県・政令都市］

1　地震波のＰ波とＳ波は共に横波で、地震発生と同時に震源から出発し、同じ速度で地中を伝わる。
2　太平洋周縁には海洋プレートが陸のプレートの下に沈み込むところが多く、そうした場所では地震が多発する。
3　地震は地球の造山運動の一環なので、地震により、土地の隆起は起こるが、土地の沈降は起こらない。
4　地震による揺れの大きさをマグニチュードと言い、日本では気象庁が定める10段階で表されている。
5　震源が100 kmより浅い地震は小規模だが、震源が100 kmより深い地震は大規模で、地上での被害も大きい。

195 次の記述は、岩石について述べたものである。｛　｝の語句として適切なものの組合せは次のうちどれか。 ［市町村］［警察官］

火成岩は、火山岩と深成岩に分かれるが、深成岩の方がマグマがア｛ゆっくりと／急激に｝冷却してできたものである。

堆積岩は、さまざまなものが堆積して固まってできたものであるが、変わったものとしてはイ｛サンゴ礁や貝類／火山灰や火山れき｝が堆積してできた石灰岩などがある。

変成岩は、いったん生じた岩石が、さらに熱や圧力により変化してできるもので、ウ｛大理石／玄武岩｝などがその代表例である。

	ア	イ	ウ
1	ゆっくりと	サンゴ礁や貝類	大理石
2	ゆっくりと	火山灰や火山れき	玄武岩
3	急激に	サンゴ礁や貝類	大理石
4	急激に	火山灰や火山れき	大理石
5	急激に	サンゴ礁や貝類	玄武岩

196 岩石に関する記述として最も妥当なのはどれか。 ［海上保安等］

1　マグマが冷えて固まったものを火成岩といい、マグマが地表でゆっくり冷えて固まってできる深成岩と地下で急速に冷えて固まってできる火山岩に大きく分類される。

2　深成岩の組織では、大きさがほぼそろった数種類の結晶の集まりが見られるが、このような組織を等粒状組織という。代表的な深成岩として花こう岩や斑れい岩が挙げられる。

3　火山岩の組織では、大きな結晶である石基と細かい結晶の集まりである斑晶が見られるが、このような組織を斑状組織という。代表的な火山岩として閃緑（せんりょく）岩や安山岩が挙げられる。

4　堆積岩は生成方法や起源となった堆積物の性質に基づいて砕屑（さいせつ）岩や火砕岩などに分類されるが、火山噴出物が固結してできたチャートや玄武岩は火砕岩に属する。

5　高い温度や圧力の下で鉱物の組織や種類が変わった岩石を変成岩という。海溝に見られ、代表的な変成岩として生物の殻などが変化した石灰岩が挙げられる。

197 次の記述は火山について述べたものであるが、{　}に入る語句の組み合わせとして正しいものはどれか。 ［市町村］［警察官］

火山を構成する火山岩は、二酸化ケイ素（SiO_2）が含まれる割合によっていくつかの種類がある。二酸化ケイ素が少ない玄武岩質のマグマは粘り気が弱く、二酸化ケイ素を多く含む流紋岩質のマグマは粘り気が強くなる。

前者の火山岩からなる火山には、ハワイ島のキラウエア火山などがあり、比較的ア{a. おだやかな／b. 激しい}噴火となる特徴をもつ。噴火の際には、火山ガス、溶岩、火山灰などの火砕物などさまざまなものが噴出するが、特にイ{a. 広範囲に溶岩が広がる／b. 火山灰が高く吹き上がる}ことが多く、このような噴火を繰り返すことによってウ{a. 盾状火山と溶岩台地／b. 溶岩ドームと火山岩尖}が形成される。

	ア	イ	ウ
1	a	a	a
2	a	b	a
3	a	b	b
4	b	a	b
5	b	a	a

198 火山活動に関する記述として最も妥当なのはどれか。 [海上保安等]

1　日本の火山は、日本海側に帯状に分布しており、この火山の分布は日本海側にある海洋プレートの沈み込みと関係している。
2　火山の噴火は、マグマ溜まりに集まったメタンガスが地殻中の放電により爆発し、噴火口が開くことによって起こる。
3　火砕流とは、火山の噴火時に、熱い火山灰や軽石などが、高温の火山ガスや空気と混じって山の斜面を高速で流れ下る現象である。
4　カールと呼ばれる巨大なくぼ地は、噴火により大量の火砕物質や溶岩を噴出したためマグマ溜まりに生じた空洞が陥没してできたものである。
5　火成岩には２種類あり、マグマが地表で急に冷却してできたものは深成岩、地下でゆっくりと冷えて固まったものは火山岩とよばれる。

199 図はある地域の地層の断面を模式的に示したものである。この地層は大きく分けるとＡ層、Ｂ層及び火成岩Ｃの三つの部分から成り立ち、断層m–nと不整合面p–qが見られ、Ａ層下部はＢ層の岩石を礫(れき)として含んでいる。

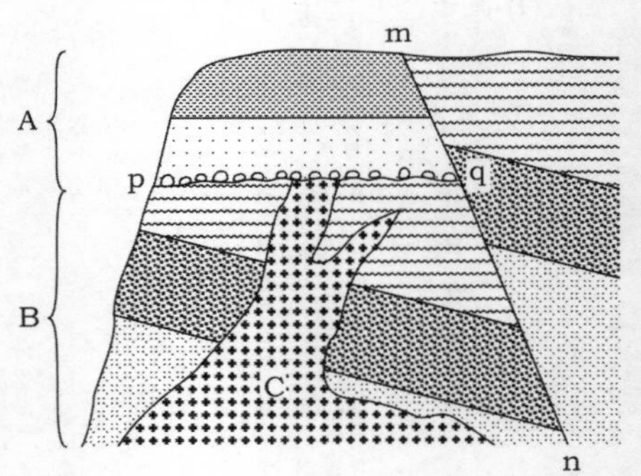

図中のＡ層、Ｂ層、火成岩C、断層m–n、不整合面p–qの形成された時期を年代の古い順に並べてあるのはどれか。 [市町村]

1　Ｂ層 — 火成岩Ｃ — 不整合面p–q — 断層m–n — Ａ層
2　Ｂ層 — 火成岩Ｃ — 不整合面p–q — Ａ層 — 断層m–n
3　Ｂ層 — 不整合面p–q — 火成岩Ｃ — Ａ層 — 断層m–n
4　火成岩Ｃ — Ｂ層 — 断層m–n — 不整合面p–q — Ａ層
5　火成岩Ｃ — Ｂ層 — 不整合面p–q — 断層m–n — Ａ層

200 次の地質の断面図において、A～Dの現象が起きた順に並べたものとして最も妥当なのはどれか。 ［海上保安等］

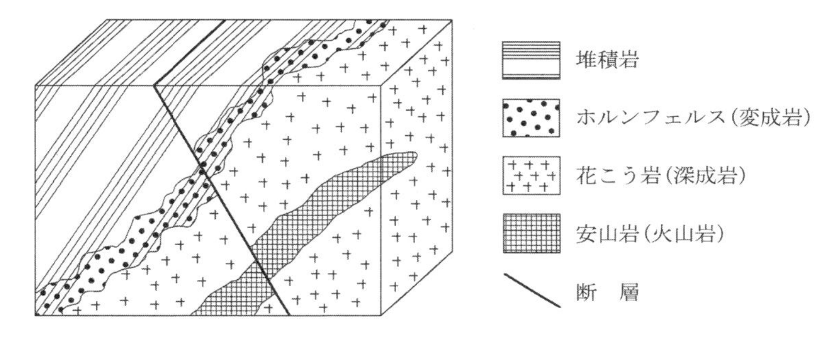

A：花こう岩の貫入とその熱によるホルンフェルスの形成
B：断層の形成
C：堆積岩の形成
D：安山岩の岩脈の貫入

1　A→C→B→D
2　A→C→D→B
3　C→A→D→B
4　C→B→D→A
5　C→D→A→B

201 化石のうち、地層のできた地質時代を知るのに役立つものを示準化石という。図は、A～Cの生物がⅠ～Ⅴのそれぞれの地質時代において、どのくらいの広さの分布地域を持っていたのかを示している。A～Cのうち示準化石としてもっとも価値が高い生物と、その例を組合せたものとして正しいのはどれか。 ［警察官］

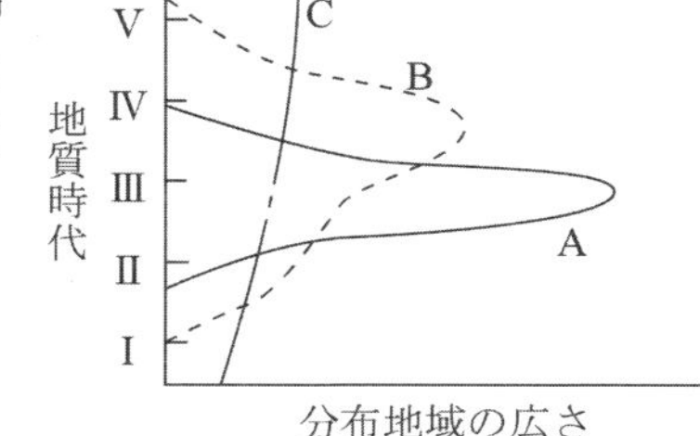

1　A─アンモナイト
2　A─サンゴ
3　B─サンゴ
4　C─アンモナイト
5　C ─木生シダ

次は生物の進化に関する記述であるが、A～Dに当てはまるものの組合せとして最も妥当なのはどれか。　[国家一般]

生物は進化の過程で次第に複雑で多様なものへと進化してきた。古生代のオルドビス紀まではすべての生物が海に生息していた。しかし大気中に［A］が形成されたことによって生物は陸上にも進出をはじめた。［B］には、ロボク、リンボクなどの巨大な［C］植物が大森林を形成した。中生代にはイチョウやソテツなどの［D］植物が繁栄した。

	A	B	C	D
1	オゾン層	石炭紀	シダ	裸子
2	オゾン層	石炭紀	裸子	シダ
3	オゾン層	カンブリア紀	裸子	シダ
4	電離層	石炭紀	裸子	シダ
5	電離層	カンブリア紀	シダ	裸子

生命の歴史に関する記述として、妥当なのはどれか。　[特別区]

1　古生代のカンブリア紀には、オパビニア、アノマロカリスなどのバージェス動物群が出現した。
2　古生代後期には、恐竜と呼ばれる大型のは虫類の仲間が繁栄し、浅い海ではアンモナイトが広く生息した。
3　中生代に入ると、現在のラン藻類に似た生物が出現し、大気・海洋中の二酸化炭素を有機物やストロマトライトとして固定した。
4　中生代のジュラ紀には、木化した巨大なシダ植物が大森林をつくり、この時代のシダ植物の遺体の一部は石炭となった。
5　新生代の第三紀には、最初のほ乳類がは虫類から進化し、第四紀に恐竜が絶滅すると、ほ乳類は大きく繁栄した。

Ⅳ - 2

天文

出題頻度 ★★★

①太陽系

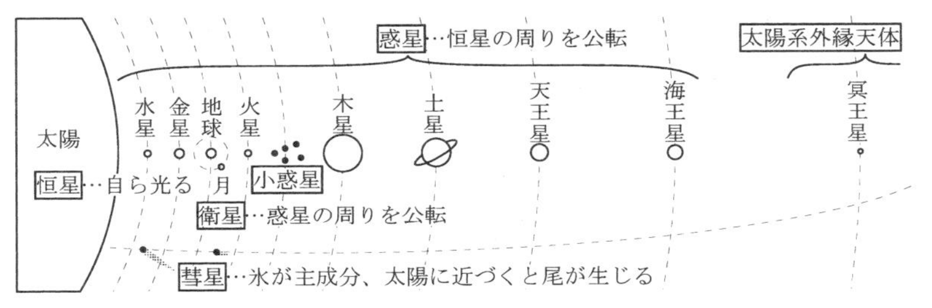

●惑星の性質

	太陽	水星	金星	地球	火星	木星	土星	天王星	海王星
自転の方向	反時計回り	反時計回り	時計回り	反時計回り					
公転の方向		反時計回り							
公転周期		短い ⟷ 長い							
公転軌道		円に近い楕円形・同一平面							
質　量	太陽系の99%	小さい ←　＊　最大　→ 小さい							
半　径	地球の100倍	小さい ←　＊　最大　→ 小さい							
衛星の数		少ない ←　最大　→ 少ない							

	地球型惑星	木星型惑星：木星型惑星（巨大ガス惑星）	木星型惑星：天王星型惑星（巨大氷惑星）
主成分・密度	酸素・鉄→密度大	水素・ヘリウム→密度小	
衛星の数	少ない（水星・金星は0）	多　い	
リング	な　い	あ　る	

＊例外的に、火星は地球より質量・半径が小さい。

	大気の組成	気　圧	気　温	その他の特徴
水星	な　し	—	高 500～－170℃	大気がないため温度差が大きい
金星	二酸化炭素	高　90気圧	500℃	宵の明星、明けの明星ともいう
地球	窒　素	↕ 1気圧	↕ 15℃	
火星	二酸化炭素	低 0.005気圧	低　－40℃	極冠・流水跡の地形がある
木星	水　素	—	—	大赤斑という渦がある

Ⅳ 地 学

②恒星の性質

●太　陽

・光球…太陽の本体　　・彩層…表面の薄い大気の層

・コロナ…広範囲に広がる高温の気体の層

・プロミネンス（紅炎）…彩層からコロナへ吹きあがる巨大な炎

・太陽風…太陽から吹き出す陽子・電子

・フレア…部分的な爆発現象で太陽風を伴い、地球上にデリンジャー現象（電波の受信障害）、オーロラを発生させる

・黒点…光球上にある周囲より温度が低い部分で、太陽の活動期に増え、太陽の自転により位置が動く

・核融合反応…水素原子核4個からヘリウム原子核1個をつくる反応で、太陽のエネルギー源

●恒星の分類

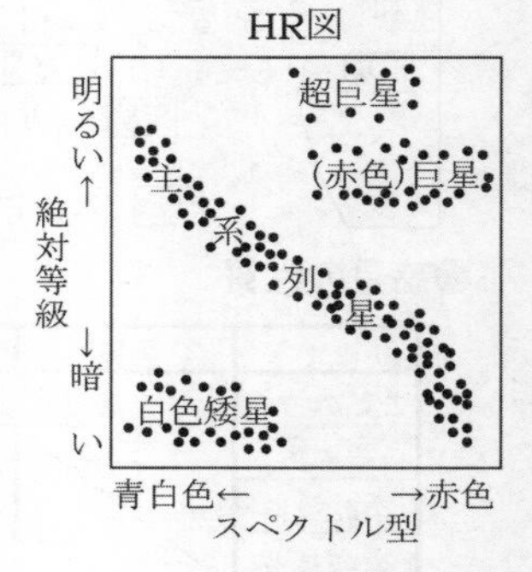

・等級…恒星の明るさ　6等級より1等級が100倍明るい

- ・見かけの等級…地球から実際に見たときの見かけの明るさ
- ・絶対等級…地球から等距離（10パーセク）に並べたと仮定して比較する真の明るさ

・スペクトル型…恒星の表面温度　赤色が低温、青白色が高温

・恒星の一生

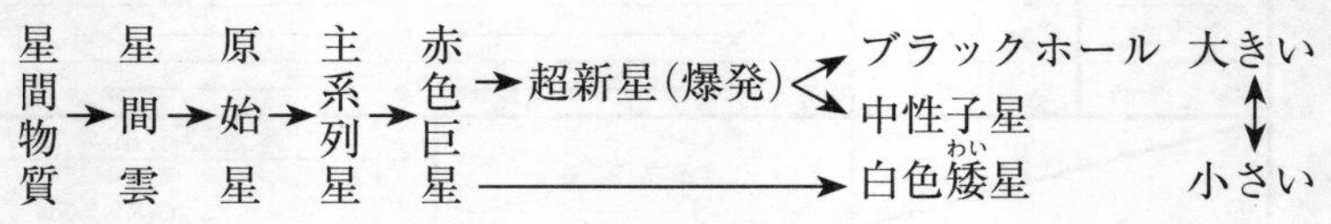

③地球の自転と公転

●自転軸の傾きによる現象

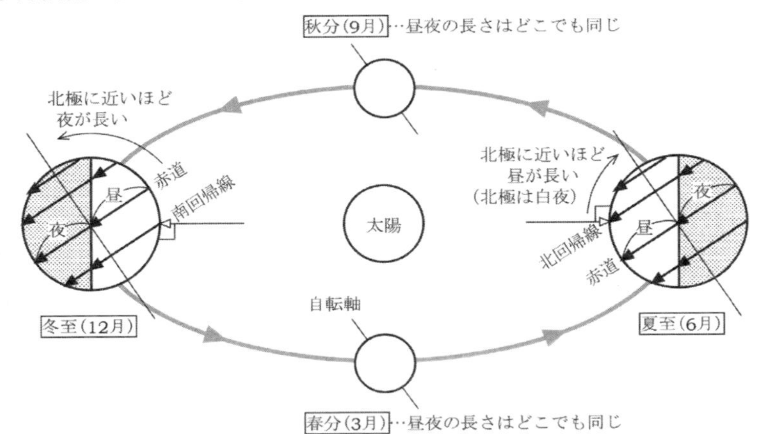

- 太陽の南中高度の変化
- 昼と夜の長さの変化
- 日の出日の入りの位置の変化

→ 中緯度での四季の変化

●みかけの運動

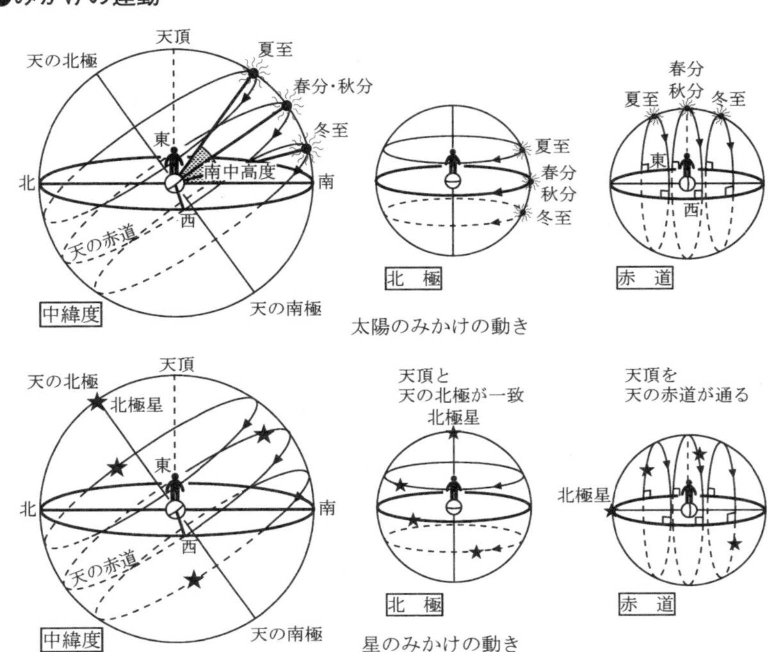

●月の運動

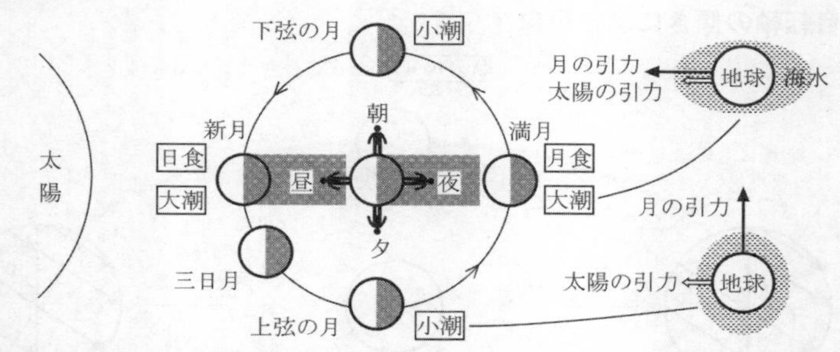

・月は自転周期と公転周期が一致しているため、月の裏側を地球から見ることはできない

演　習

204 太陽系の惑星に関する記述A～Fのうちから、妥当なもののみを挙げているのはどれか。 ［国家一般］

A　すべての惑星は、太陽を中心にした同心円上を公転している。
B　すべての惑星は、太陽のまわりを同じ向きに公転している。
C　惑星の公転の向きと、太陽の自転の向きは同じである。
D　地球は、公転の向きと同じ向きに自転している。
E　惑星の公転周期は、太陽に近いものほど長い。
F　地球の公転周期は、365日より短い。

1　A、B、F
2　A、C、E
3　B、C、D
4　B、E、F
5　C、D、E

太陽系の惑星に関する記述として、妥当なのはどれか。 ［特別区］

1 火星の半径は地球の約半分で、極付近には極冠と呼ばれる白い部分があり、二酸化炭素を主成分とする大気もわずかに存在する。
2 水星は木星型惑星で、太陽系内で太陽に最も近い軌道上を公転し、表面には大気は存在しない。
3 金星の半径は地球の約2倍で、表面は硫酸の厚い雲で覆われ、地球に比べ低温である。
4 海王星は地球型惑星で、半径は地球の約4倍あり、大気の主成分であるメタンが青色を吸収するため、表面は青緑色に見える。
5 土星の半径は地球の約11倍で、太陽系内で最大の惑星であり、大気の主成分は水素と二酸化炭素である。

太陽系の惑星とそれに関する記述の組合せとして正しいものは次のうちどれか。 ［県・政令都市］

A 大気は主に水素とヘリウムで占められており、縞模様が見られる。1610年ガリレオによって発見されたイオ衛星には、火山活動が認められる。
B 二酸化炭素が90％以上を占め、表面の気圧は6～7 hPaになっており、衛星としてフォボス、ディモスなどを持っている。
C 多数のクレーターで覆われており、太陽を向いている側の表面温度は500℃近くに達するが、反対側は－160℃と低い。
D 地球と質量、半径ともに似た惑星であり、表面温度は450～500℃と非常に高温である。

	A	B	C	D
1	木星	火星	水星	金星
2	木星	金星	火星	水星
3	木星	火星	海王星	土星
4	土星	金星	海王星	水星
5	土星	火星	金星	海王星

太陽に関する次の文章の空欄ア～ウにあてはまる語句の組合せとして、妥当なのはどれか。

[大阪府]

太陽は、地球に最も近い恒星であり、その表面温度は約 6000 ℃、その直径は地球の ア もある巨大で高温な天体である。太陽の表面には、黒点とよばれる黒い斑点があり、その部分が黒っぽいのは、周囲と比べて、そこの温度が イ ため、暗くなっているからである。

また、太陽は、非常に高温なため、固体の物質が存在しない、ガスのかたまりになっており、その表面には、黒点のほかにも、ウ とよばれる、太陽を取り巻くガスの層がある。

	ア	イ	ウ
1	約 11 倍	高い	プロミネンス
2	約 11 倍	低い	コロナ
3	約 109 倍	高い	コロナ
4	約 109 倍	低い	コロナ
5	約 109 倍	高い	プロミネンス

208

次は、太陽に関する記述であるが、A、B、Cに当てはまるものの組合せとして最も妥当なのはどれか。［刑務官］

太陽は、［A］を主成分とする巨大なガスのかたまりで、円盤状に輝く表面の部分を光球という。皆既日食のときには光球の2倍ほどまでも広がったコロナが観測できる。太陽は可視光線だけでなく、赤外線、紫外線、X線などの電磁波も放射している。また、コロナからは、陽子や電子が数百km/sもの速さで放出されている。これを［B］と呼ぶ。

光球には黒いシミのように見える黒点があるが、この黒点の数は周期的に増減を繰り返している。黒点数が［C］になる時期には、太陽の活動が活発になり、コロナは丸く広がる。

	A	B	C
1	水　素	太陽風	極　大
2	水　素	パルサー	極　小
3	水　素	太陽風	極　小
4	ヘリウム	パルサー	極　大
5	ヘリウム	太陽風	極　小

209

表は、恒星A～Dの明るさに関し、見かけの等級と絶対等級を示したものである。これらの恒星を、地球に近い星から遠い星へ、順次並べたものとして最も妥当なのはどれか。

恒星	見かけの等級	絶対等級
A	3.0	2.0
B	3.0	1.0
C	2.0	2.0
D	2.0	3.0

ただし絶対等級とは恒星が32.6光年の距離にあったと仮定した場合の明るさで表したものである。［国家一般］

1　B→A→C→D
2　B→C→A→D
3　D→B→C→A
4　D→C→A→B
5　D→C→B→A

210 図は、恒星のスペクトル型と表面温度を横軸に、絶対等級を縦軸にとったHR図（ヘルツシュプルング・ラッセル図）である。この図や恒星の進化などに関する記述として最も妥当なのはどれか。 **[海上保安]**

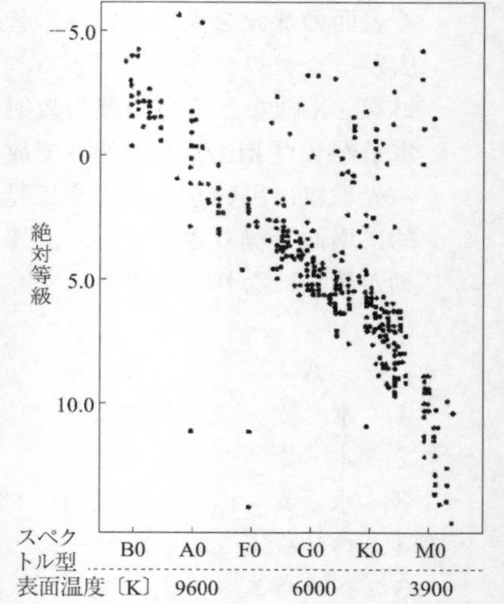

1　図の左上から右下への斜めの線上に位置する星は主系列星と呼ばれる。これらの星は明るいものほど表面温度が高い傾向にあり、太陽はこの主系列星に該当する。
2　図の右上に位置する星は、半径が小さく暗いので、白色矮（わい）星と呼ばれる。これらの星は希薄な物質から構成されているため、密度が低い。
3　白色矮星は、徐々に冷えて収縮し、最後には見えなくなってしまう。収縮が進むと、表面の重力が非常に大きくなり、光も外に逃げ出せなくなるが、この状態をブラックホールという。
4　図の左下に位置する星は、赤色巨星と呼ばれ、表面温度が高く明るいが、やがて収縮して主系列星へと姿を変えていく。
5　星間雲の中で生まれた原始星は、やがて中心部で核分裂反応を起こし、超新星となる。この超新星が成長すると主系列星となる。

211 我が国のように、地球上の中緯度の地域に春夏秋冬の四季が生じる理由として正しいのはどれか。 [刑務官]

1 地球の公転軌道が円ではなく、だ円であるため
2 地球の自転軸が公転軌道に対して垂直ではなく、傾いているため
3 地球の自転による昼夜の長さが一年を通じて周期的に変化するため
4 地球が公転することによって、順次、太陽の異なる部分から光を受けているため
5 地球の自転・公転の影響で海流や上層の気流の方向が一年を周期として変化するため

212 図は、地球が太陽のまわりを公転しているようすを表したものである。A～Dはそれぞれ、春分の日、夏至、秋分の日、冬至のいずれかを、Ⅰ、Ⅱは地球の公転の向きを示している。

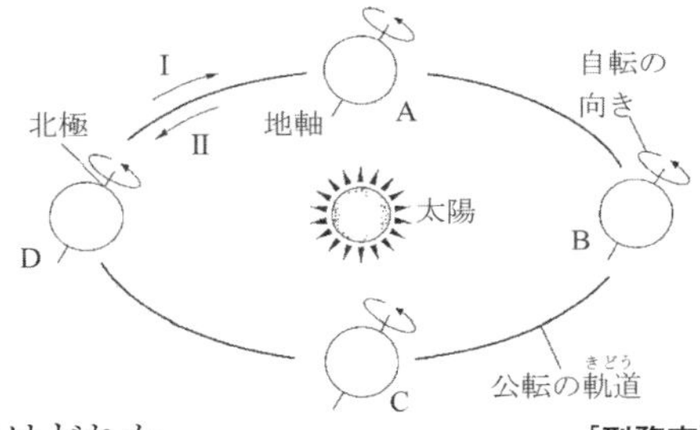

次の記述のうち最も妥当なのはどれか。 [刑務官]

1 地球は、Ⅰの向きに公転している。
2 北半球が春分の日であるのは、地球がCの位置にあるときである。
3 地球がDの位置にあるとき、日本では真夜中にオリオン座が見える。
4 日本で南中高度が最も高いのは、地球がDの位置にあるときである。
5 地球がDの位置にあるとき、南極は白夜である。

213 次の記述は、地球の自転軸が公転面に対して垂直ではなく、傾いているためにおこる現象について説明したものである。{ }内に入る語句として適切なものを選んだ組合せはどれか。 [県・政令都市]

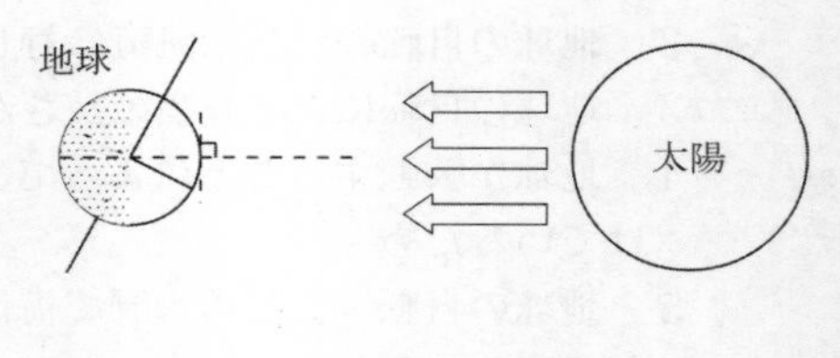

太陽の南中高度は、季節によって変化し、日本では6月下旬に最も高くなる。一方、赤道上では太陽の南中高度が90°となるのは、ア{a. 3月下旬／b. 6月下旬}である。

次に、昼の時間は、夏至の頃は、北半球では高緯度ほど長く、日本ではイ{a. 北海道／b. 沖縄}の方が昼の時間が長くなる。また、赤道上では、昼の時間は1年間を通してウ{a. 常に12時間前後／b. 最大6時間前後の差}となる。

	ア	イ	ウ
1	a	a	a
2	a	b	b
3	b	a	a
4	b	b	a
5	b	b	b

214 地球上で観測される太陽や星の動き方として、次の記述のうち最も妥当なものはどれか。 [市町村][警察官]

1　赤道上では、太陽は1年間同じルートを移動する。
2　赤道上では、星は地平線の下に沈まず、北極星を中心に回る
3　オーストラリアでは、太陽は西から昇り東へ沈んでいく。
4　オーストラリアでは、北極星は南の空に見える。
5　北極では、6月に1日中太陽が沈まない現象が見られる。

215 次の記述は、地球上からみた天体の運動について説明したものであるが、内容が適切なのはどれか。　［県・政令都市］

1　北極では、北極星は天頂付近で１年中見ることができる。
2　北極では、太陽が沈まないことはあるが、月は必ず沈む。
3　赤道上では、１年中、太陽は地平線から垂直に上って天頂を通る。
4　南極では、６月には太陽は一日中地平線上にあって沈まない。
5　南極では、１年のうち半分の季節だけしか北極星は見えない。

216 図は地球と月の位置関係を示したものである。満月・上弦・下弦・新月のときの位置を正しく示したものはどれか。　［市町村］

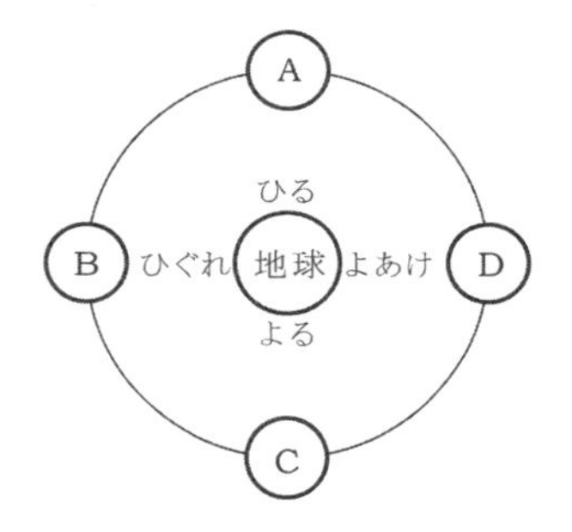

	満月	新月	上弦	下弦
1	A	B	C	D
2	A	C	B	D
3	A	B	D	C
4	C	A	B	D
5	C	A	D	B

217 月と地球・太陽との関係についての記述として妥当なのはどれか。　［県・政令都市］

1　月の公転周期と自転周期とは等しく、これは地球に対していつも同じ半面を向けていることを意味する。
2　月食は、太陽と地球の間に月がはいって、月の影が地球上に落ちる現象である。
3　月は、太陽と同じ方向にあるときは全面が照らされて満月に、太陽と正反対の位置にくると全面影となって新月になる。
4　月が太陽のまわりを一回転する周期は、新月→満月→新月の周期に等しい。
5　月が上弦と下弦のときは大潮となり、新月と満月のときは小潮となる。

Ⅳ地学

Ⅳ - 3

気象

出題頻度　★★★

まとめ

①大気圏

●大気圏の構造

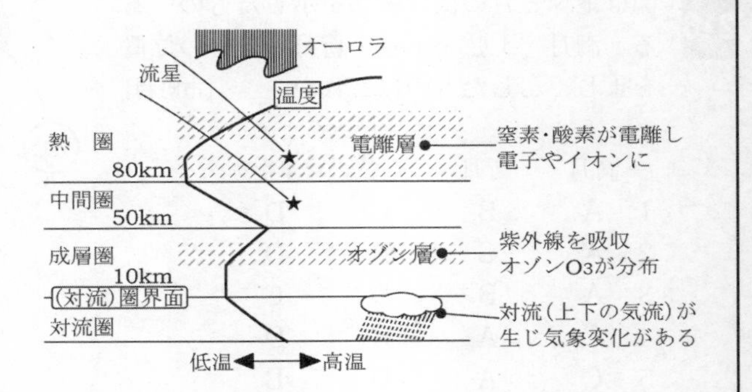

●地球の熱収支

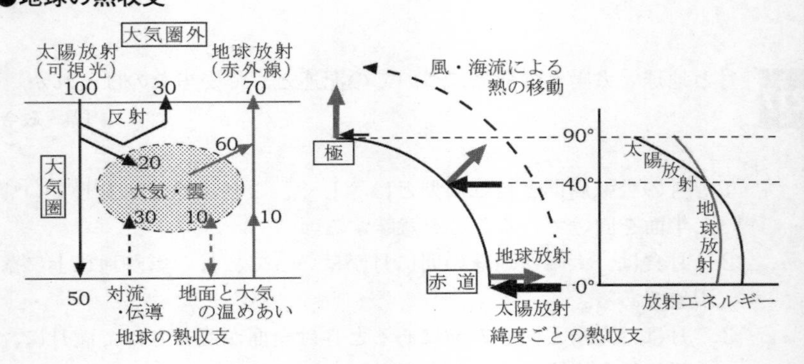

②大気と水蒸気

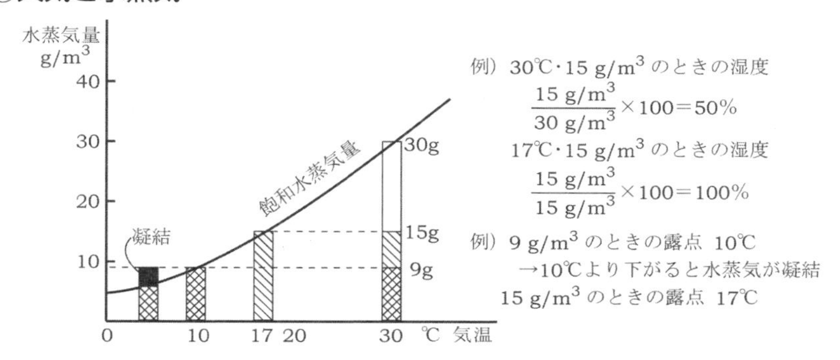

$$\text{湿度（\%）} = \frac{\text{実際の水蒸気量（水蒸気圧）}}{\text{飽和水蒸気量（水蒸気圧）}} \times 100$$

・湿度…同じ水蒸気量であれば、気温が高いほど湿度は低い

・露点…温度を下げていったとき、湿度が100%に達する温度→水蒸気量が多いほど露点は高い

③気圧・前線

●**前　線**　暖気（暖かい空気）と寒気（冷たい空気）の境界

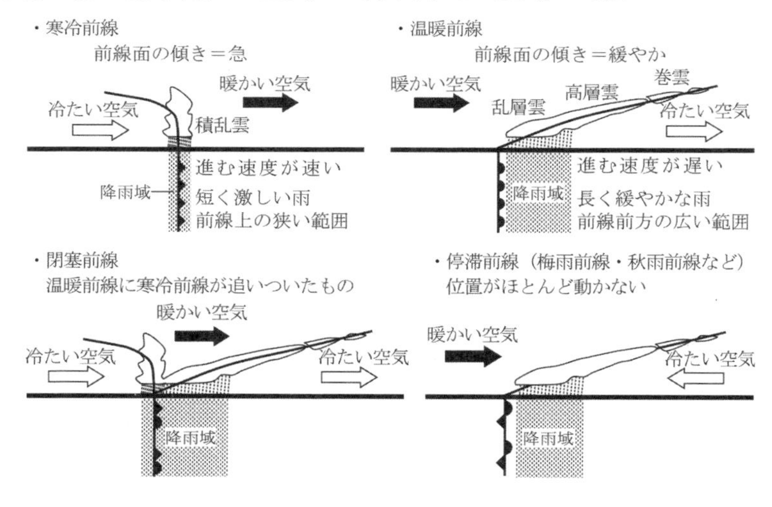

Ⅳ
地
学

●高気圧・低気圧

・高気圧
周囲より気圧が高い

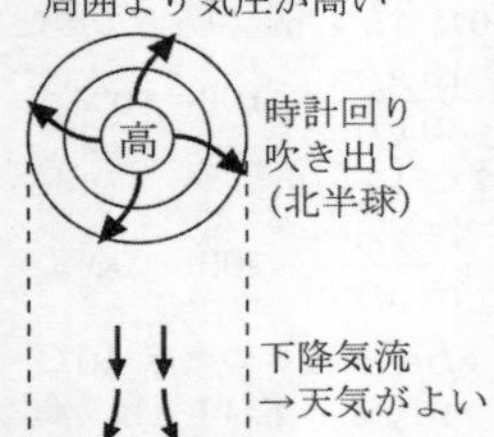

時計回り
吹き出し
（北半球）

下降気流
→天気がよい

・低気圧
周囲より気圧が低い

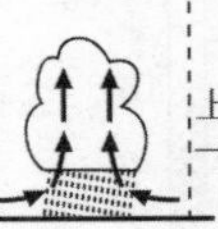

反時計回り
吹き込み
（北半球）

上昇気流
→天気が悪い

・温帯低気圧…前線を伴う

・熱帯低気圧…前線がない
風速17 m/s 以上は台風

●天気記号

○ 快晴　◐ 晴れ　◎ 曇り　 雨　⊗ 雪

風向
風力…羽根が多いほうが強い
例）北東の風 風力2

④天気と気候

●気団の性質

	湿　潤	乾　燥
温　暖	小笠原気団 （小笠原高気圧） ［梅雨・夏・秋雨］	揚子江気団 （春・秋の移動性高気圧） ［春・秋］
寒　冷	オホーツク海気団 （オホーツク海高気圧） ［梅雨・秋雨］	シベリア気団 （シベリア高気圧） ［冬］

●日本付近の四季の変化

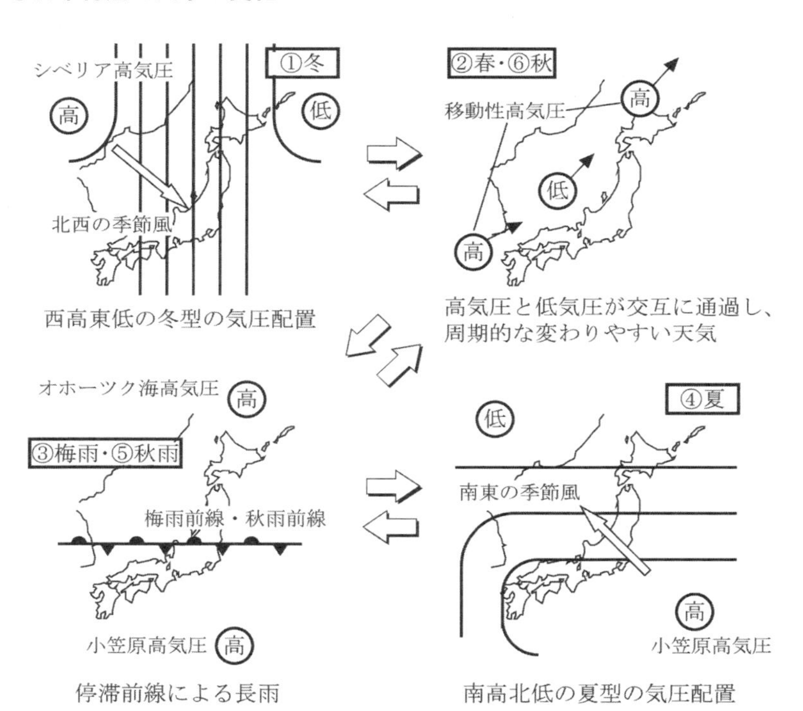

・放射冷却…晴れた夜に気温が下がる現象　春は遅霜、秋は早霜が発生することがある
・フェーン現象…湿った空気が高い山を越えると、乾燥して高温になっている現象

演　習

218 大気圏のうち成層圏と対流圏についての記述として妥当なのはどれか。

［県・政令都市］

1　成層圏には紫外線や宇宙線はほとんど存在しないが、対流圏にはそれらが非常に多い。

2　成層圏では地上 10 ～ 36 km は気温は低く等温であり、それより上では温度が上昇するが、対流圏では地表から高いところほど温度は低い。

3　成層圏は対流圏のすぐ上に位置し、5 ～ 6 km の比較的薄い層であるが、対流圏は地表から 70 ～ 80 km の厚い層である。

4　成層圏では大気の混合が激しく種々の気象現象を起こすが、対流圏では大気が安定しているので気象現象の変化はない。

5　成層圏では大気の分子の多くが電離してイオンと電子とに分かれているが、対流圏ではそれらは少ない。

219 大気圏に関する次の記述Ａ～Ｄのうち、妥当なもののみを挙げているのはどれか。　［国家一般］

Ａ：地表から高度約 10 km 付近の範囲を対流圏という。雲の発生や降雨のような気象現象はこの範囲で起こる。対流圏とその上を分ける境界面を圏界面（対流圏界面）という。

Ｂ：対流圏の上から高度約 50 km 付近の範囲を成層圏という。成層圏では高度が上がるほど温度が高くなる。成層圏の内部には高度約 20 ～ 30 km 付近の範囲を中心にオゾンが多く含まれている層がある。

Ｃ：成層圏の上から高度約 80 km 付近の範囲を中間圏という。中間圏では、気圧が地表の半分程度（約 500 ヘクトパスカル）となっている。オーロラはこの層で太陽光が屈折することによって起きる現象である。

Ｄ：中間圏の上から高度約 500 km 付近の範囲を熱圏という。熱圏の最上部では低温であるが、高度が下がるに従って高温となる。これは大気が太陽熱を徐々に取り込むことによる。

1　Ａ、Ｂ
2　Ａ、Ｃ
3　Ａ、Ｄ
4　Ｂ、Ｃ
5　Ｂ、Ｄ

220 地球の大気に関する記述として最も妥当なのはどれか。　[国家一般]

1　地球の地表付近の大気を構成する成分で最も多いのは酸素、次いで水蒸気である。この酸素や水蒸気は、地球上のすべての生物の生存に欠かすことができないものとなっているが、地球以外の惑星にはほとんど酸素や水蒸気がない。

2　地球上の大気は、地球の重力によって地球の中心に向かって引き付けられているだけでなく、太陽の重力によっても引き付けられている。このように大気は上下から同様に引っ張られているため、どの高度でも気圧はほぼ一定である。

3　地球の大気の温度を気温といい、その熱源は地熱ではなく太陽である。そのため、同緯度であれば太陽に近い高地ほど一般に気温が高いが、高山などで気温が低く感じられるのは、風が強いためである。

4　対流圏にあるオゾン層は、太陽放射を適度に反射し地表付近の大気の気温を生物が生存するのに適したものとするのに役立っている。近年観測されている地球温暖化は、このオゾン層の破壊が最も大きな要因であると考えられている。

5　地球には絶えず太陽放射が入射しているが、この太陽放射エネルギーとほぼ等量のエネルギーが大気圏外に放射され、エネルギーの収支が釣り合っている。このため、長い期間にわたって大気の平均温度は安定している。

221 太陽放射に関する記述として最も妥当なのはどれか。 ［刑務官］

1　太陽放射のエネルギーは、波長の長い紫外線によるものが大部分を占めており、可視光線や赤外線によるものはエネルギーとしては少ない。
2　地球が受ける太陽放射のエネルギーは、大気を通過する際、雲粒やちりになどによって反射･散乱･吸収され、1年にわたって平均すると、地表に吸収されるのは約半分である。
3　地表が受けた太陽放射のエネルギーは大気中の窒素酸化物によって大気圏外に放出されるが、近年、窒素酸化物の減少によって地球の温暖化が進んでいる。
4　地表が受ける太陽放射のエネルギーは、同じ大きさの地表面積で1年にわたって平均してみると、高緯度地方の方が低緯度地方より大きい。
5　地表に届いた太陽放射エネルギーのうち、地表で反射される割合は地表の状態により異なっているが、森林は砂漠よりも高い。

222 下文の下線部分ア～ウの正誤を正しく示してあるのはどれか。 ［市町村］

風が弱く晴れた日の夜から明け方にかけて、地表付近の温度が下がる。このとき、露点はその大気に含まれている水蒸気量によって決まるので、ア露点に変化はみられない。また、気温が下がるとその大気に含まれる水蒸気の最大量である飽和水蒸気量はイ多くなり、湿度はウ低くなる。

	ア	イ	ウ
1	正	正	誤
2	正	誤	正
3	正	誤	誤
4	誤	正	正
5	誤	誤	正

223 ある2つの都市の気温と水蒸気圧は、A市が10 ℃、9.82 hPa、B市が30 ℃、21.2 hPaであった。都市A、Bに関する次のア～ウの記述の正誤の組合せとして最も適当なものはどれか。 [裁判所]

なお、気温と飽和水蒸気圧、飽和水蒸気量の関係は右の図のとおりとする。

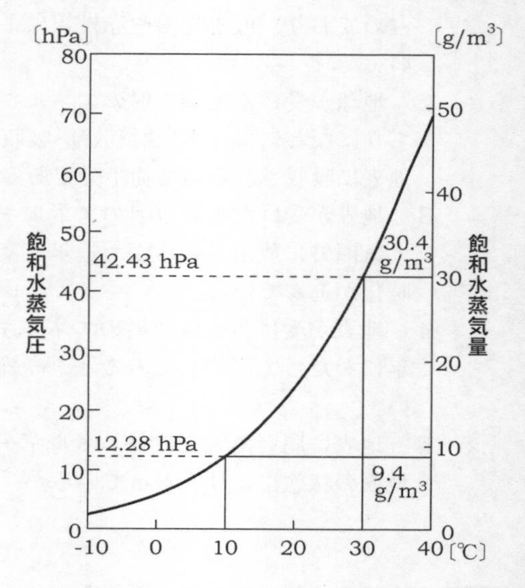

ア　空気1m³中に含まれる水蒸気量は、A市の方がB市より多い。

イ　露点は、A市の方がB市より高い。

ウ　相対湿度は、A市の方がB市より高い。

	ア	イ	ウ
1	正	正	正
2	正	誤	正
3	正	正	誤
4	誤	誤	正
5	誤	正	誤

224 我が国でみられる低気圧や前線についての次の記述のうち、妥当なものはどれか。 [市町村][警察官]

1　温帯低気圧は、寒冷な海域で発生したものが南下してできたもので、東側に寒冷前線、西側に温暖前線を伴っている。

2　温帯低気圧は、周りから中心に向かって風が吹き込み中心部では上昇気流となるため、雲が発生して天気が悪くなる。

3　寒冷前線は、寒気が暖気の下にもぐり込んで形成され、通過後には気温が上昇して暖かくなる。

4　温暖前線は、暖気が寒気の下にもぐり込んで寒気を激しく持ち上げるために積乱雲が発生し、激しいにわか雨に見舞われる。

5　温暖前線が寒冷前線に追いついて閉塞前線となったものとして、秋雨前線や梅雨前線などがある。

次の文章のA、B、Cに当てはまる記号の組合せとして妥当なのはどれか。

［国家一般］

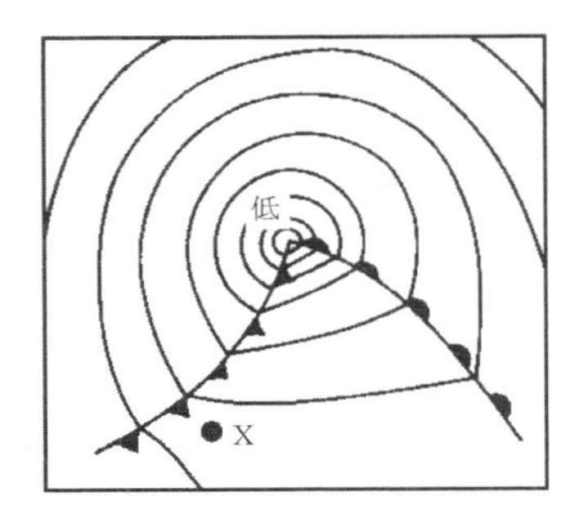

北半球においては、図のX地点に近づいている前線の断面図は、［A］のようになっていて、X地点の天候は、［B］。またこの前線の上空には、［C］が発生しやすい。

A

ア

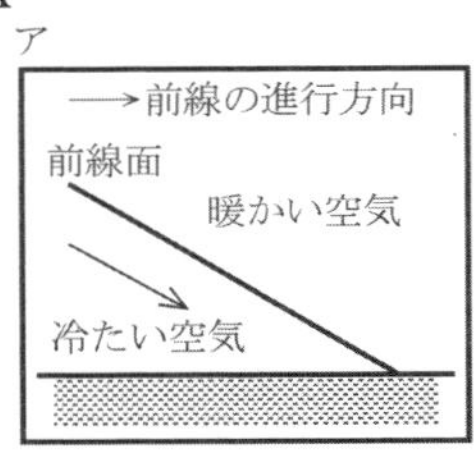

イ

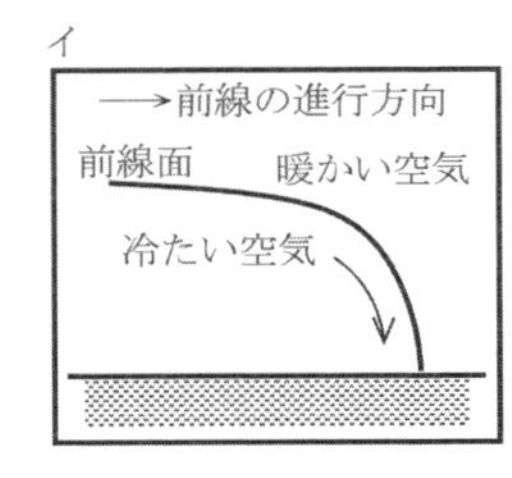

ウ

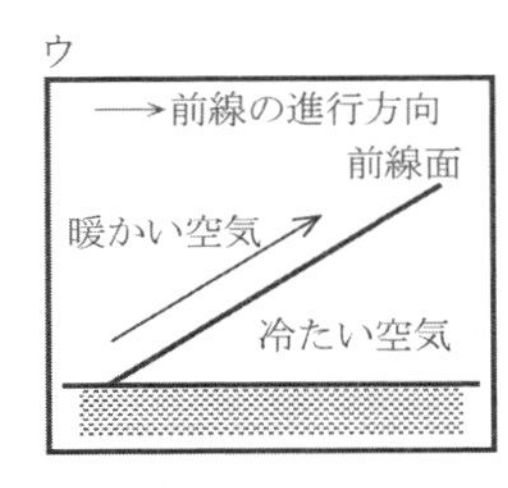

B

ア．今は暖かいが、間もなく風雨が強くなり、気温が下がる。

イ．今は雨が降っていて寒いが、これから雨がやみ、気温は低いままである。

ウ．今は雨が降っていて寒いが、これから暖かくなる。

C

ア．高層雲　　イ．巻雲　　ウ．積乱雲

	A	B	C
1	ア	イ	ウ
2	ア	ウ	イ
3	イ	ア	ウ
4	イ	イ	ア
5	ウ	ア	ア

226 温帯低気圧と熱帯低気圧について述べた文章として正しいものを選べ。

[特別区]

1　温帯低気圧は上昇気流を生じるが、熱帯低気圧は下降気流を生じる。
2　温帯低気圧は前線を伴うが、熱帯低気圧は前線を伴わない。
3　温帯低気圧が通過した後は気温が低くなるが、熱帯低気圧は通過後気温が高くなる。
4　温帯低気圧が通過するときは雨が長く降りつづくが、熱帯低気圧が通過するときは雨は激しく短く降る。
5　温帯低気圧は海上で発生するが、熱帯低気圧は大陸部で発生する。

A～Dの説明にあう気団名の組合せとして正しいものは、次のうちどれか。

[市町村]

A　春と秋にみられ、大陸から東進してくる。乾燥していてよい天気をもたらすが、低気圧を伴うことが多く、周期的な天候となる。
B　初夏の頃にDとの間に停滞前線をつくり、日本付近に陰鬱な天気をもたらす。
C　冬に発達し、乾燥しているが、日本海で水蒸気を補給し、日本海側に雪を降らせる。
D　夏に発達し、多量の水蒸気を含んでおり、積乱雲が発生する。

	A	B	C	D
1	揚子江気団	シベリア気団	オホーツク海気団	小笠原気団
2	揚子江気団	オホーツク海気団	シベリア気団	小笠原気団
3	シベリア気団	小笠原気団	揚子江気団	オホーツク海気団
4	シベリア気団	オホーツク海気団	小笠原気団	揚子江気団
5	小笠原気団	シベリア気団	オホーツク海気団	揚子江気団

228

A～Eは我が国（本州付近）において生ずる季節の典型的な気象現象に関する記述であるが、Aの現象の後に生ずる気象現象を発生順に正しく並べ替えたのはどれか。 ［国家一般］

A. シベリア高気圧が日本の西に、東には低気圧があって西高東低の気圧配置となり、北西の季節風が強まって本州の日本海側では多量の降雪となることがある。
B. オホーツク海高気圧からの寒冷な大気と日本の南方海上からの小笠原高気圧がぶつかり、長く伸びた停滞前線をつくり断続的な雨が降る。
C. 小笠原高気圧が停滞前線を北に押し上げ、日本は南高北低の気圧配置となり高温多湿な気候となる。
D. 移動性高気圧と低気圧が交互に西から日本を通過する。また低気圧が日本の南岸沿いを進むときに上空に寒気があると太平洋岸に雪をもたらすことがある。
E. 小笠原高気圧が南に後退を始め、北のシベリア高気圧が南下し、日本の南岸沿いに前線が停滞して雨が断続的に続く。

1　B→C→D→E
2　C→D→B→E
3　C→B→E→D
4　D→B→C→E
5　D→E→C→B

229 フェーン現象の説明として妥当なのはどれか。 ［警察官］

1　前線に沿って低気圧が発達しながら進むときに、上昇気流が激しく起こり竜巻を伴う状況になること。
2　小笠原高気圧のような海洋性高気圧は湿度が高く、これが熱帯夜を伴ったむし暑い日をもたらすこと。
3　背の高い高気圧から吹き出す風は湿度が低いため、異常乾燥と高温化を招くこと。
4　湿った空気が山脈を越えて、山脈の向こう側に吹き降りると、高温で乾燥した状況になること。
5　シベリア高気圧やオホーツク海高気圧から吹き出す風は低温で乾燥しているため、その風を受けた地域で霜害を生じること。

230 図は日本付近におけるある日の地上天気図を表しているが、これについての次の記述の空欄ア～エに当てはまる語句の組合せとして最も妥当なのはどれか。 ［国家一般］

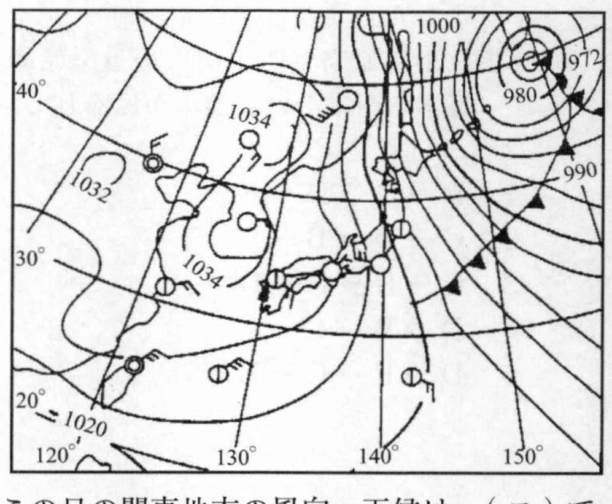

「大陸にシベリア（ア）、千島方面に（イ）が発達し、カムチャッカ半島沖には（ウ）ができている。この日の関東地方の風向・天候は、（エ）である。」

	ア	イ	ウ	エ
1	高気圧	低気圧	温暖前線	西の風、雪
2	高気圧	低気圧	寒冷前線	東の風、雪
3	高気圧	低気圧	閉塞前線	西の風、快晴
4	低気圧	高気圧	温暖前線	東の風、快晴
5	低気圧	高気圧	寒冷前線	西の風、雪

次の我が国付近の天気図A、B、Cのうち、夏と冬に見られる特徴的な気圧配置を示したものとして最も妥当なのはどれか。　［海上保安等］

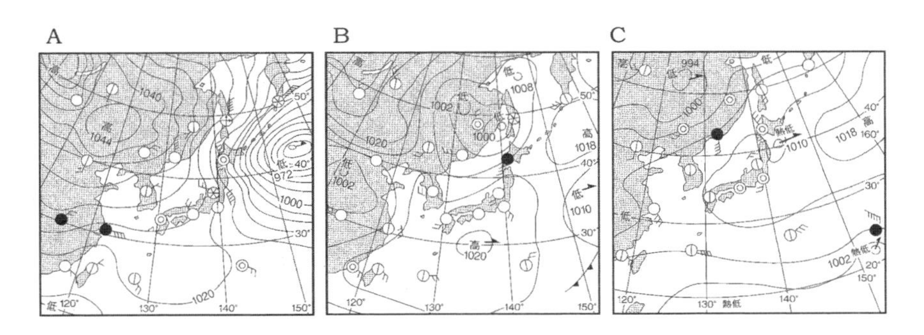

	夏	冬
1	A	B
2	A	C
3	B	C
4	C	A
5	C	B

下記のサイトに、追補、情報の更新および訂正を掲載しております。
http://koumuin.info/book/shusei.html

公務員合格ゼミ　**理科**

1993年4月　初版発行
2020年4月　10版発行

編著者　学校法人　公務員ゼミナール
名倉　猛
発行者　三森正啓
発行所　学校法人　公務員ゼミナール
専門学校　公務員ゼミナール
〒812-0016　福岡市博多区博多駅南2-14-5
TEL 092-432-3591　FAX 092-432-3592
http://kouzemi.ac.jp/
専門学校　公務員ゼミナール熊本校
〒860-0071　熊本市西区池亀町5-5
TEL 096-325-6373　FAX 096-325-6380
http://www.kumamoto-koumuin.info/
発売元　株式会社　いいずな書店
〒110-0016　東京都台東区台東1-32-8　清鷹ビル4F
TEL 03-5826-4370
振替 00150-4-281286
https://www.iizuna-shoten.com
印刷・製本所　株式会社　ウイル・コーポレーション

装丁／駒田　康高
乱丁、落丁本はお取り替えいたします。
定価はカバーに表示されています。

ISBN978-4-86460-075-0 C2040

公務員合格ゼミ

これで合格

理　科

解答・解説書

学校法人 公務員ゼミナール
名倉　猛 編著

いいずな書店

Ⅰ　物　　理

Ⅰ－1　速度と距離

［1］正答5

「川を流れに垂直な方向にA君が泳ぐ」という記述は、「結果として垂直な方向に進む」のではなく、「A君は垂直に泳ぐが、川の流れによって下流に流されながら進む」ことを意味している。A君の泳ぐ速度と川の流れの速度をベクトルを使って合成すると、図のように三角形の辺の比の関係が3：4：5とわかるから、A君が実際に進む速さは、

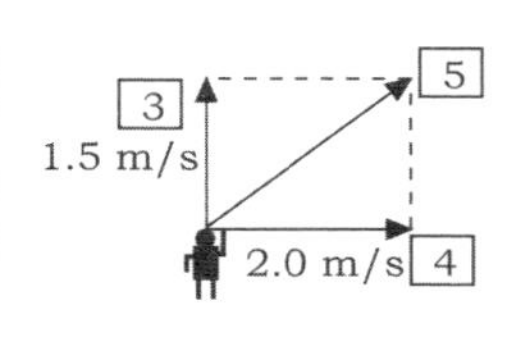

$$3:5 = 1.5\ \mathrm{m/s} : x\ \mathrm{m/s}$$
$$x = 2.5\ \mathrm{m/s}$$

次に、川を渡る方向の速度は1.5 m/s である（川の流れの速度2.0 m/sは、川を渡る方向の速度ではないので考えなくてよい）から、75 mの川をわたるのに必要な時間は、

$$1.5\ \mathrm{m/s} \times y\ \mathrm{s} = 75\ \mathrm{m}$$
$$y = 50\ \mathrm{s}$$

［2］正答2

電車から見た見かけの雨滴の速度は、電車（＝自分）の速度の逆の速度と、雨滴の速度をたしたものとなる。よって、雨の見かけの方向を正しく表したものは図Ⅰとなる。

また速度の関係は、三角形の辺の比の関係から、

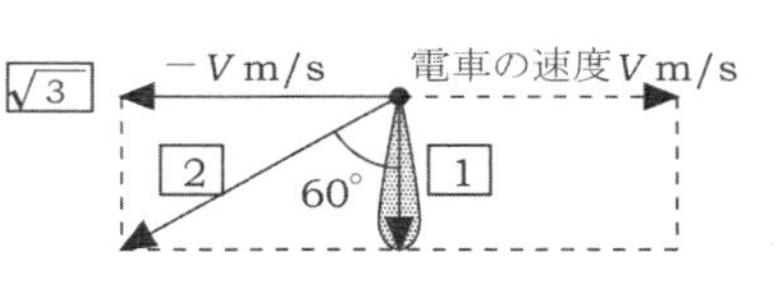

$$v : V = 1 : \sqrt{3}$$

［3］正答2

等加速度運動の距離が問われているので、速度－時間グラフで求める。

まず、横軸と縦軸で時間の単位がそろっていないので、時速を秒速に直す。

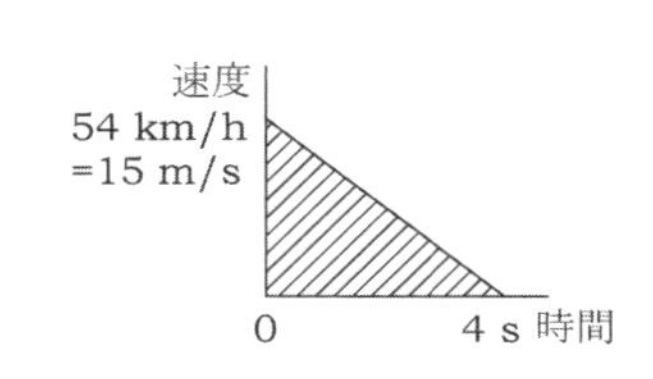

$$\frac{54\ \mathrm{km}}{1\ \mathrm{h}} = \frac{54000\ \mathrm{m}}{3600\ \mathrm{s}} = 15\ \mathrm{m/s}$$

次に、速度－時間グラフを描き、面積を求める式をたてると、

$$\frac{1}{2} \times 4\ \mathrm{s} \times 15\ \mathrm{m/s} = 30\ \mathrm{m}$$

［4］正答2

等加速度運動で距離が出てきているので、まず速度－時間グラフを描き、面積を求める式をたてると、

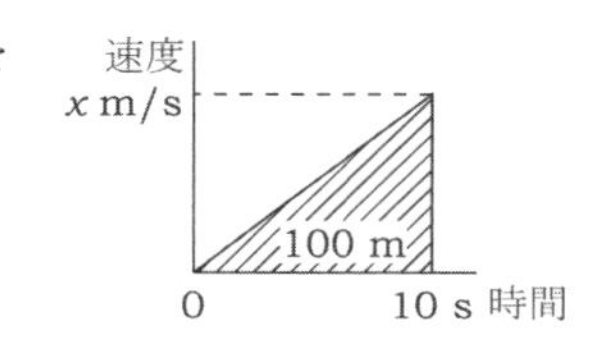

$$\frac{1}{2} \times 10\ \mathrm{s} \times x\ \mathrm{m/s} = 100\ \mathrm{m}$$
$$x = 20\ \mathrm{m/s}$$

次に、これを加速度の式に入れると、

$$0\ \mathrm{m/s} + y\ \mathrm{m/s^2} \times 10\ \mathrm{s} = 20\ \mathrm{m/s}$$
$$y = 2.0\ \mathrm{m/s^2}$$

[５] 正答３

すでに速度－時間グラフが描かれているので、面積を求めれば距離は求まる。

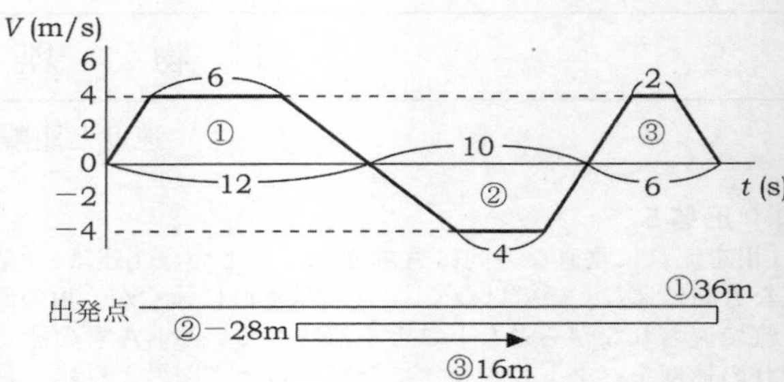

①の部分については

$$\frac{1}{2} \times (6\,\mathrm{s} + 12\,\mathrm{s}) \times 4\,\mathrm{m/s} = 36\,\mathrm{m}$$

②の部分については

$$\frac{1}{2} \times (10\,\mathrm{s} + 4\,\mathrm{s}) \times (-4\,\mathrm{m/s}) = -28\,\mathrm{m}$$

③の部分については

$$\frac{1}{2} \times (2\,\mathrm{s} + 6\,\mathrm{s}) \times 4\,\mathrm{m/s} = 16\,\mathrm{m}$$

従って、出発地点より最も離れた地点は、36 m とわかる。

[６] 正答１

それぞれの速度－時間グラフの面積を比較して、同じものを選べば進んだ距離（＝位置）も同じということになる。以下、計算式で説明しているが、見ただけで１が同じ面積と気付く人もいるだろう。

設問のグラフ　$\frac{1}{2} \times t_0 \times v_0 = \frac{t_0 v_0}{2}$

1　$\frac{1}{2} \times t_0 \times v_0 = \frac{t_0 v_0}{2}$

2　$\frac{t_0 v_0}{2}$より小さいことは、見ただけですぐにわかるだろう。

3　$\frac{t_0 v_0}{2}$より大きいことは、見ただけですぐにわかるだろう。

4　$\frac{1}{2} \times (\frac{t_0}{2} + t_0) \times \frac{3}{2} v_0 = \frac{9 t_0 v_0}{8}$

5　$\frac{1}{2} \times (\frac{t_0}{2} + t_0) \times v_0 = \frac{3 t_0 v_0}{4}$

[７] 正答４

図Ⅰの加速度－時間グラフから、この運動は加速度が正の（＝速度が大きくなっていく）等加速度運動であることがわかる。したがって、距離－時間グラフは一定の割合で速度が大きく（＝傾きが大きく）なっていく図Ⅱの b. となる。

10 秒後の速度は、加速度の式より

$$0\,\mathrm{m/s} + 2.0\,\mathrm{m/s^2} \times 10\,\mathrm{s} = 20\,\mathrm{m/s}$$

次に、速度－時間グラフを描き、面積を求める式をたてると、

$$\frac{1}{2} \times 10\,\mathrm{s} \times 20\,\mathrm{m/s} = 100\,\mathrm{m}$$

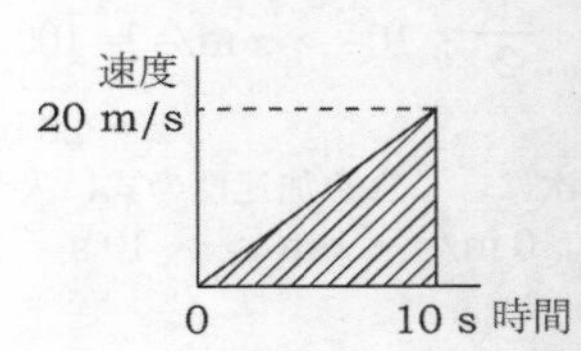

[8] 正答1

グラフに苦手意識を持つ人が多いが、形を丸暗記するのではなく、意味をつかんで考えれば難しいことはない。

①の区間は、距離－時間グラフをみると、時間がたつにつれて傾きが緩やかになっている。これは速度が徐々に小さくなることを示している。これにあてはまるグラフはすでに選択肢の1しかない。(参考までに、選択肢1に対応する加速度－時間グラフは下段のとおりである。この区間は速度が小さくなっているから、加速度は負の値をとる)

②の区間は、距離がまったく増減しないので、物体は静止していることになる。つまり、速度は0である。(参考までに、もちろん加速度も0となる)

③・④は同じ繰り返しとなる。

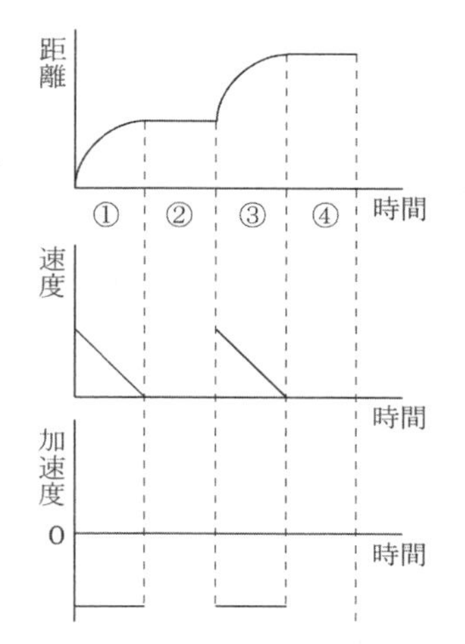

[9] 正答2

加速度 9.8 m/s² の等加速度運動と考えて、加速度の式と速度－時間グラフで求めればよい。

まず、加速度の式より、

$$0\,\mathrm{m/s} + 9.8\,\mathrm{m/s^2} \times 5\,\mathrm{s} = 49\,\mathrm{m/s}$$

次に、速度－時間グラフを描き、面積を求める式をたてると、

$$\frac{1}{2} \times 5\,\mathrm{s} \times 49\,\mathrm{m/s} = 122.5\,\mathrm{m}$$

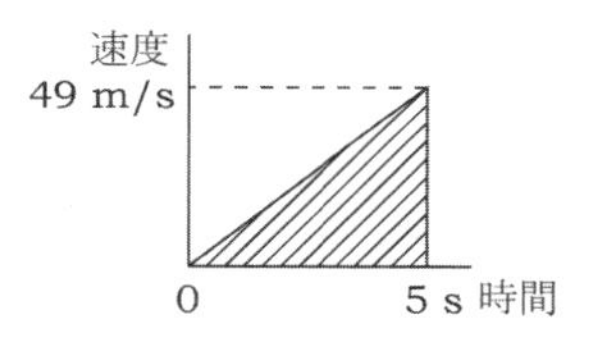

[10] 正答3

「ビルの高さ 19.6 m」はひとまずおいて、最初にビルの上から最高点までの高さを求める。

投げ上げの場合は、加速度－9.8 m/s² の等加速度運動と考え、「最高点」＝「速度0 m/sの点」として求めていく。

まず、加速度の式より、

$$0\,\mathrm{m/s} = 39.2\,\mathrm{m/s} + (-9.8\,\mathrm{m/s^2}) \times x\,\mathrm{s}$$

$$x = 4\,\mathrm{s}$$

次に、4 s 後に最高点に達することがわかったので、速度－時間グラフを描き、面積を求める式をたてると、

$$\frac{1}{2} \times 4\,\mathrm{s} \times 39.2\,\mathrm{m/s} = 78.4\,\mathrm{m}$$

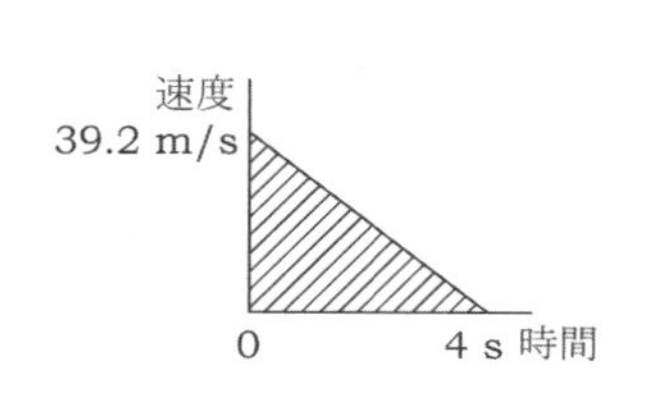

これはビルの上から最高点までの高さであることに注意する(露骨な引っかけ問題である)。

最後に、地上からの高さは、

$$78.4\,\mathrm{m} + 19.6\,\mathrm{m} = 98.0\,\mathrm{m}$$

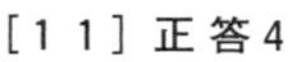

[11] 正答4

水平投げの問題は、水平方向と鉛直方向の運動に分けて考えることがポイントである。

まず、水平方向の運動は、40 m/s の等速度運動となるから、

$40\,\text{m/s} \times x\,\text{s} = 240\,\text{m}$

$x = 6\,\text{s}$

6秒間、水平方向に移動したということは、つまり落下するまでの時間が6秒だったということになる。

次に、鉛直方向の運動は自由落下となるので、加速度の式より、

$0\,\text{m/s} + 9.8\,\text{m/s}^2 \times 6\,\text{s} = 58.8\,\text{m/s}$

速度－時間グラフを描き、面積を求める式をたてると、

$\frac{1}{2} \times 6\,\text{s} \times 58.8\,\text{m/s} = 176.4\,\text{m}$

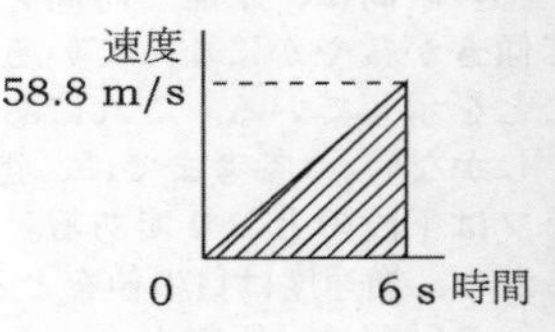

［12］正答2

まず、1つ目の記述を考えてみる。鉛直方向に投げ上げた速度が大きい方が、地面に落ちるまでの時間は当然長い。斜めに投げたBの速度を水平方向と鉛直方向に分解すれば、その鉛直方向の速度成分B′は、Aより小さい。したがって、Bの方が地面に落ちるまでの時間が短いことがわかる。

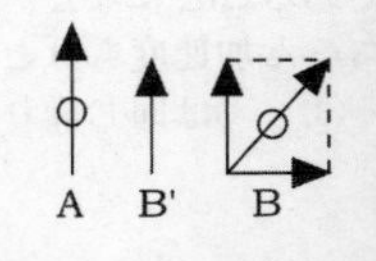

次に、3つ目の記述を考えてみる。水平方向の速度は同じであるから、落下するまでの時間がどちらが短いかがポイントとなる。鉛直方向の運動（この場合は自由落下となる）は、質量とは関係しないからA、Bとも落下する時間は等しい。したがって、AとBの落下地点までの水平距離も同じになる。

すると選択肢より2つ目を検討しなくとも、答えが得られる。

このように公務員試験では速く解くために、わかりにくい選択肢は後回しにして簡単な選択肢からあたっていくことが大切である。

I－2　力

［13］正答4

運動の法則（力＝質量×加速度）から、加速度と力の大きさが比例し、加速度と質量が反比例の関係にあることは容易にわかる。

［14］正答2

A.　机の上に置いた物体に働く重力と、机の面から受ける上向きの力（垂直抗力）は、つりあいの力の関係にある。つりあいの力は、同じ物体に働く同じ大きさで逆向きの力である。

一方、作用·反作用は、同じ大きさで逆向きの力であるが、働いている物体はそれぞれ別となる。この場合、作用・反作用の関係にあるのは、物体が机を押す力と、机が物体を押す（支えている）垂直抗力となる。

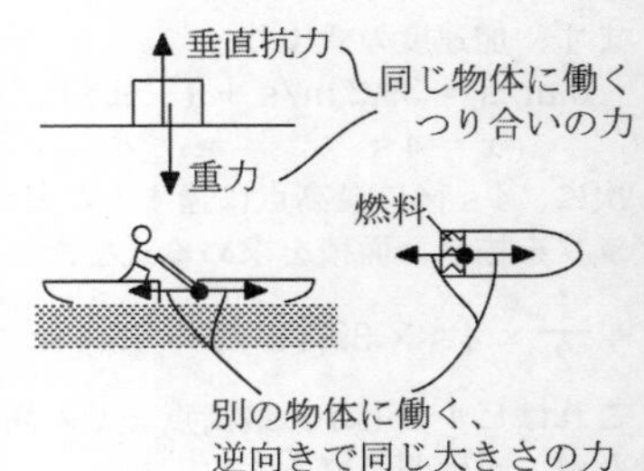

BとC.　互いに別の物体に働く、同じ大きさで逆向きの作用·反作用の力である。

D.　乗客は元の位置に留まろう（静止し続けよう）とする、慣性の法則によって説明される現象である。

［15］正答5

ア．台車が等速度運動を行っていれば、慣性の法則により台車もボールも水平方向に同じ速度で運

動するので、ボールはB地点に落下する。（等速度運動をしている新幹線の車中で、みかんを真上に投げるとちゃんと手元に落ちてくるのと同じである）

イ．ボールの水平方向の速度は、慣性の法則により打ち上げられた瞬間の速度を保ったままとなる。しかし、等加速度運動を続ける台車の速度は次第に増していくので、ボールは台車に追いつけずA地点とB地点の間に落下する。

［１６］正答3

100 N の重力とつり合う逆向きの力を考え、それをベクトルを用いてそれぞれひもの方向に分解すると、右図のようになる。

三角形の辺の比の関係から、それぞれの張力は以下のように求められる。

$\sqrt{2} : 1 = 100\ \text{N} : A\ \text{N}$

$A = 50\sqrt{2}\ \text{N}$

$2 : \sqrt{3} = 100\ \text{N} : B\ \text{N}$

$B = 50\sqrt{3}\ \text{N}$

$2 : 1 = 100\ \text{N} : C\ \text{N}$

$C = 50\ \text{N}$

$\sqrt{3}\ (= 1.73) > \sqrt{2}\ (= 1.41)$ なので、張力の大小関係はB＞A＞Cとなる。

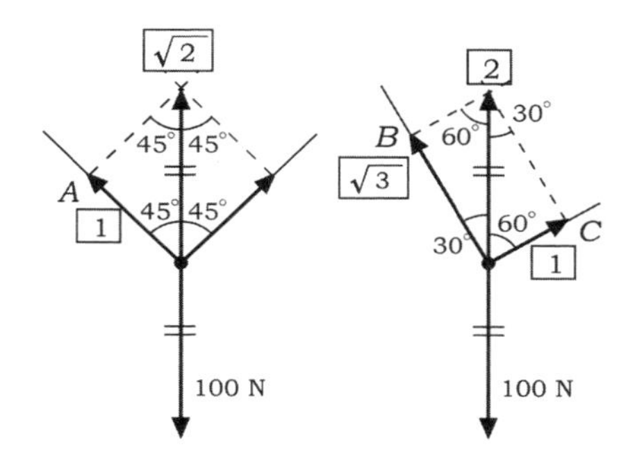

［１７］正答3

3 kg の物体にかかる重力は、

$3\ \text{kg} \times 10\ \text{m/s}^2 = 30\ \text{N}$

作図をすると、右のようになる。なお、設問の図は角度が正しく描かれているとは限らないので、問題を解くときは設問の図に上書きするのではなく別に作成するようにする。

三角形の辺の比の関係から、ひもCの張力を求めると、

$1 : \sqrt{3} = 30\ \text{N} : x\ \text{N}$

$x = 30 \times \sqrt{3}$

$\fallingdotseq 30 \times 1.7 = 51\ \text{N}$

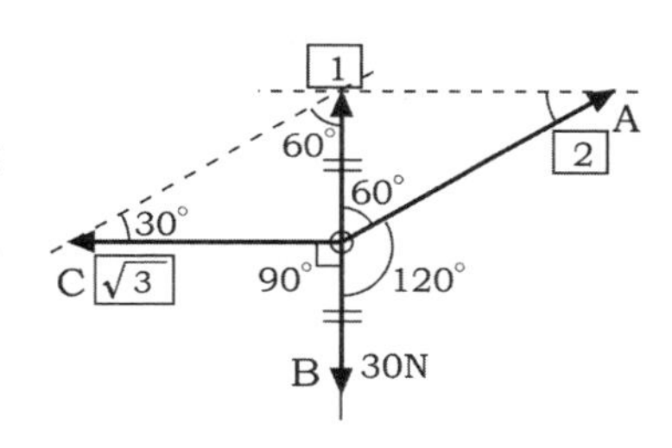

［１８］正答4

水の中に入れると浮力が働くため、ひもを持つ手にかかる力は小さくなる。また、浮力は液体を押しのける物体の体積が大きいほど、また液体の密度が大きいほど、大きな値となる。

［１９］正答4

設問の図のように木片が浮かんでいるときは、浮力と重力はつり合っている。つまり浮力を求めれば、それがすなわち物体の重さとなる。

まず、押しのけられた液体の体積は、

$10\ \text{cm} \times 10\ \text{cm} \times 6\ \text{cm} = 600\ \text{cm}^3$

このとき生じる浮力は、

$1.0\ \text{g/cm}^3 \times 600\ \text{cm}^3 = 600\ \text{g}$（= 600 g 重）

したがって、物体の重さは600 g重とわかり、この物体をのせたことによりはかりの目盛りは

600 g 増える。

次に、木片をすべて沈めたときの浮力は、

$10\,\text{cm} \times 10\,\text{cm} \times 10\,\text{cm} = 1000\,\text{cm}^3$

$1.0\,\text{g/cm}^3 \times 1000\,\text{cm}^3 = 1000\,\text{g}$

（= 1000 g 重）

浮力 1000 g重
手で押す力 400 g重
重力 600 g重

1000 g 重の浮力とつりあうためには、重力 600 g 重の他に、下式で求められる 400 g 重の力で木片を水中に押す必要がある。

1000 g 重 − 600 g 重 = 400 g 重

つまり、手で押す分の 400 g 重の力が加わり、はかりの目盛りはさらに 400 g 増える。

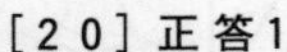

[２０] 正答１

物体の密度（比重）を求めるためには、物体の体積と質量が必要であるが、ここでは物体の質量が明らかではない。これは、浮力の計算から求められる。

まず、おしのけられた液体の体積から、浮力は

$1.0\,\text{g/cm}^3 \times 1000\,\text{cm}^3 = 1000\,\text{g}$（= 1000 g 重）

次に、物体の本来の重さを x g 重とすると、水中での重さ（7 kg 重 = 7000 g 重）との差が浮力となるから、

x g 重 − 7000 g 重 = 1000 g 重

x = 8000 g 重

最後に、物体の密度を求める。物体の本来の質量は 8000 g とわかったから、

$8000\,\text{g} = y\,\text{g/cm}^3 \times 1000\,\text{cm}^3$

$y = 8.0\,\text{g/cm}^3$

[２１] 正答１

それぞれ支点からの距離をとり、てこの式をたてればよい。

50 g 重 × 30 cm + 30 g 重 × 10 cm

= 30 g 重× 20 cm + x g 重× 30 cm

x = 40 g 重

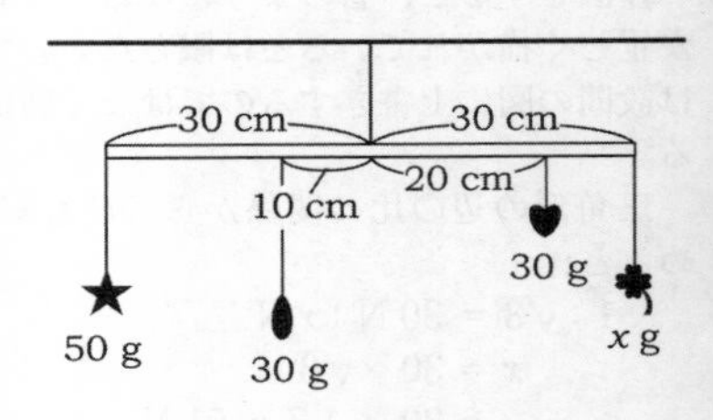

[２２] 正答１

釘抜きは一直線の形状になっていないが、てこの式をそのまま使って解くことができる。

20 N × 5 cm = x N × 25 cm

x = 4 N

なお、てこの計算のときは、式の左右で単位がそろっていればよく、力の単位、距離の単位は何を使っても計算結果に影響はない。

[２３] 正答１

わかりやすいよう、1 N の力で 1 cm のびるばねとして、1 N の力で引いたときののびを考えてみよう。

A は、それぞれのばねに 0.5 N の力が働くので、ばねの伸びは 0.5 cm となる。

B は、それぞれのばねに 1 N の力が働くの

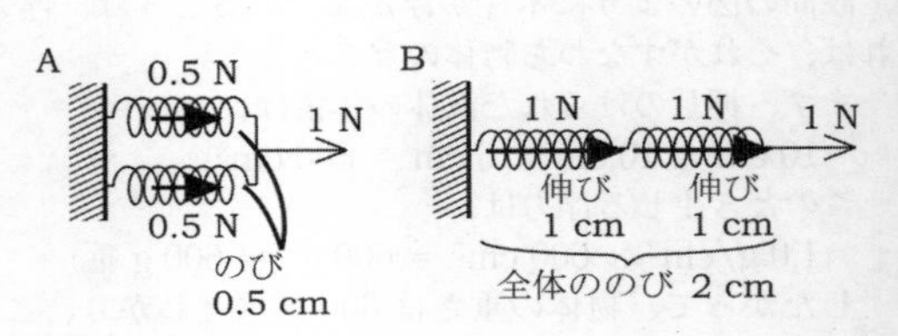

で、ばねはそれぞれ1 cmずつ、全体として2 cm伸びる。
すなわち、Aを同じ2 cmだけ伸ばすためには、Bの4倍の力で引く必要があることがわかる。

［24］正答2
ばねにかかる重さを図示すると右図のようになる。同じ重さがかかったばねは伸びも等しい。

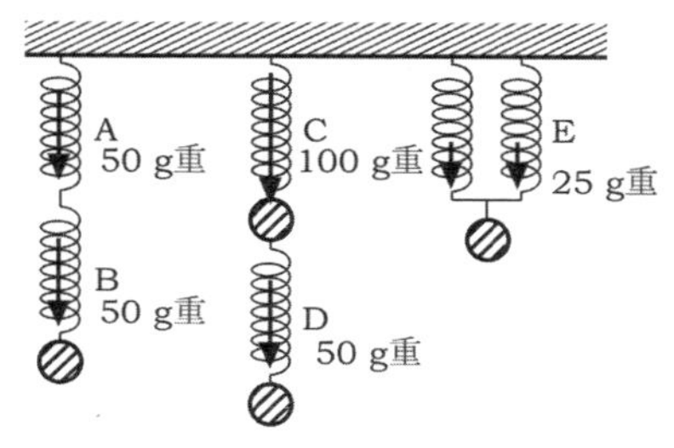

［25］正答1
月面上では重力加速度が小さく（＝重力が小さく）なるので、同じ振り子でも地球上より周期が長くなる。周期を短くするために、ひもの長さlを短くすれば良い。

［26］正答3
ひもの長さ以外は周期に影響を与えない。よって、図Ⅰの振り子と同じ周期になるのはウとエになる。

Ⅰ－3　エネルギー

［27］正答5
1　石は動いていないので仕事は0である。
2　力が働いている方向（支えている方向）と石が動く方向が異なるので、仕事は0となる。
3　20 N × 1 m ＝ 20 J

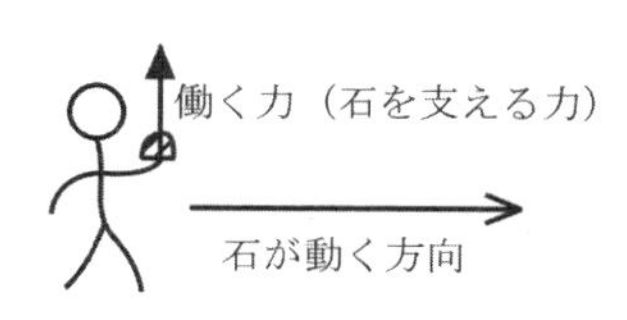

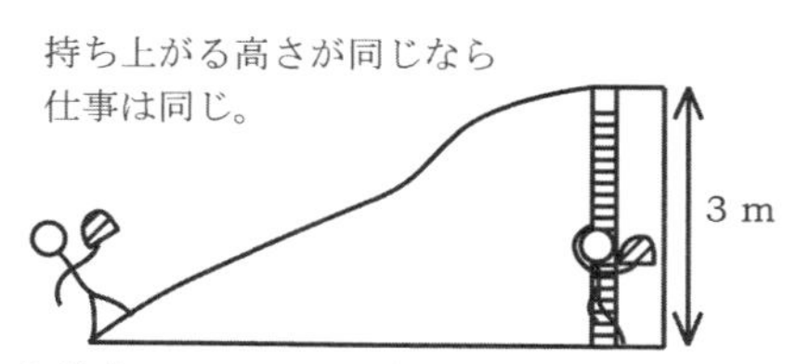

4　人は石に力を加えていないので、人がした仕事は0である。（物体は、重力が働くことで落下していく）
5　10 N × 3 m ＝ 30 J
なお、斜面を使ってもそのまま鉛直に持ち上げても、仕事の原理により仕事の大きさは変わらない。

［28］正答2
ABより短い板の場合、距離は短いが、傾斜が急になるので引くのに必要な力は大きくなる。一方、ABより長い板の場合、距離は長いが、傾斜が緩やかになるので力は小さくてすむ。また、どのような経路をとっても、持ち上げる高さが同じであれば仕事量は変わらない。

［29］正答4
まず、持ち上げるのに必要な力は、
　$100\ \mathrm{kg} \times 9.8\ \mathrm{m/s^2} = 980\ \mathrm{N}$
これを、仕事率を求める式に入れて、

$$\frac{\overset{\text{仕事}}{(980\ \mathrm{N} \times 4\ \mathrm{m})}}{8\ \mathrm{s}} = 490\ \mathrm{W}$$

［30］正答3

運動エネルギーは、次の式で表すことができる。

$$\text{運動エネルギー} = \frac{1}{2} \times \text{質量} \times \text{速度}^2$$

まず、板の移動距離が運動エネルギーを示し、質量と運動エネルギーは比例するので、質量と板の移動距離のグラフは比例となる。

次に、速度が2倍ならば運動エネルギーは4倍、速度が3倍ならば運動エネルギーは9倍となることがわかるので、速さと板の移動距離のグラフは、上向きに曲がっているグラフ（数学的に言えば $y = ax^2$ の形）となる。

［31］正答3

床に衝突する直前の運動エネルギーを計算するには、それぞれの衝突直前の速度を求めなければならず、たいへん面倒である。

そこで、重力による位置エネルギーが、床に衝突する直前にすべて運動エネルギーに変化している（力学的エネルギーが保存されている）ことを利用して、重力による位置エネルギーの大小を比較する。

大小比較なので、計算しやすいように重力加速度を $10\ \mathrm{m/s^2}$ として、

A　$4\ \mathrm{kg} \times 10\ \mathrm{m/s^2} \times 10\ \mathrm{m} = 400\ \mathrm{J}$

B　$3\ \mathrm{kg} \times 10\ \mathrm{m/s^2} \times 20\ \mathrm{m} = 600\ \mathrm{J}$

C　$1\ \mathrm{kg} \times 10\ \mathrm{m/s^2} \times 50\ \mathrm{m} = 500\ \mathrm{J}$

したがって、B＞C＞Aとわかる。

［32］正答1

運動エネルギー＋位置エネルギー＝一定となるから、同じ高さ（＝位置エネルギーが同じ）であれば、速さも同じ（＝運動エネルギーも同じ）である。つまり高さ比べをすることで、運動エネルギーや位置エネルギーの大小は容易にわかる。

1　点Aも点Cも静止するので、運動エネルギーは0である。

2　点Eは高さが点A・点Cより低いので、位置エネルギーはそれより小さい。なお、E点では鉛直方向の速度は0であるが、水平方向の速度があるので、その分が運動エネルギーとして存在する。

3　点Dから点Eまでの区間では高さが高くなって（＝位置エネルギーが増えて）いくので、その分、運動エネルギーは減少していく。

4　点Bより地面のほうが下に描かれているので、地面の方が位置エネルギーが小さく運動エネルギーが大きくなることがわかる。

5　位置エネルギーは高さだけで決まるので、その大小関係は「A＝C＞E＞D＞B＞地面」となる。

［33］正答2

重力以外の力は働いていない運動であり、下式が成り立つので、つねに E は一定のグラフとなる。

位置エネルギー＋運動エネルギー＝力学的エネルギー E（一定）

［34］正答2

A～Eに当てはまる例としては、次のようなものが考えられる。

A：太陽炉…太陽光（光エネルギー）を凹面鏡などで一点に集め、熱（熱エネルギー）を発生させる。

B：乾電池…化学変化（化学エネルギー）によって、電気（電気エネルギー）をつくる。

C：火力発電…水を熱して（熱エネルギー）、発生した水蒸気を勢いよく発電機に吹き付けて回し、電気をつくる（電気エネルギー）。なお、熱は石油・石炭の燃焼（化学エネルギー）によって得られることや、発電機を回転させる（運動エネルギー）ということにも目を向けると、以下のようにとらえることもできる。

化学エネルギー→熱エネルギー→力学的エネルギー→電気エネルギー

D：蛍光灯…電気（電気エネルギー）を使って、光（光エネルギー）を発生させる。

E：光合成…太陽光（光エネルギー）を利用して、グルコースをつくる化学反応（化学エネルギー）を行う。

［35］正答4

①石油ストーブ…化学エネルギー（石油の燃焼という化学変化）→熱エネルギー

②水力発電機…運動エネルギー（水が勢いよく流れる運動）→電気エネルギー

③太陽電池…光エネルギー→電気エネルギー

④蛍光灯…電気エネルギー→光エネルギー

よって電気エネルギーが3回、光エネルギーが2回入る。

［36］正答4

熱容量は、質量と比熱をかけたもので、扱う物体が決まっているときには（その物体の質量は変わらないので）比熱と同じ意味で用いる。ある熱量が出入りしたとき、温度変化が大きいほど熱容量は小さくなる。ピンとこないときは以下のように熱量を求める式に、簡単に数値を入れて比較すればよい。

・同じ熱量を与えたときは、比熱（熱容量）が小さいほど、温度変化が大きい。

$$100\,\text{J} = \underbrace{1.0\,\text{J/g·℃} \times 1.0\,\text{g}}_{1.0\,\text{J/℃}} \times \boxed{100}\,\text{℃}$$

$$100\,\text{J} = \underbrace{10\,\text{J/g·℃} \times 1.0\,\text{g}}_{10\,\text{J/℃}} \times \boxed{10}\,\text{℃}$$

・同じ温度変化であれば、比熱（熱容量）が小さいほど、出入りする熱量は小さい。

$$\boxed{10}\,\text{J} = \underbrace{1.0\,\text{J/g·℃} \times 1.0\,\text{g}}_{1.0\,\text{J/℃}} \times 10\,\text{℃}$$

$$\boxed{100}\,\text{J} = \underbrace{10\,\text{J/g·℃} \times 1.0\,\text{g}}_{10\,\text{J/℃}} \times 10\,\text{℃}$$

90℃のお湯に入るとやけどするのは、水は比熱が大きく、90℃より冷たい人の体に熱を奪われても温度があまり下がらないからである。一方、90℃のサウナでやけどをしないのは、空気の比熱が小さいため、人の体によって冷やされて体表に触れている空気の温度がすぐに下がるからである。

［37］正答4

金属塊が失った熱量と水が得た熱量を等しいとして、熱量を求める式をたてる。

$$1000\,g \times x\,J/g\cdot℃ \times (35 - 30)\,℃ = 350\,g \times 4.2\,J/g\cdot℃ \times (30 - 20)\,℃$$
$$1000 \times x \times 5 = 350 \times 4.2 \times 10$$
$$x = 2.94\,J/g\cdot℃\ (2.94\,J/g\cdot K)$$

[38] 正答5
混合後の温度をx℃とし、100℃の水が失った熱量と13℃の水が得た熱量は等しいとして、熱量を求める式をたてる。なお、Mは計算の過程で消える。

なお、式をつくる上で、高温側は「下がった温度」だから$100 - x$、低温側は「上がった温度」だから$x - 13$とすることに注意する。100℃＞x℃＞13℃という関係なので、必ず正の値になるよう温度差を求めると覚えておこう。

$$(\cancel{M} \times \cancel{1000})\,g \times \cancel{4.2}\,J/g\cdot℃ \times (100 - x)\,℃$$
$$= (2\cancel{M} \times \cancel{1000})\,g \times \cancel{4.2}\,J/g\cdot℃ \times (x - 13)\,℃$$
$$100 - x = 2\,(x - 13)$$
$$x = 42\,℃$$

I－4 波

[39] 正答2
音の強さ（＝大きさ）は振幅、音の高さは振動数（＝波長）、音色の違いは波形によって決まる。物体の持つ固有振動数と同じ振動が加わると、大きな振動を始めることを共鳴という。

[40] 正答3
A　音は縦波であり、光は横波である。正しい。
B　音は真空中を伝わらない。誤り。
C　音の伝わる速度は気体中＜液体中＜固体中と速くなるが、光はその逆で固体中＜液体中＜気体中と速くなる。誤り。

[41] 正答2
太陽が放射する電磁波は、主に可視光線からなるが、それより波長の長い赤外線や、波長の短い紫外線なども含まれている。赤外線は熱を運ぶ働きがあり、紫外線は日焼けや掲示物の退色などの化学変化をおこし成層圏にあるオゾン層に吸収されやすい。

[42] 正答1
1　紫外線の働きとして妥当である。なお、成層圏には大気中の酸素O_2が紫外線の働きによってオゾンO_3に変化している層があり、オゾン層とよばれている。（酸素をオゾンにかえることで紫外線はなくなってしまうので、オゾン層が紫外線を吸収しているということが多い）
2・3・4　いずれも赤外線の性質について述べたものである。
5　胸部撮影（レントゲン写真）に利用されているのはX線である。

[43] 正答5
晴れた日の夜は、雲がないため放射冷却で地表近くの温度が下がり、相対的に上空の温度の方が高くなる。そのため、音速は温度が高い上空の方が大きくなる。

高温の空気の層と低温の空気の層の境界で音が屈折し、設問の条件の場合は音が下方に曲がるため、遠くの音がよく聞こえるようになる。

波の屈折の例として「夜遠くの音がよく聞こえる」というのは直感的にわかりにくいため、出題されることが多い。

［44］正答4

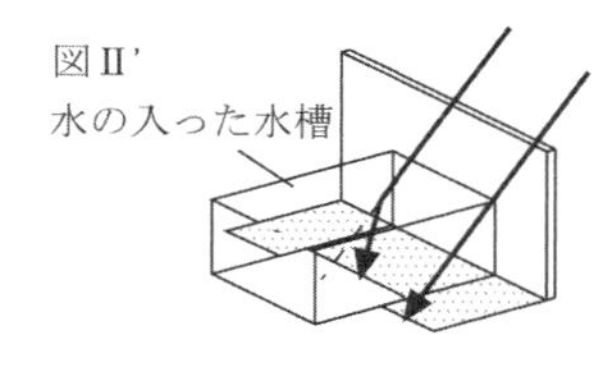

図Ⅱ'のように、光は空気中から水中に差し込むときに下向きに曲げられるので、設問の水槽の陰は図Ⅲのｂのようになる。

また、コップに水を注ぐと図Ⅳ'のように光が曲げられるので、もとは見えなかったコインの残り半分も見えるようになる。

なお、屈折の方向を問う出題は、「空気中－水中」の他に「空気中－ガラス中」のパターンもある。その場合も曲がる方向は同じなので、ガラス中を水中に置き換えて考えればよい。

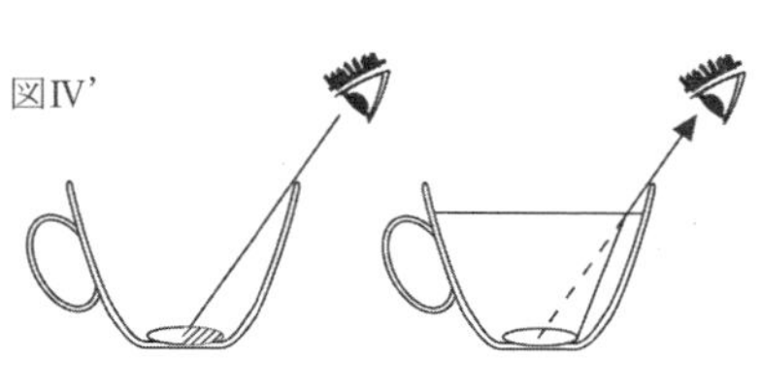

［45］正答2

選択肢が難しいので、わかる範囲で確実に消していくことが大切である。

1　電波は電磁波の一種であって、光と同じ横波であるから誤りとわかる。

2　回折は、波長が長い方が起きやすいので正しい。テレビはアンテナがないと視聴できないのは、ラジオより波長が短い電波を使用しているため回折しにくく、部屋の中まで電波が入り込んでこないためである。

3　うなりは、振動数が少しだけ異なる音が２つ同時に出ているときに、音が周期的にウォーン、ウォーンと聞こえる現象である。よって、誤りである。また、山と山（谷と谷）が重なれば、より大きな山（谷）になって音が大きくなるので、その点も誤っている。

4　ドップラー効果は、観測者と音源が近づいているときに本来より高い音に聞こえる（観測者と音源が遠ざかっているときには低い音に聞こえる）現象であって、お互いに静止しているときはドップラー効果は起きない。また、波長が短い方が振動数は大きく高い音となるから、そこでも誤りとわかる。

5　空が青く見えるのは、光の散乱による現象であるから誤りとわかる。

［46］正答4

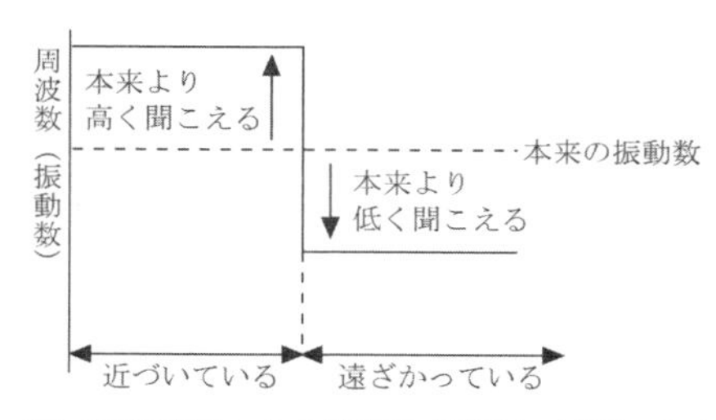

ドップラー効果により、列車が近づいているときは本来の警笛の振動数（＝周波数）より振動数が大きな高い音に、遠ざかっているときは振動数が小さな低い音に聞こえる。その条件を満たすグラフは、２か４しかない。

なお少し難しいところまで踏み込むと、踏切にいる人に聞こえる警笛の振動数は、人や音源の速度によって決まる。つまり速度が同じならば、近づいている（あるいは遠ざかっている）間は踏切からの距離に関係なく聞こえる音の高さ（＝振動数）は一定となる。よって、４のグラフが正答となる。

[47] 正答1

右ねじの法則を当てはめてみれば、それぞれ磁界の向きはaとdの方向とわかる。

また、磁界の向きは方位磁針のN極が指す向きであるから、その方向はeとなる。

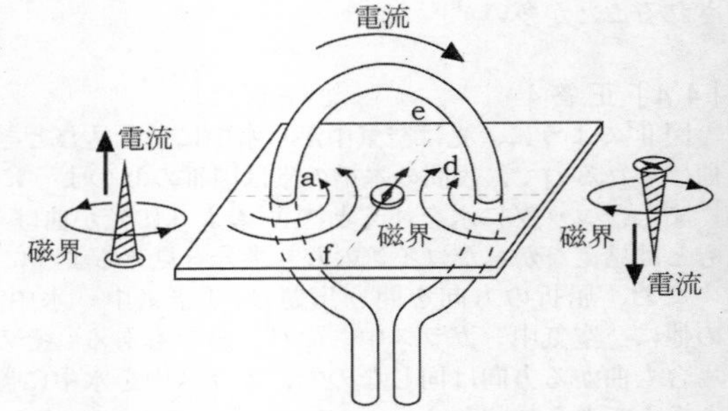

[48] 正答5

A　磁力線はN極からS極に描くから、N極は㋑、S極は㋐となり、誤り。

B　右ねじの法則により電流の向きは㊓⇒㋒の方向となり、誤り。

C　フレミングの左手の法則により、力の方向は㋔⇒㋕の方向で正しい。

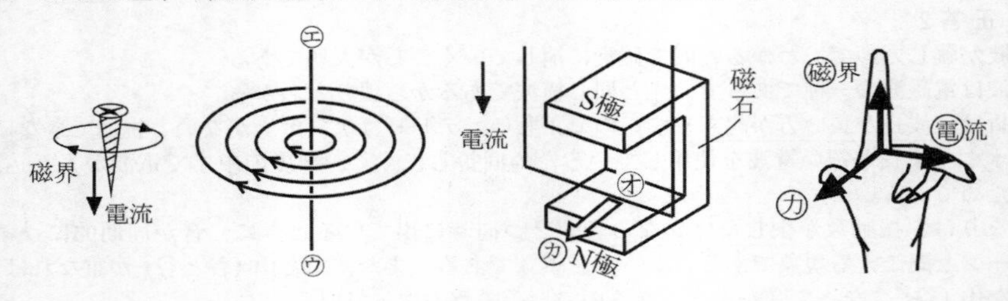

[49] 正答1

1　α線はヘリウム原子核の流れで、2＋の電荷を持つため、磁界や電界中で曲がる。正しい。

2　高速の電子の流れは、β線である。

3　波長の短い電磁波は、γ線である。

4　透過力が最も大きいのは、γ線である。

5　電離作用が最も小さいのは、γ線である。

[50] 正答2

$^{226}_{88}Ra$は、原子番号が88（すなわち陽子が88個）、質量数が226（すなわち陽子＋中性子の数が226個）の原子ということを表している。

$^{226}_{88}Ra$が$^{222}_{86}Rn$になったということは、陽子2個・中性子2個が減少しているのでα線が放出されたとわかる。α線は正の電荷をもつので、負の電極の方に引きつけられて曲がる。

Ⅰ－5　電気

[51] 正答3

電流計は測定したいところに対して直列接続、電圧計は測定したいところに対して並列接続で接続すればよい。

[52] 正答2

まず、電力を求める式より

$40\,W = 100\,V \times x\,A$

$x = 0.4$ A

これで答えは選択肢から明らかであるが、念のため抵抗を求めてみる。オームの法則より

$100\ \mathrm{V} = y\ \Omega \times 0.4\ \mathrm{A}$

$y = 250\ \Omega$

［５３］正答１

まず、電力量を求める式より

$1200\ \mathrm{Wh} = x\ \mathrm{W} \times 2\ \mathrm{h}$

$x = 600\ \mathrm{W}$

次に、電力を求める式より

$600\ \mathrm{W} = 200\ \mathrm{V} \times y\ \mathrm{A}$

$y = 3\ \mathrm{A}$

［５４］正答１

オームの法則にあてはめてみると、

電圧 ＝ 抵抗 × 電流

a：一定 ＝ x × y …反比例のグラフ

b：y ＝ 一定 × x …比例のグラフ

公式をグラフ化する問題は頻出するので、慣れておくことが大切である。

［５５］正答２

乾電池は直流、家庭のコンセントは交流である。交流は常にその流れる向きが入れ替わっており、1秒あたりに入れ替わる回数を周波数（振動数）といい、単位はHzである。家庭用の電気は、東日本では50 Hz、西日本では60 Hzとなっている。

［５６］正答３

1・2・4　直流・交流どちらでも起こる現象である。

3　発電所から変電所を経て家庭に送られてくる電気は交流、乾電池から得られる電気は直流である。正しい。

5　電圧を容易に変えることができるのは、交流の方である。

［５７］正答１

3つの抵抗線を全て並列接続すると、全体の抵抗が最も小さくなる。よって計算するまでもなく、1が答えとなる。

逆に抵抗が最も大きいのは、すべてを直列接続した5である。電気の分野で、大小関係を求める問題の場合は、このように計算せずとも答えが出る場合が多い。

念のため抵抗1つを1Ωとした場合の合成抵抗の計算結果をあげておく。

1　$\frac{1}{1\ \Omega} + \frac{1}{1\ \Omega} + \frac{1}{1\ \Omega} = \frac{1}{x\ \Omega}$　　$\frac{3}{1} = \frac{1}{x}$　　$x = \frac{1}{3}\ \Omega$（≒ 0.3 Ω）

2　並列部分：$\frac{1}{1\ \Omega} + \frac{1}{1\ \Omega} = \frac{1}{x\ \Omega}$　　$\frac{2}{1} = \frac{1}{x}$　　$x = \frac{1}{2}\ \Omega = 0.5\ \Omega$

全　体：$1\ \Omega + 0.5\ \Omega = 1.5\ \Omega$

3　直列部分：$1\ \Omega + 1\ \Omega = 2\ \Omega$

全　体：$\frac{1}{1\ \Omega} + \frac{1}{2\ \Omega} = \frac{1}{x\ \Omega}$　　$\frac{3}{2} = \frac{1}{x}$　　$x = \frac{2}{3}\ \Omega$（≒ 0.7 Ω）

4　$1\,\Omega + 1\,\Omega = 2\,\Omega$　※抵抗1つはショートされているので$0\,\Omega$
5　$1\,\Omega + 1\,\Omega + 1\,\Omega = 3\,\Omega$

[58] 正答3

まず、直列接続であるから電流I_1とI_2は等しい。次に、電流が同じであるから、抵抗が大きい方が電圧は大きくなる。

	R_1	R_2	全体
抵抗	$20\,\Omega$	$10\,\Omega$	
×			
電流	① 1 A =	① 1 A	
＝			
電圧	② 20 V	② 10 V	12 V

なお、わかりにくい人は、適当な数値を入れて計算してみると良い。①のように仮に電流の値を1Aとし、$R_1 > R_2$だからそれぞれ$20\,\Omega$、$10\,\Omega$とおいてみる。計算すると②のようになり、$V_1 > V_2$であることがわかる。「12Vの電圧」と書いてあるので「その値を計算に使わないといけないのでは」と惑う人もいるかもしれないが、大小比較ができればいいのでその必要はない。

[59] 正答4

全電流Iを問われているので、全抵抗を求めればよく、表をつくるまでのことはない。

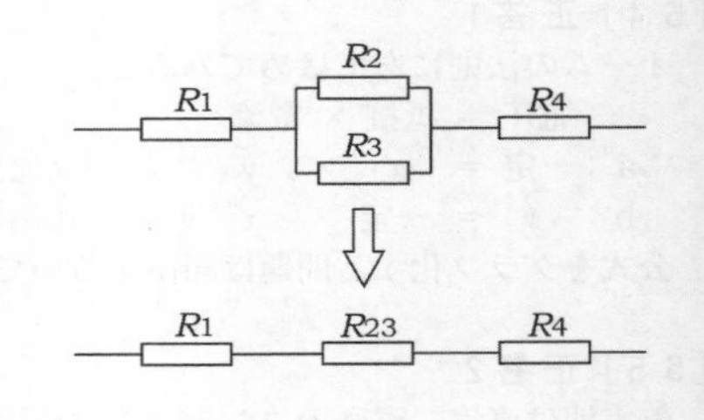

まず、並列のR_2、R_3の合成抵抗R_{23}の抵抗値は、

$$\frac{1}{2\,\Omega} + \frac{1}{1\,\Omega} = \frac{1}{x\,\Omega} \quad \frac{3}{2} = \frac{1}{x} \quad x = \frac{2}{3}\,\Omega$$

次に、R_1、R_{23}、R_4が直列接続となるから、

$$1\,\Omega + \frac{2}{3}\,\Omega + 2\,\Omega = \frac{11}{3}\,\Omega$$

最後に、全体抵抗が求められたのでオームの法則より

$$11\,\mathrm{V} = \frac{11}{3}\,\Omega \times x\,\mathrm{A} \qquad x = 3\,\mathrm{A}$$

[60] 正答3

合成抵抗中の1つの抵抗に流れる電流について問われているので、表にして整理していくとよい。

まず、煩雑なのでR_2とR_3、R_4とR_5は表にする前にまとめてしまう。

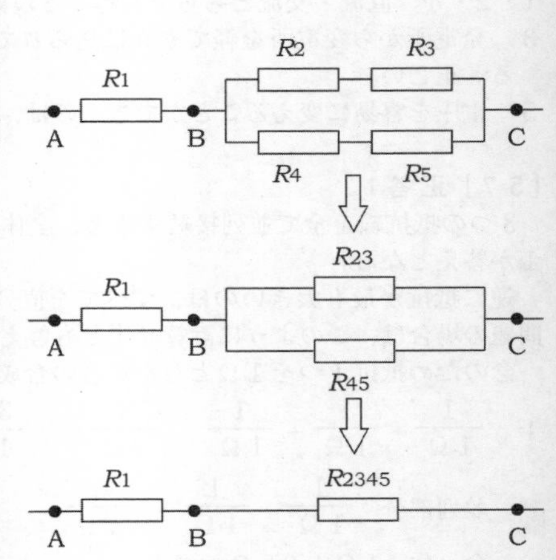

①R_2とR_3の合成抵抗R_{23}の抵抗値は、
　$4\,\Omega + 8\,\Omega = 12\,\Omega$
②R_4とR_5の合成抵抗R_{45}の抵抗値は、
　$10\,\Omega + 14\,\Omega = 24\,\Omega$
③次に、R_{23}とR_{45}の合成抵抗R_{2345}の抵抗値を求める。

$$\frac{1}{12\,\Omega} + \frac{1}{24\,\Omega} = \frac{1}{x\,\Omega}$$

$$\frac{3}{24} = \frac{1}{x} \quad x = 8\,\Omega$$

④BC間の電圧は4Vであるから、オームの法則より
　$8.0\,\Omega \times y\,\mathrm{A} = 4\,\mathrm{V}$
　　　$y = 0.5\,\mathrm{A}$
⑤R_1とR_{2345}は、直列接続であるから電流は同じとなる。

	R_1	R_{2345}	R_{23}	R_{45}	全体
抵抗 ×	2 Ω	③ 8 Ω	① 12 Ω	② 24 Ω	
電流 ‖	⑤ 0.5A =	④ 0.5A			
電圧		4 V			

［61］正答2

合成抵抗中の１つの抵抗が消費する電力について問われているので、表にして整理していくとよい。なお、説明のために、それぞれの抵抗に右図のように記号をつける。

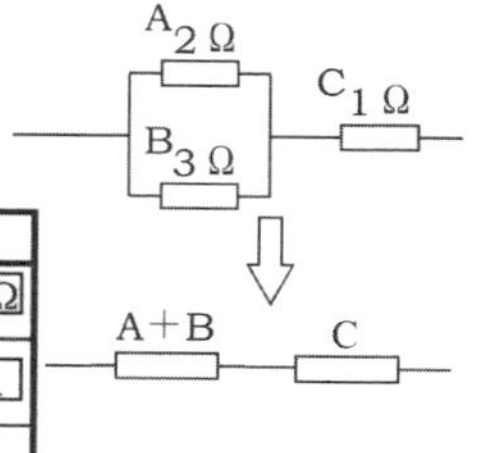

	A	B	A+B	C	全体
抵抗 ×	2Ω	3Ω	① 1.2Ω	1Ω	② 2.2Ω
電流 ‖		⑦ 4A	④ 10A =	④ 10A =	③ 10A
電圧	⑥ 12V =	⑥ 12V =	⑤ 12V		22V

①A＋Bの抵抗値は、

$$\frac{1}{2\ \Omega}+\frac{1}{3\ \Omega}=\frac{1}{x\ \Omega}\quad \frac{5}{6}=\frac{1}{x}\quad x=\frac{6}{5}=1.2\ \Omega$$

②A＋BとCは直列接続であるので、全体抵抗は

$1.2\ \Omega + 1\ \Omega = 2.2\ \Omega$

③全体の電流はオームの法則より

$2.2\ \Omega \times y\ \mathrm{A} = 22\ \mathrm{V} \qquad y = 10\ \mathrm{A}$

④A＋BとCは直列接続であるので、電流は同じ値となる。

⑤A＋Bにかかる電圧は、オームの法則より

$1.2\ \Omega \times 10\ \mathrm{A} = 12\ \mathrm{V}$

⑥AとBは並列接続であるので、電圧は同じ値となる。

⑦Bに流れる電流は、オームの法則より

$3\ \Omega \times z\ \mathrm{A} = 12\ \mathrm{V} \qquad z = 4\ \mathrm{A}$

最後に、抵抗Bの消費電力を問われているので、

$12\ \mathrm{V} \times 4\ \mathrm{A} = 48\ \mathrm{W}$

［62］正答5

図の書き方に惑わされないように。電球L_1、L_2、抵抗の３つは、並列接続となっている。並列接続の場合、新たに抵抗が加わったことで電球L_1、L_2の明るさが変わることはない。

家庭の配線もこの並列接続で行われており、居間でテレビを点けたからといって、居間の照明だけが暗くなったり、家全体の照明が暗くなったりすることはない。

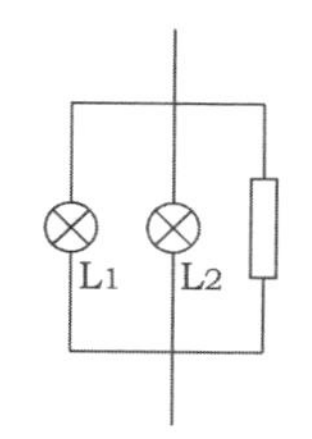

［63］正答4

電球は、電力が大きい方が明るく点灯する。

並列に接続したときは、どちらも同じ電圧がかかるので、抵抗が大きい方が流れる電流が小さい(＝電力も小さい) 暗い電球ということになる。

一方、直列に接続したときは、流れている電流は同じになるので［58］でも計算したように、抵

抗の大きな暗い電球の方が電圧が大きく（＝電力も大きく）なり、もう一方の電球と比較して明るく点灯することとなる。（なお、並列接続のときよりは、どちらの電球もずっと暗くなることに注意）

Ⅱ　化　　学

Ⅱ－１　物質の構成

［６４］正答3
　物質は純物質と混合物に分けられ、さらに純物質は一種類の元素からなる単体と、二種類以上の元素からなる化合物に分けられる。
　また、同じ元素からできていて性質の異なる単体を同素体という。一酸化炭素COと二酸化炭素CO_2は同じ元素からできているが、CとOの二種類の元素からなる化合物であるため、同素体とは言わない。

［６５］正答5
一酸化炭素、二酸化炭素…［６４］の解説でもふれたとおり、同じ元素で構成される化合物であり、同素体の定義に当てはまらない。
濃硫酸、希硫酸…濃硫酸を水で希釈したものが、希硫酸である。
塩素、ヨウ素…周期表で同じ族に属する同族元素である。

［６６］正答3
A　ワインは、おおざっぱに言えば水とエタノール（アルコール）という２つの液体の混合物であり、沸点の差を利用する分留によってエタノールを取り出すことができる。分留という選択肢がないので、広い意味で分留を含む蒸留を選ぶことになる。
B　白く濁った石灰水とは、溶けていない物質（＝固体）が存在する溶液ということである。つまり、ろ過をすれば「濁り」をこし取ることができる。
C　「少量の不純物」がキーワードである。このような場合に用いる方法は再結晶である。

［６７］正答1
　ナフサは粗製ガソリンとも言われる。一般に可燃性のものは、沸点が低い方が発火温度も低く燃えやすい傾向がある。ガソリン、軽油、重油となるにつれ沸点は高くなり、燃えにくくなる。

［６８］正答3
　分子が一定の規則性で並んでいるものが固体である。逆に、規則性がなく最もまばらに存在しているのが気体とわかる。

［６９］正答3
1　液体から気体への状態変化は蒸発（気化）といい、このとき吸収される熱は蒸発熱（気化熱）となる。
2　固体から液体になる状態変化は、融解である。
3　正しい。
4　物質を構成する粒子は熱運動をしていて、固体より液体、液体より気体の方が激しい。また、固体・液体・気体いずれも、温度が高いほど熱運動は激しくなる。
5　純物質では、沸騰中の温度は常に一定に保たれる。

［７０］正答3
　融点・沸点に達すると、与えられる熱は状態変化（融解・蒸発）に使われ、状態変化がすべて終わ

るまで温度は変化しない。そのため、純物質の固体を温めていくと、2回、温度が変化しない区間が生じる。1回目は固体が融解熱を吸収して液体に変化している区間で、2回目は液体が蒸発熱を吸収して気体に変化している区間である。この区間ではそれぞれ両方の状態が併存していることとなる。

1　cの区間は、すべて液体になっている。
2　eの区間は、すべて気体になっており、すでに蒸発（気化）は終わっている。
3　cの区間のグラフの傾きが緩やかであるから、固体や気体のときより液体のときの方が温まりにくいといえる。
4　bの区間より、dの区間の方が長いので加熱時間が長い。よって、蒸発（気化）に必要なエネルギーの方が大きい。
5　沸点・融点は、物質の量にかかわらず一定である。

[71] 正答1

A　正しい。
B　正しい。
C　同位体の化学的性質は同じで、中性子の数（質量数）が異なるだけである。
D　電子殻は、内側から順にアルファベット順でK殻、L殻、M殻…となっている。

[72] 正答2

ア　質量数は1であるから、陽子1個とわかる。水素原子^{1}Hは、中性子を持たない唯一の原子である。
イ　陽子と電子の数は等しいから、陽子6個という記述から電子は6個とわかる。
ウ　陽子の数が同じで中性子の数が異なる原子を、互いに同位体という。

[73] 正答5

左下の数字12が原子番号（＝陽子数）、左上の数字24が質量数（＝陽子数＋中性子数）である。よって中性子数は12（＝24 − 12）となる。また、マグネシウム原子の電子数は陽子数と同じ12であるが、2＋のマグネシウムイオンなので電子数は2つ少ない10となり、選択肢5が正答とわかる。

なお、選択肢4の最外殻電子数について説明しておくと、マグネシウム原子の最外殻（電子の存在するもっとも外側の電子殻）はM殻で最外殻電子数（＝価電子数）は2である。しかし、2＋のマグネシウムイオンでは、電子が2つ減って最外殻はL殻となり、最外殻電子数は8（価電子は0）となっている。

[74] 正答2

原子番号20までの元素（水素H～カルシウムCa）はすべて典型元素なので、消去法で選べばよい。

なお、残ったAg、Fe、Cuはすべて遷移元素である。

[75] 正答5

1　アルカリ金属は電子を放出して陽イオンになりやすく、ハロゲンのような電子を得て陰イオンとなりやすい元素とイオン結合する。また、分子はイオン結合ではできないので、そこでも誤りとわかる。
2　共有結合するのは、非金属の元素どうしである。
3　17族のハロゲンの説明である。1族の最外殻電子数は1である。1～2、12～18族の典型元素では、最外殻電子数は族番号の1桁目と一致する（Heのみ例外で、18族だが最外殻電子数は2

となる)。

4　18族の貴ガスの説明である。貴ガスは、化学的に安定で単原子分子(一原子分子)として存在し、化合物もほとんどつくらない。

5　1族の価電子数は1で、1価の陽イオンになりやすい。原則として最外殻電子数と価電子数は同じ値となる(18族のみ例外で、価電子数は0とする)。

[76] 正答2

リチウムLi、ナトリウムNaはアルカリ金属である。また、フッ素Fや塩素Clなどのハロゲンは、陰イオンになりやすい。ヘリウムHe、ネオンNe、アルゴンArなどの貴ガスは、陽イオンにも陰イオンにもなりにくい。

なお、設問のグラフはこの問題を解くのに必要ない。また、第1イオン化エネルギーについての知識も求められてはいない。見た目で難しいと判断するのではなく、よく問題文と選択肢に目を通すようにしよう。

[77] 正答2

まず電子の数(＝原子番号)から原子名をはっきりさせると、以下のようになる。

　ア＝水素　イ＝フッ素　ウ＝ネオン　エ＝ナトリウム　オ＝塩素

1　1族の水素は、電子を1個失って1価の陽イオンになりやすい。

2　17族のフッ素と塩素の最外殻電子数は7で、化学的性質はよく似ている。正しい。

3　18族のネオンは、常温で単原子分子Neとして存在する。

4　電子配置は同じになるが、電気的に中性のネオン原子Neと正に電気を帯びているナトリウムイオンNa^{+}の化学的性質が同じとは言えない。

5　水素・ナトリウムは1族のため1価の陽イオンになりやすく、フッ素・塩素は17族のため1価の陰イオンになりやすい。

[78] 正答3

電子の数が17個あるので塩素原子とわかる。また陰イオンになりやすいので、陽イオンになりやすい周期表左側の元素と、イオン結合しやすい。

[79] 正答2

共有結合(分子結晶・共有結合結晶)は少しややこしいので、イオン結合・金属結合から考えていくとよい。この設問ではアとイがわかれば、答えは確定できる。

ア　自由電子という言葉から、金属結合とわかる。

イ　クーロン力(静電気的引力)という言葉から、イオン結合とわかる。

ウ　分子間力とは、分子どうしに働く引力をいう。これによって分子1個1個が集まって分子結晶ができる。

エ　数個の原子を結合して1個の分子をつくる結合は、共有結合である。前述の通り、さらにこの分子が分子間力で集まり分子結晶となる。

Ⅱ－2　非金属の物質

[80] 正答5

A　最も水に溶けやすい気体は、アンモニアである。

B　黄緑色をしている気体は、塩素である。

C　石灰水を白濁させるのは、二酸化炭素である。

[８１] 正答1

①について考えてみる。まず、Aより空気より重い気体となるので、選択肢4のヘリウムと選択肢5のアンモニアが除外される。次にBの無色・無臭という条件から選択肢3の塩素も違うとわかる。最後にCの単体であるという条件から外れるので化合物ということになり、選択肢2のアルゴンArも除外できる。よって二酸化炭素CO_2と確定する。

答えは出たが、参考のため②も考えてみる。

Aに入っていないので空気より軽いアンモニアかヘリウムとなり、Bに入っていないので無臭ではないということになりアンモニアとわかる。

[８２] 正答1

Aが上方置換、Bが下方置換、Cが水上置換の図である。水に溶ける気体は、Cで集めることはできないので、AかBのいずれかの方法によるしかない。そのうち、空気より軽い気体がAの上方置換、空気より重い気体がBの下方置換となる。

すなわち、水によく溶け、空気より軽いアンモニアということになる。

[８３] 正答5

表にある空気に占める体積の割合から、Aは酸素、Bはアルゴン、Cは二酸化炭素と容易にわかる。選択肢は、いずれも物質名が一致しないので、残る選択肢5が答えとなる。

参考までに、各選択肢で誤っている部分を指摘しておく。

1　二酸化炭素は、化石燃料の使用が急増しているため、濃度が増加してきている。
2　酸素は、燃焼やサビなどの酸化反応によって、他の物質と化合物をつくりやすい。
3・4　ネオン、アルゴンは、貴ガスなので化合物をほとんどつくらない。また水にもほとんど溶けない。

[８４] 正答3

1　窒素は、無色・無臭で、水に溶けにくい。また高温下で、空気中の酸素と反応して窒素酸化物をつくり酸性雨の要因となる。
2　大気中の酸素は、緑色植物の光合成で作られたものである。乾燥空気中に含まれる割合は、窒素に次いで2番目に多い。
3　二酸化炭素は、無色・無臭で、水に溶け弱い酸性を示す。正しい。
4　赤外線を吸収する性質を持つのは二酸化炭素である。成層圏に位置するオゾン層は、太陽から放出される有害な紫外線を吸収する性質をもつ。
5　ヘリウムは貴ガスなので、化学反応はおきにくく燃焼しない。また、気体の中で最も軽いのは、水素である。

[８５] 正答2

ア　黒鉛は炭素の単体で、非金属元素だが電気を通す。正しい。
イ　ダイヤモンドは、炭素の単体であって、黒鉛と同素体の関係にある。
ウ　黄緑色で臭いがある気体は塩素である。また固体がドライアイスと通称されるのは二酸化炭素である。
エ　二酸化炭素は、無色・無臭で、石灰水を白濁させる。正しい。
オ　メタンの化学式はCH_4で、酸素原子は含まない。また、空気より軽い。

[８６] 正答4

1　炭素もケイ素も同じ14族なので、価電子数は同じである。

2　ダイヤモンドは炭素の単体である。なお、石英と水晶は同じもの（美しい結晶形になったものを水晶という）で、岩石なので二酸化ケイ素が主成分である。
3　腐卵臭をもつものは硫化水素であり、一酸化炭素は無色である。また、石灰石に塩酸を加えて発生するのは二酸化炭素である。
4　正しい。
5　ケイ素は、自然界では二酸化ケイ素として存在し、岩石の主成分となっている。もちろん、電気を通す性質はない。

［８７］正答５

発生するのは二酸化炭素なので、ウのＣとエのＯの組み合わせとなる。

［８８］正答４

ア　オキシドールに酸化マンガン（Ⅳ）で、酸素が発生する。Ｄの「無色無臭で空気中に20％含まれている」が説明として適切である。
イ　金属（イオン化傾向の小さな銅や銀などをのぞく）に酸を加えると、水素が発生する。Ｃの「最も軽い気体で、燃える」が説明として適切である。
ウ　電気分解によって、塩素が発生（銅も析出）する。Ｅの「黄緑色で、殺菌に用いられる」が説明として適切である。なお、電気分解はⅡ－４の単元で説明している。ア、イで選択肢は３か４にしぼられており、少なくとも塩化銅 $CuCl_2$ から二酸化炭素 CO_2（Ａ：大気中の濃度が増加して温暖化の原因＝二酸化炭素の説明）は発生しないことは予測できるだろう。

［８９］正答１

セッケンは、油に溶け込む疎水性（親油性）の部分と水に溶け込む親水性の部分を両方持つ。そのため水と油をなじませる働き（乳化作用）があり、水と油を混合した液にセッケンを入れると均一な乳濁液（＝白く濁った液）となる。

この働きにより、油汚れを水中に浮かせ汚れを落とすことができる。

［９０］正答２

Ａ　ポリエチレンテレフタラート（PET）は、「イ」にあるようにペットボトルや繊維（ポリエステル）として用いられる。なお、製法については、特に覚えなくてよい。
Ｂ　セッケン（高級脂肪酸のナトリウム塩）をつくる反応である。洗浄作用があるという「ア」との組み合わせが正しい。

以上からサリチル酸メチルについてはわからなくとも、選択肢は２と決まる。

［９１］正答１

熱すると柔らかくなるのは熱可塑性樹脂（可塑とは柔らかく形を自由に変えられることを意味する）で、ポリエチレン、ポリ塩化ビニル、PET（ポリエチレンテレフタラート）など「ポリ」で始まるものが多い。

一方、コンセントなどの電気器具や食器に用いられるプラスチックは熱に弱いと困るので、熱硬化性樹脂（いったん熱を加えると固くなって元に戻らない）が使われている。こちらは、フェノール樹脂、尿素樹脂など「樹脂」と名前につくものが多い。

Ⅱ－3　金属の物質

[９２] 正答５

1　銑鉄は炭素の含有量が高くもろいので、そのままでは使えない。炭素の含有量を減らした鋼にすると粘り強さが増すため、さまざまな用途に使えるようになる。

2　鉄は高温で加熱すると黒サビが、緩やかにさびると赤サビができる。ボロボロになっていくのは赤さびである。黒さびはアルミニウムと同じように、丈夫な酸化皮膜となり内部を保護する働きをもつ。

3　はんだは、すずを主体とした合金で、融点が低い特徴をもつ。そのため「はんだごて」で容易に溶ける。

4　鉄は酸に水素を発生させて溶ける。また、溶けた溶液が青色（＝イオンが青色）となるのは銅である。金属が酸に「溶ける」ということは「陽イオンになる」ということである。

5　正しい。鉄が酸化される反応は発熱反応であって、使い捨てカイロは触媒を使って急速に鉄を酸化させることで熱を発生させる。ふつうにさびるときも熱が発生しているが、非常にゆっくりとした反応のため気づかない。

[９３] 正答５

1　赤い金属で、緑青というサビが生じるのは、銅 Cu である。

2　ステンレスは、鉄 Fe を主体とする合金である。

3　ジュラルミンは、アルミニウム Al を主体とする合金である。

4　最も電気伝導性が高く、ハロゲン化合物が写真フィルムに利用されているのは、銀 Ag である。

5　正しい。１～４の選択肢が消せるのでこれしか残らない。なお、いわゆる乗用車のバッテリーは鉛蓄電池といい、鉛を電極に使っている。

[９４] 正答２

1　ジュラルミンの成分とあるので、アルミニウムの説明とわかる。

2　赤色で、電気伝導性が高く、青緑色のサビを生じる等は、銅の性質として適切である。

3　常温で液体となる金属は、水銀である。

4　ハロゲン化物が写真フィルムに用いられるのは、銀である。

5　鉄は、天然には鉄の酸化物である鉄鉱石として産出する。ステンレスは鉄とクロムなどの合金である。建築材・機械材に用いられるのは、鉄に炭素が含まれる鋼である。

[９５] 正答３

周期表の１族から水素を除いたものをアルカリ金属といい、軽くて軟らかい金属である。イオン化傾向が大きく、空気中ではすぐにさびる。水には激しく水素を発生させながら溶け、塩基性の溶液をつくる。フェノールフタレインは、強塩基性で無色から赤色にかわる pH 指示薬である。BTB も pH 指示薬の一種であるが、覚えるまでの重要性はない。

[９６] 正答４

ア　ふくらし粉という記述から、炭酸水素ナトリウム（重曹）とわかる。

イ　アとウがわかれば答えは出るので重要ではない。水酸化ナトリウムは、空気中の水分を吸って（吸湿性）、溶けたようになっていく性質（潮解性）をもつ。

ウ　水溶液が中性で食品の調理・加工に利用されるという記述から、塩化ナトリウム（食塩）とわかる。

[97]正答1

A　胃のX線写真の造影剤という記述から、硫酸バリウム $BaSO_4$ とわかる。
B　重曹とあるので、すぐに炭酸水素ナトリウム $NaHCO_3$ とわかる。
C　消石灰とあるので、水酸化カルシウム $Ca(OH)_2$ とわかる。
D　融雪剤、乾燥剤という記述から、塩化カルシウム $CaCl_2$ とわかる。

[98]正答3

塩化ナトリウム NaCl はナトリウムの黄色、塩化カリウム KCl はカリウムの赤紫色、塩化銅 $CuCl_2$ は銅の青緑色の炎色反応をしめす。

[99]正答3

石灰石に酸を加えて発生する気体は、二酸化炭素である。また、炎色反応が橙赤色となるのは、石灰石にカルシウムが含まれていることを示す。

なお、補足として解説しておくと、二酸化炭素 CO_2 を石灰水に通すと白濁するのは、石灰水中のカルシウムイオン Ca^{2+} と、二酸化炭素 CO_2 が水に溶けて生じる炭酸イオン CO_3^{2-} が反応して、炭酸カルシウム $CaCO_3$ の沈殿ができるためである。

[100]正答4

A　銀イオンと反応して白い沈殿（＝白いにごり）を生じるイオンは塩化物イオンであるから、選択肢から粉末は塩化ナトリウムと考えられる。
B　硫酸イオンと反応して白い沈殿（＝白いにごり）を生じる物質はカルシウムイオンかバリウムイオンであるから、選択肢から溶液は水酸化バリウム溶液と考えられる。

Ⅱ－4　酸化還元

[101]正答1

酸は、酸味を有し、青色リトマス紙を赤色に変え、多くの金属を水素を発生させながら溶かす性質を持つ。これは溶液中で電離して生じている水素イオン H^+ の働きである。

[102]正答3

1　酸は、青色リトマス紙を赤色に変える。
2　酸の価数と酸性の強弱は、直接関係しない。たとえば炭酸 H_2CO_3 は2価の酸であるが弱酸であり、強酸である塩酸より同濃度では pH が大きい（＝酸性が弱い）。
3　電離度が1（＝100％）の酸・塩基を、それぞれ強酸・強塩基という。正しい。
4　pH は7より小さいほど、酸性が強い。
5　中和によって生じるのは、水と塩である。

[103]正答2

㋐　食塩水（塩化ナトリウム水溶液）は中性（$pH = 7$）で、水を加えても7のまま変わらない。
㋑　水酸化ナトリウム水溶液は塩基性（$pH > 7$）で、水を加えて薄めると塩基性が弱くなり、pH が7に近づく（pH は小さくなる）。
㋒　塩酸は酸性（$pH < 7$）で、水を加えて薄めると酸性が弱くなり、pH が7に近づく（pH は大きくなる）。

[104] 正答1

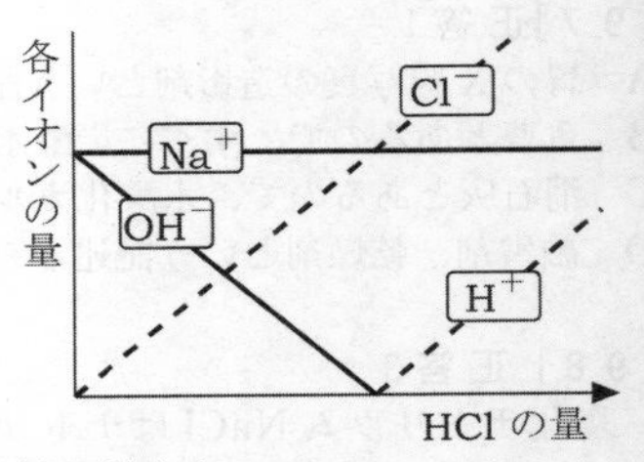

○もともと溶液中にあったイオン

・ナトリウムイオン (Na^+) …中和には関係しないので量は変化しない。

・水酸化物イオン (OH^-) …加えられた水素イオンによって中和され、水 H_2O となるのでしだいに量が減少していく。

○加えられていくイオン

・水素イオン (H^+) …加えても水酸化物イオンによって中和され水 H_2O となるので、水酸化物イオンがほとんどなくなるまで量は増えない。

・塩化物イオン (Cl^-) …加えるにしたがって量が増えていく。

[105] 正答3

酢酸は1価の酸、硫酸は2価の酸、水酸化ナトリウムは1価の塩基であるから、中和の式をたてると、

酢酸： $0.1\ \text{mol/L} \times 1\text{価} \times x\ \text{L} = 0.10\ \text{mol/L} \times 1\text{価} \times 2.0\ \text{L}$

$x = 2.0\ \text{L}$

硫酸： $0.1\ \text{mol/L} \times 2\text{価} \times x\ \text{L} = 0.10\ \text{mol/L} \times 1\text{価} \times 2.0\ \text{L}$

$x = 1.0\ \text{L}$

[106] 正答5

水酸化ナトリウム (NaOH) は OH を1組もつので、1価の塩基である。中和の式をたてると、

$$2.0\ \text{mol/L} \times x\text{価} \times \frac{50}{\cancel{1000}}\ \text{L} = 1.0\ \text{mol/L} \times 1\text{価} \times \frac{200}{\cancel{1000}}\ \text{L}$$

$$x = 2\text{価}$$

となるので、選択肢の中から2価の酸を探せばよいことがわかる。すなわちHを2個、化学式にもつ酸である硫酸 H_2SO_4 ということになる。

[107] 正答2

ア　酸素を得ると酸化、失うと還元である

イ・ウ　電子や水素を得ると還元、失うと酸化である。

エ・オ　亜鉛 Zn は陽イオン Zn^{2+} になっているので、電子を失って酸化されている。陽イオンである銅イオン Cu^{2+} は銅 Cu になっているので、電子を得て還元されている。

カ・キ　複雑な反応では酸化数を使って酸化・還元を考える場合があるが、選択肢からカは判断しなくとも答えは出るので、ここでは解説は省略する。

[108] 正答3

A　燃焼は、酸素と結びつく酸化反応である。マグネシウム Mg は、燃焼によって酸化マグネシウム MgO になっている。

B　酸化鉄 Fe_2O_3 が酸素を失って鉄 Fe になる反応なので、鉄は還元されている。

C　塩素 Cl_2 が水素を得て塩化水素 HCl になっているので、塩素は還元されている。

D　水素・酸素の出入りが直接ないので判断しにくいが、他の選択肢から答えが得られるのでわざわざ検討する必要はない。

E　Aと同じく燃焼なので、酸化反応である。メタン CH_4 中の炭素は、水素を失い酸素を得て二酸化炭素 CO_2 になっている。

[１０９] 正答2
銀板→硫酸銅（銅イオン）溶液　銀より銅の方がイオン化傾向が大きいので変化なし
銅板→硫酸銅（銅イオン）溶液　銅どうしでイオン化傾向の差がないので変化なし
亜鉛板→硫酸銅（銅イオン）溶液　亜鉛の方がイオン化傾向が大きいので、亜鉛が溶けてイオンになり、銅イオンは銅となって析出する。

[１１０] 正答4
ア　常温で水と反応するＣは、ナトリウムである。
イ　Ｄイオンをふくむ水溶液にＡを入れると、Ｄが析出することから、イオン化傾向はＡ＞Ｄである。問題文では記されていないが、このときＡは溶けてイオンになっている。
ウ　ＡとＢで電池をつくると、Ａが正極になることから、イオン化傾向はＢ＞Ａである。
エ　希硫酸と反応して水素を発生するＥは、鉄かアルミニウムである。（ナトリウムも酸と反応して水素を発生させるが、すでにＣと判明している）
以上の条件から考えられるのは、
ナトリウム－アルミニウム－　鉄　－　銅　－　銀
Ｃ　＞　Ｂ・Ｅのどちらか　＞　Ａ　＞　Ｄ

[１１１] 正答4
グルコースやエタノールは非電解質の代表例で、溶液は電気を通しにくい。また、蒸留水も電気を通しにくい。よって消去法により、４とわかる。
なお、水でぬれた手は感電しやすいではないかと考える人もいると思うが、生活の場にある水は空気中の二酸化炭素が溶けた薄い炭酸となっているため、蒸留水よりはるかに電気を通しやすくなっている。

[１１２] 正答3
亜鉛と銅を比べると、亜鉛の方がイオン化傾向が大きいので、亜鉛は電子を放出して陽イオンになる。そこで生じた電子が導線を伝わって反対の極に流れていくため電気が生じる。電子が流れる向きと電流が流れる向きは、逆である。電流は正極から負極に流れるとするので、すなわち亜鉛板が負極、銅板が正極となる。
なお、参考のために記すと、電流と電子の流れる向きが逆になっているのは、電気が何か分かっていない時点で、電流の向きを定義したのが原因である。その後、電気とは電子の流れであり、しかも流れる向きが逆だとわかったのだが、すでに定着していたのでそのままになっている。

[１１３] 正答4
電気分解においては、電池の負極（－）に接続した極を陰極（－）という。電池の負極からつぎつぎ電子が送り込まれてくるので、陰極には電子が欠けている陽（＋）イオンが集まり電子を受け取る。
イオン化傾向がきわめて大きなナトリウムイオンNa^{+}などの場合は水素H_2が発生するが、それ以外の金属イオンの場合はその金属が析出する。また、硫酸や硝酸に含まれる陽イオンは水素イオンH^{+}なので、電気分解するとそれが電子を受け取って水素H_2が発生する。

[１１４] 正答3
陰極（－）と陽イオン（＋）が、陽極（＋）と陰イオン（－）がそれぞれ引き合うと覚えておくと良い。なお、電極として白金電極と炭素（黒鉛）電極の２種類が出てくるが、これは解答に影響はないので考えなくて良い。
１・２　陽極（＋）では塩化物イオンCl^{-}が塩素Cl_2となって発生し、陰極（－）では銅イオンCu^{2+}

が銅 Cu として析出する。

3・4　陽極（+）では塩化物イオン Cl^- が塩素 Cl_2 となって発生し、陰極（−）では陽イオンがナトリウムイオン Na^+ なので代わりに水素 H_2 が発生する。

5　陽極（+）では陰イオンが硫酸イオン SO_4^{2-} なので代わりに酸素 O_2 が発生し、陰極（−）では銅イオン Cu^{2+} が銅として析出する。

Ⅱ－5　化学反応と量

[115] 正答1

アは質量保存の法則でラボアジエ、イは倍数比例の法則でドルトン、ウはアボガドロの法則となる。

[116] 正答4

Aは気体反応の法則で誤り、Bは倍数比例の法則で正しく、Dも質量保存の法則で正しい。以上から4が正答とわかる。

参考までに、Cのボイルシャルルの法則は、気体の体積が圧力に反比例し、絶対温度に比例するというのが正しい内容となる。

[117] 正答5

A　塩酸と水酸化ナトリウムの中和反応がおこる。塩化ナトリウムと水が生じるが、気体は反応に関係しないので質量の増減はない。

$HCl + NaOH \longrightarrow NaCl + H_2O$

B　マグネシウムが酸化され（空気中の酸素と化合し）、酸化マグネシウムができる。酸素が化合した分、質量は増す。

$2Mg + O_2 \longrightarrow 2MgO$

C　塩酸とアルミニウムが反応して水素が発生する。水素が気体として失われるので、質量は減る。

$6HCl + 2Al \longrightarrow 3H_2\uparrow + 2AlCl_3$

[118] 正答5

それぞれ分子量は、以下のように求められる。

A　二酸化炭素 CO_2：12[Cの原子量]×1個＋16[Oの原子量]×2個＝44

B　酸素 O_2：16[Oの原子量]×2個＝32

C　アンモニア NH_3：1[Hの原子量]×3個＋14[Nの原子量]×1個＝17

D　二酸化窒素 NO_2：14[Nの原子量]×1個＋16[Oの原子量]×2個＝46

E　水 H_2O：1[Hの原子量]×2個＋16[Oの原子量]×1個＝18

[119] 正答4

ア　同温・同圧で同じ体積の気体は、その物質の種類によらず同じ数（同じ物質量）の分子を含む。これをアボガドロの法則という。例えば、0℃・1.0×10^5 Pa (1 atm)・22.4 Lの気体中には、気体の種類に関係なく1 molの分子が含まれる。

イ　アより同じ物質量の分子を含むことになるから、分子量を比較すればよい。わかりやすく0℃・1.0×10^5 Paで22.4 Lの体積だったとすれば、どちらも1 molになるので、

窒　素 N_2：14[Nの原子量]×2個 ＝ 28　　1 molは28 g

二酸化炭素 CO_2：12[Cの原子量]×1個＋16[Oの原子量]×2個＝44　1 molは44 g

となり、二酸化炭素の方が重い。

［１２０］正答2

ア　炭素 C の原子量は 12 なので、12 g が 1 mol（6.0×10^{23} 個）となる。

イ　水 H_2O の分子量は、

　　1［H の原子量］× 2 個 + 16［O の原子量］× 1 個 = 18

　1 mol は 18 g となるので

　1 mol：18 g = x mol：360 g

　　　　x = 20 mol

ウ　アボガドロの法則により、同じ個数の分子を含む気体は同じ体積となる。

［１２１］正答5

1 mol のときの質量・体積の関係から求めればよい。二酸化炭素の分子量は 44 なので、

〔1 mol：〕44 g：22.4 L = 5.5 g：x L　　x = 2.8 L

［１２２］正答3

1 mol（= 22.4 L）の質量が分子量に相当するから、400 mL で 0.5 g の気体が 22.4 L で何 g になるかを計算すればよい。

〔1 mol：〕 x g：22.4 L = 0.5 g：0.4 L　　x = 28 g

従って、分子量は 28 とわかる。

［１２３］正答3

まず化学反応式をつくる。プロパンの燃焼反応は、プロパン C_3H_8 と酸素 O_2 が反応して、二酸化炭素 CO_2 と水 H_2O ができる反応だから、これらを書き出して矢印で結ぶ。

$$C_3H_8 + O_2 \rightarrow CO_2 + H_2O$$

次に、係数を a、b、c、d とおく。原子がそれぞれ何個含まれるかを考え、反応の前後で原子数が等しいことから等式をつくる。

$$a\,C_3H_8 + b\,O_2 \longrightarrow c\,CO_2 + d\,H_2O$$

H　$8a = 2d$　…①

C　$3a = c$　…②

O　$2b = 2c + d$　…③

その次に、含まれる式が最も多い変数の値を仮に 1 とおく。上式では a、c、d のどれかになるが、ここでは $a = 1$ として他の変数の値を求める。

①より　$8 \times 1 = 2d$　　$\therefore d = 4$　…①′

②より　$3 \times 1 = c$　　$\therefore c = 3$　…②′

①′、②′、③より　$2b = 2 \times 3 + 4$　$\therefore b = 5$

従って、化学式は以下のようになり、1 mol のプロパンを燃焼させるのに、5 mol の酸素が必要なことが分かる。また発生する二酸化炭素は 3 mol となる。

$$C_3H_8 + 5O_2 \longrightarrow 3CO_2 + 4H_2O$$

係数比　1 ： 5 ： 3 ： 4

物質量比　1 mol：5 mol ： 3 mol

同様にしてメタンの燃焼式を求めると以下のようになり、1 mol のメタンを燃焼させるためには、2 mol の酸素が必要で、1 mol の二酸化炭素が発生することが分かる。

$$CH_4 + 2O_2 \longrightarrow CO_2 + 2H_2O$$

係数比　1 ： 2 ： 1 ： 2

物質量比　1 mol：2 mol ： 1 mol

以上より、プロパンを完全燃焼させるには、メタンに比べて 2.5 倍の酸素が必要となり、3 倍の

二酸化炭素が発生することがわかる。

［1 2 4］正答5

プロパンの燃焼式は、［1 2 3］で求めたように下式のようになる。

$$C_3H_8 + 5O_2 \longrightarrow 3CO_2 + 4H_2O$$

係数比　1 : 5 : 3 : 4

気体の体積比　24 L : x L

24 L のプロパンと反応する酸素を x L とすると、上記の係数比の関係から、

$(C_3H_8 : O_2 =)$ 1 : 5 = 24 L : x L

x = 120 L

空気中に酸素は20%含まれるから、空気の体積に直すと、

(空気：酸素＝) 1 : 0.2 = y L : 120 L

y = 600 L

［1 2 5］正答4

まず化学反応式をつくる。エタノール C_2H_5OH の燃焼反応は、エタノール C_2H_5OH と酸素 O_2 が反応して、二酸化炭素 CO_2 と水 H_2O ができる反応だから、これらを書き出して矢印で結ぶ。

$$C_2H_5OH + O_2 \longrightarrow CO_2 + H_2O$$

次に、係数を a、b、c、d とおく。原子がそれぞれ何個含まれるかを考え、反応の前後で原子数が等しいことから等式をつくる。

$$a\,C_2H_5OH + b\,O_2 \longrightarrow c\,CO_2 + d\,H_2O$$

H　$6a = 2d$　…①

C　$2a = c$　…②

O　$a + 2b = 2c + d$　…③

その次に、含まれる式が最も多い変数の値を仮に1とおく。上式では a が3式いずれにも含まれるので、a = 1として他の変数の値を求める。

①より　$6 \times 1 = 2d$　$\therefore d = 3$　…①′

②より　$2 \times 1 = c$　$\therefore c = 2$　…②′

①′、②′、③より

$1 + 2b = 2 \times 2 + 3$　$\therefore b = 3$

従って、化学式は以下のようになる。

$$C_2H_5OH + 3O_2 \longrightarrow 2CO_2 + 3H_2O$$

係数比　1 : 3 : 2 : 3

物質量比　[x mol] : [y mol]

❶↑　❷→　↓❸

質　量　4.6 g　[z g]

❶質量は係数比の関係を使うことができないので、物質量にいったん直す必要がある。まずエタノールの質量を物質量に直す。

エタノールの分子量は、

1[H の原子量] × 6 個 + 12[C の原子量] × 2 個 + 16[O の原子量] × 1 個 = 46

エタノール 1 mol は 46 g となるので、

1 mol : 46 g = x mol : 4.6 g

x = 0.1 mol

❷係数比の関係から、反応する酸素の物質量は、

$(C_2H_5OH : O_2 =)$ 1 : 3 = 0.1 mol : y mol

$y = 0.3$ mol

❸最後に、酸素 0.3 mol を質量に直す。

酸素の分子量は、

16[O の原子量] × 2 個 = 32

酸素 1 mol は 32 g となるので、

1 mol : 32 g = 0.3 mol : z g

$z = 9.6$ g

[126] 正答2

水素が燃焼する反応式は以下のとおりとなる。反応する物質の量が2つ以上与えてあるときは、お互いに過不足がないか確認が必要となる。

	$2H_2$	+	O_2 ⟶	$2H_2O$	
係数比	2	:	1 :	2	
気体の体積比	A 20 L		~~40 L~~ 10 L	20 L	…酸素が 30 L 余る
	B 40 L		20 L	40 L	…過不足なくちょうど反応する
	C 30 L		~~30 L~~ 15 L	30 L	…酸素が 15 L 余る
	D 10 L		~~40 L~~ 5 L	10 L	…酸素が 35 L 余る
	E ~~40 L~~ 20 L		10 L	20 L	…水素が 20 L 余る

以上より、B のときに最も発生する水蒸気量が多いとわかる。

Ⅲ 生　物

Ⅲ－1　生命の連続

[127] 正答1

ア「いろいろな物質を必要に応じて出入り…」という記述から、細胞膜とわかる。

イ「生物の個体のいろいろな特徴を次の世代に伝える」のは、染色体（＝遺伝子）の働きであるから、それを含む核の説明とわかる。

ウ「成熟した細胞では…糖…などを含み」という記述から、物質の貯蔵を行う液胞とわかる。

エ「クロロフィルを含み…光合成を行う」という記述から、葉緑体とわかる。

オ「呼吸に関係する酵素を含み…エネルギーを取り出す」という記述から、ミトコンドリアとわかる。

[128] 正答3

A「染色体や核小体を含む」という記述から、核とわかる。

B「光合成を行う」という記述から、葉緑体とわかる。

C「タンパク質合成を行う」という記述から、リボソームとわかる。

D　染色体の中には遺伝子情報を持つDNAが含まれている。

E「細胞の一番外側を包む膜」「動物細胞には見られず」という記述から、細胞壁とわかる。

[129] 正答2

1　タンパク質合成は、動物・植物細胞ともリボソームで行われている。

2　細胞壁の有無は、動物細胞と植物細胞を見分ける重要なポイントである。ゴルジ体（光学顕微鏡では見えないが植物細胞にも存在）、液胞（光学顕微鏡では見えないが動物細胞にも存在）、中心体（動物細胞だけでなく一部の植物細胞に存在）、葉緑体（緑色植物でも根や茎などのすべての細胞に存在するわけではない）の有無だけでは、植物細胞・動物細胞を区別するには不十分である。

3　ミトコンドリアは、動物・植物細胞ともみられ、呼吸によってエネルギーを作り出す働きをしている。

4　色素体とは、色が付いている小粒子をいい、葉緑体も緑色をしているので色素体に分類できる。植物の花が赤色や黄色に見えるのは、細胞内に赤色や黄色の色素体が存在するからである。

5　中心体は核の中に存在するわけでもないので「核の中心組織」というのは適当ではない。動物細胞と一部の植物細胞に存在し、細胞分裂の際には2つに分かれて、紡錘（ぼうすい）体の形成に関与する。

[130] 正答1

細胞壁がないという記述から、すぐに動物細胞とわかる。また1つの母細胞から1回の分裂を経て2つの娘細胞ができていることから、体細胞分裂とわかる。

[131] 正答4

体細胞分裂は、生殖細胞以外の細胞をつくるときに行われる細胞分裂である。1回のみ分裂がおき、2個の娘細胞がつくられ、母細胞と娘細胞の染色体の数は同じである。

一方、減数分裂は2回の分裂が連続しておこり、4個の娘細胞がつくられ、染色体の数は半減する。

[132] 正答5

ア　細胞分裂の前期には、明瞭でなかった染色体が集まってひも状にまとまる。

イ　体細胞の中の染色体の数は同じ種であれば同一であるが、種が異なれば異なる。
ウ　生殖細胞（配偶子）は体細胞の半分の染色体しかもたないが、2つの生殖細胞が合体（受精）してできた子の個体は、親の体細胞と同じ数の染色体をもつこととなる。

[133] 正答2
糖とリン酸と4種類（A、T、G、C）の塩基が結合したヌクレオチドが、さらに多数結合したものがDNAである。二重らせん構造という独特の形を持っており、その鎖の中心ではAとT、GとCの塩基がそれぞれ向かい合ってペアを組んでいる。

[134] 正答1
1　RNAは、3種類に分けられ、それぞれが役割を分担してタンパク質の合成を行っている。正しい。
2・3・4　いずれもDNAについての説明である。
5　RNAは核の内外のいずれにも存在するので、誤りである。

[135] 正答1
A　遺伝の法則は、メンデルがエンドウを用いた実験により見出したものである。
B　対立形質をもつ個体を交配したときに、雑種第1代F_1（=「子」）において一方の形質しか現れないことを優性の法則という。F_1で現れた形質を優性形質、現れなかった形質を劣性形質という。
C　さやの色の遺伝子を緑色はA、黄色はaとすると、雑種第2代F_2（=「孫」）では図のように緑：黄=3：1となる。
D　「親」の緑色のさやの遺伝子型はAA、雑種第2代F_2（=「孫」）の黄色のさやの遺伝子型はaaであるから、交配すると図のようにすべて緑色のさやとなる。

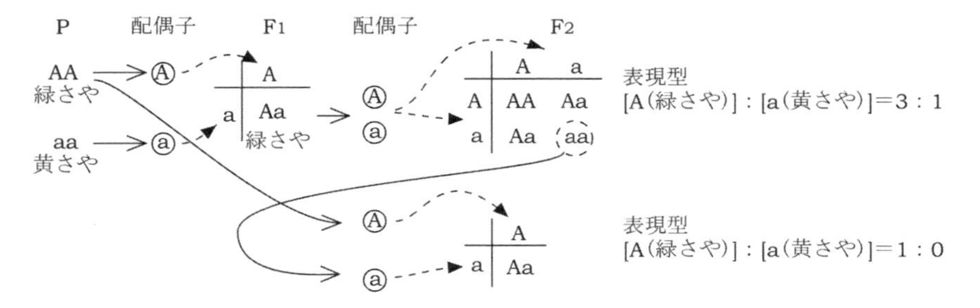

[１３６] 正答５

F_1 の遺伝子型は Aa であるから、それぞれ AA、aa、Aa と交配してどうなるか調べていけばよい。

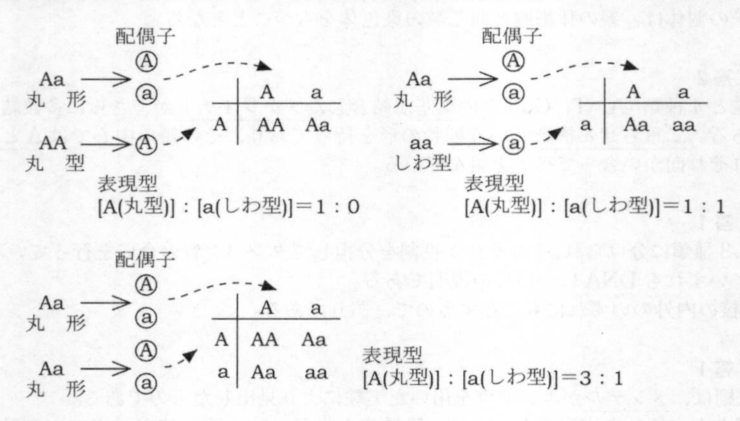

[１３７] 正答２

丸い種子の遺伝子を A、しわの種子の遺伝子を a とする。

純粋種とは書かれていないので、丸い種子の遺伝子型は AA と Aa の両方の可能性があることに注意する。

A　親は丸い種子と書かれているがこれだけでは遺伝子型が AA か Aa かわからない。Aa で自家受粉すれば、図のようにしわの種子が生じる可能性があり、誤り。

B　親はしわの種子と書かれている。遺伝子型は aa しかあり得ないので、自家受粉すればかならずしわの種子となる。正しい。

C・D　丸い種子の親が Aa であれば、しわの種子の親 aa と交配させると、丸い種子としわの種子の両方が生じる可能性がある。誤り。

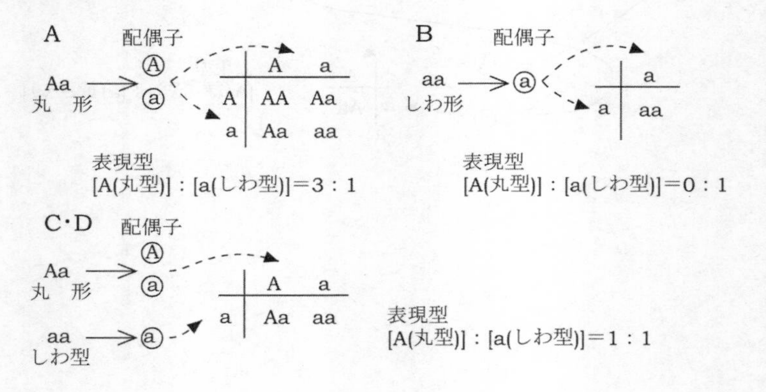

Ⅲ－２　同化と異化

[１３８] 正答４

ア、イ　光合成は、「二酸化炭素＋水＋光エネルギー ⟶ グルコース（糖）＋酸素＋水」という反応になる。
ウ、エ　光が強いほど光合成の速度は速くなるが、光飽和点に達するともうそれ以上は増えず一定のままとなる。

[139] 正答2
A　光合成は、光エネルギーを利用して光合成を行い、水と二酸化炭素から有機物（グルコース）を合成する。
B　植物は、動物と同じように呼吸によってエネルギーを得ている。正しい。
C　植物は光が弱いと、光合成による二酸化炭素吸収量よりも呼吸による二酸化炭素発生量の方が多くなる。
D　植物の光合成速度は、30～40℃までは温度に比例するように大きくなるが、あまりにも高温になれば枯れてしまうのは常識でわかるだろう。
E　陰生植物は陽生植物より補償点が低い。正しい。
F　同じブナの葉でも、光が十分当たるところにある陽葉は、弱い光しか当たらないところにある陰葉に比べて葉の厚さが厚くなる。これは、光が十分当たっている葉では、細胞を密集させてできるだけ多くの光合成をおこなうとするからである。

[140] 正答3
E点は光飽和点であり、光合成量が呼吸量を上回っている。これ以上光が強くなっても光合成量は増えないので、5は誤りとなる。

[141] 正答3
陽生植物が陰生植物より補償点も飽和点も高くなっている3が正しい。なお、2・4・5はグラフの形そのものがおかしいので、すぐに消すことができる。

[142] 正答4
酵母菌や乳酸菌がグルコースを分解してエネルギーを得る反応を発酵という。なお、酵母菌・乳酸菌も酸素が十分にあれば呼吸によってエネルギーを得ることができる。

[143] 正答2
酵母菌はグルコースを分解してエタノールと二酸化炭素をつくり（アルコール発酵）、乳酸菌はグルコースを分解して乳酸をつくる（乳酸発酵）。

[144] 正答4
酵素は、生体内で化学反応を促進する触媒としての働きを持っている。酵素は、それぞれ働く相手の物質（基質）が1対1の関係で決まっており、この性質を基質特異性という。
また、酵素が働くためには適切な温度があり、常温の範囲であれば温度が高いほどよく働くが、40℃をこえると急速に働きを失う。したがってグラフの形はbが適切である。これは酵素がタンパク質でできているため、高温になるとその性質が変わってしまうからである。

[145] 正答3
1　酵素は触媒として働くため、自らは変化しない。そのため、少量で繰り返し作用する。
2　ビタミンは栄養素の一つであって、酵素ではない。
3　酵素は働く相手が決まっており、これを基質特異性という。正しい。
4　酵素が最も良く働く温度は、体内環境と同じ40℃前後である。80℃まで加熱すると、タンパク質でできているので酵素が壊れ働かなくなる。
5　強い酸性の環境下にある胃で働くペプシンは、酸性でよく働くようになっている。

[１４６] 正答4
消化管の中は、細胞外になる。唾(だ)液に含まれデンプンを分解する酵素はアミラーゼ、胃液に含まれタンパク質を分解する酵素はペプシン、膵(すい)液に含まれ脂肪を分解する酵素がリパーゼとなる。

[１４７] 正答2
少なくとも、以下の部分で誤りとわかる。
1　アミラーゼは、デンプンを分解する消化酵素である。
3　胆液は肝臓でつくられる。胆のうは胆液を蓄えているに過ぎない。また胆液は、脂肪の乳化作用があるだけで消化酵素は含まない。
4　腸液は小腸で分泌される。またリパーゼは、すい液に含まれ脂肪を分解する。
5　すい液は、リパーゼなどの消化酵素を含んでいる。消化酵素を含まない消化液は、胆液である。

[１４８] 正答1
グルコース・アミノ酸は、小腸の柔毛にある毛細血管に吸収される。また、脂肪酸とモノグリセリドは、小腸の柔毛にあるリンパ管に吸収される。グルコースの一部は、肝臓でグリコーゲンに変えられ貯蔵される。

[１４９] 正答1
1　血液中の余分な水分や塩分を排出して、血液の塩分濃度（浸透圧）の調節をするのは腎臓である。
2　胆汁（胆液）は、肝臓でつくられ、胆のうに蓄えられて、必要に応じて十二指腸に分泌される。
3　吸収したグルコースの一部をグリコーゲンに変えて蓄え、血液中のグルコースの量が減少するとグリコーゲンをグルコースに戻して血液中に放出する。
4　肝臓の持つ解毒作用についての説明である。
5　タンパク質は窒素Nを含むため、これを分解すると有害なアンモニアNH_3が生じるが、これを害の少ない尿素に変える働きを持つ。

[１５０] 正答2
それぞれ、腎臓の働きと肝臓の働きに分類すると以下のようになる。
腎臓の働き
ア　血液中の余分な水分や塩分を排出して、血液の浸透圧（塩分濃度）を調節する。
オ　まず血液から様々な物質をこしだした原尿がつくられ、それから必要なものが再吸収されて、残ったものが尿として膀胱(ぼうこう)に送られる。
肝臓の働き
イ　グルコースをグリコーゲンに変えて貯蔵し、血糖量を一定に保つ。
ウ　さまざまな化学反応（代謝）によって発生する熱が、体温維持に役立っている。
エ　有毒なアンモニアを尿素につくりかえる。

[１５１] 正答1
ぼうこうは尿をためるだけで、尿を作る働きはない。よく間違えるので注意したい。尿を作るのは腎臓、尿素を作るのは肝臓である。

Ⅲ－3　ヒトの体内環境 (1)

[152] 正答1

ア　有形成分の赤血球・白血球・血小板は主に骨髄でつくられ、古くなった赤血球は肝臓などで分解される。
イ　ほ乳類の赤血球は、つくられたときは核を持つが、核を失ってから働く特殊な細胞である。
ウ　赤血球は、酸素と結合する色素ヘモグロビンを含む。
エ　二酸化炭素は、血しょうの主成分である水に溶けて炭酸の化合物の形で運ばれる。
オ　食作用を示すのは、白血球である。血小板は血液凝固の働きを持つ。

[153] 正答2

1　体循環では、左心室から送り出された血液は、大動脈を経由して全身に酸素を供給し、大静脈を経由して右心房へ戻ってくる。
2　正しい。
3　血液は、空気にふれると血小板の働きによって凝固し、有形成分が血餅、血しょうの大部分が血清となる。なお、フィブリンは血しょう中に含まれる物質で、血小板と協力して血液凝固に寄与する。
4　リンパ液は、血管からしみだしてきた血しょう（しみ出した状態では組織液と呼ばれる）が、血管に戻らずにリンパ管に入ったものをいう。
5　リンパ球は、白血球と同じ働きをして食作用を示すほか、免疫に深く関係している。

[154] 正答1

心臓から送り出される血液が「肺に運ばれる」とあるから、肺循環の説明である。右心室から送り出された静脈血は、肺動脈を通って肺に至り、二酸化炭素を手放し酸素と結合するガス交換をしたのちに、肺静脈を通って左心房に入る。

肺循環では、血管の名称（「動脈」は心臓から出る血管で脈をうつ）と、血液の名称（「動脈血」は酸素を多く含む血液）が一致しないことに注意しておくこと。

[155] 正答5

1　図に示されている心臓の弁（逆流を防ぐ）の向きから見て、循環する順序はA→C→F→肺→H→B→D→E→体の組織→G→Aである。
2　心臓から血液が肺に送り出されるのは、F（肺動脈）のみである。また肺では酸素と二酸化炭素のガス交換が行われるが、細菌の排出は行われていない。
3　心臓は心房（A・B）と心室（C・D）が交互に収縮・拡張して、血液を全身と肺に送り出している。
4　大動脈は心臓から体の組織に向かうEをいう。Gは大静脈である。体の組織の部分では、すべての細胞にくまなく酸素を届けるために、非常に細い毛細血管となって網の目のように広がっている。
5　酸素をあまり含まない静脈血（G→A→C→Fの区間）は暗赤色であるが、酸素を含む動脈血（H→B→D→Eの区間）は鮮紅色となっている。

[156] 正答3

①は全身から戻ってくる血液が流れる大静脈であり酸素濃度は低いが、②は肺循環を経て酸素を受け取った血液が流れる大動脈であり酸素の濃度は高い。この図では肺動脈・肺静脈は省略されていることに注意する。

尿素は肝臓でつくられ血液中に放出されるので、④より③のほうが尿素の濃度は高い。なお、尿

素は最終的には腎臓でこし出されて排出される

消化管で吸収されたグルコースが⑤（肝門脈）に流れるので、⑤のグルコース濃度は⑥と比べて高い。なお、肝臓で余分なグルコースはグリコーゲンとして貯蔵されるので、③ではグルコース濃度は低くなる。

［157］正答3

A　感覚中枢や記憶・言語・思考などの高等な精神活動の中枢とあるので、大脳とわかる。
B　視床と視床下部からなり、自律神経系の中枢とあるので、間脳とわかる。
C　眼球の働き、姿勢の保持などに関係する中枢とあるので、中脳とわかる。
D　生命維持に欠かせないとあるので、延髄とわかる。
E　体の姿勢を保つとあるので、小脳とわかる。

なお、参考のため図の解説をしておく。大脳（A）はヒトの中枢神経のなかで最も体積が大きい。延髄（D）は背骨の中にある脊髄の延長上にあり、細長い形をしているのでそれとわかる。小脳（E）は後方に位置するので判別できるが、間脳（B）と中脳（C）は位置や形状から見つけるのはやや難しい。

［158］正答2

1　髄質は神経繊維が集まっているだけの部分である。
2　皮質のうち、古皮質に本能行動の中枢、新皮質に感覚･随意運動（意識したとおりに動かす運動、主に骨格筋の運動など）・高等な精神活動の中枢がある。正しい。
3　自律神経の中枢となるのは、間脳である。
4　運動の調節・体の平衡などの中枢となるのは、小脳である。
5　姿勢を保つ・眼球の運動などの中枢となるのは、中脳である。

［159］正答4

脊髄反射の反射弓は、感覚神経→脊髄→運動神経となる。

［160］正答3

反射とは、無意識（大脳の判断を経ず）におこる反応である。「暑い部屋に入ると思わずうちわであおぐ」というのは比喩的な表現であり、実際は大脳の指示によるものであることは言うまでもないだろう。

反射の中枢は主に脊髄で、刺激を受けると受容器→感覚神経→反射中枢→運動神経→効果器という経路で反応をおこす。

［161］正答3

近くのものをみるときは焦点距離を短くしないとピントが合わないので、毛様体筋が収縮して水晶体を厚くし、焦点距離を短くする。一方、光の量の調節は虹（こう）彩が行っており、暗い部屋では水晶体の前でカバーの役割をしている虹（こう）彩が開いて、光を取り込む穴である瞳孔が拡大し、網膜に光をたくさんあてるようになっている。

［162］正答3

空気の振動は、まず鼓膜を振動させ、それが耳小骨によって増幅される。その振動がうずまき管の中のリンパ液を揺らすことによって、聴神経が興奮し、音として感じることができる。

[１６３] 正答4
ア　網膜にあって光の明暗を感じるとあるので、かん体細胞とわかる。
イ　内耳（耳の奥の部分）にあって聴覚が生じるとあるから、うずまき管とわかる。
ウ　指先にあってさまざまな刺激を感じる点は、痛点とよばれている。

Ⅲ－4　　ヒトの体内環境（2）

[１６４] 正答5
抗原を排除する作用には様々なものがあるが、自然免疫といわれるものが白血球による食作用である。一方、食作用によって得られた情報をもとにその抗原に対してのみ働く抗体がつくられる仕組みを獲得免疫という。抗原と抗体は１対１で対応しており（特異性があり）、たとえば麻疹（はしか）の抗体は風疹（三日はしか）ウイルスには有効ではない。
予防接種とは、あらかじめ害がないようにした抗原を注射して、抗体を作らせることでその病気にかかりにくくするものである。また、アレルギーとは、本来は無害なものに抗体がつくられて過剰反応が起こるもので、そばアレルギーなどの食物アレルギーやスギ花粉症が知られている。

[１６５] 正答5
1　最初に病原体に感染したときは、抗体がつくられるまで時間がかかるので治るまで時間がかかる。しかし、2回目の感染ではすでに抗体が存在するので（免疫記憶）すみやかに排除され、発症しないか発症しても症状は軽くなる。
2　自分以外の物質に対してそれを排除しようと働くのが免疫で、他人の骨髄に対しても（自分のものではないと認識してしまうと）それを攻撃してしまう。これは細胞性免疫の一種である。そのため、性質が自分と同じ人から移植する必要がある。
3　花粉症とは、本来無害なスギ花粉が抗原となり、それを排除しようとするアレルギーの一種である。
4　予防接種は、弱めた抗原（ワクチン）を注射して抗体を作らせるものである。すでにできている抗体を接種するのは、血清療法である。
5　抗体はリンパ球によってつくられるが、エイズウイルスはこのリンパ球を破壊するため、獲得免疫の働きが失われる。そのため、正常な人間では問題にならないような弱い病原体によっても重い病気になってしまうようになる。

[１６６] 正答4
抗体はリンパ球によってつくられ、決まった特定の抗原にだけ選択的に結合し、無毒化する作用を持つ。抗体と抗原が反応することを抗原抗体反応といい、獲得免疫のひとつである体液性免疫に分類される。一方、スギ花粉症のように、本来無害なものに対して抗体が作られ過剰な反応が起きることをアレルギーという。

[１６７] 正答3
交感神経が興奮すると、一般的に各器官が活動的に調節される。これは、わかりやすく言えば、驚いたときの状態に近い。すなわち、瞳孔は大きく開き、心臓の拍動が増し、血圧が上がり、顔は青ざめ（皮膚の血管が収縮して血液の流れる量が減る）、「食べ物ものどを通らない」という気分（つまり消化に関する働きは抑制される）になる。このとき、消化に関することだけは抑制的に調節されることに注意する。驚くようなことが起きた（身に危険が迫った等）ときは、のんびり食事を摂っている場合ではないことは容易にわかるだろう。

［168］正答1

交感神経と副交感神経は、ペアになって分布しており、基本的には交感神経が活動的に、副交感神経が休息的に、働きを調節する。（ただし、消化に関する働きは逆である）。

ホルモンの分泌にも関与しており、たとえば交感神経が興奮すると副腎髄質からアドレナリンが、すい臓のランゲルハンス島A細胞からはグルカゴンが分泌される。

［169］正答3

1　ホルモンは、体の中の内分泌腺でつくられる物質である。「生体に必要な有機物の合成やエネルギーの産出の基質（＝原料というような意味）となる」とあるので、この選択肢は炭水化物などについての説明である。

2　意味不明の選択肢なので、放置する。

3　正しい。ホルモンは内分泌腺でつくられて、血液で運ばれ、特定の器官に作用する。

なお参考までに記すと、物質交代とは体の中の化学反応を、形態形成とは組織や器官を作ることを指す。インスリンが肝臓でグルコースからグリコーゲンをつくる（物質交代）よう働きかけたり、男性ホルモンが男らしい体をつくる（形態形成）ことなどが、ホルモンの働きの例といえよう。

4　外分泌線とは、体外や体外につながる部分（消化管など）に分泌物を放出するものをいう。汗を出す汗腺や、肝臓・すい臓・胃壁や腸壁などの消化液をつくる消化腺がある。ホルモンは内分泌腺でつくられるので誤りとわかる。

なお参考までに記すと、「栄養素の加水分解などの異化作用」とは「消化」のことであり、働くのは消化酵素である。

5　触媒の働きを持つものは酵素である。消化酵素の他、呼吸や光合成といったさまざまな化学反応に寄与する酵素が存在する。

［170］正答1

体温が低下したときは、交感神経が興奮して体の各所に体温を維持・発生させる働きかけを行う。皮膚の毛細血管を収縮させて放熱をおさえたり、甲状腺からチロキシン、副腎髄質からアドレナリンを分泌するよう働きかけ、肝臓での化学反応を促進して発熱量を増やす。

［171］正答3

体温維持、血糖量維持の出題は、まとめに記載されているとおりの内容が出る。

難しい分野は、逆に出題は単純な穴埋め問題が中心となり得点しやすいことが多いので、ちゃんと取り組んでおこう。

［172］正答4

血糖量が上がった場合は、間脳が刺激され副交感神経が働き、すい臓のランゲルハンス島B細胞からインスリンが分泌され、血糖量を下げる。

一方、血糖量が下がった場合は、交感神経が働いてグルカゴンやアドレナリンが分泌され、肝臓でグリコーゲンを分解してグルコースをつくる働きを促進するなどして、血糖量を上げる。

Ⅲ－5　生物の集団

［173］正答4

「出芽 ― 酵母菌」など、無性生殖の例として取り上げられる生物は決まっているので、まとめの内容をよく押さえておく。

有性生殖では、別の単元でやったように染色体数が半分となる減数分裂により生殖細胞（配偶子）

がつくられ、それが接合（受精）することで子となる。有性生殖は面倒なように思うが、多様な遺伝子を持つ個体が生じ環境の変化に対応しやすい。

ここまでで正答は4とわかる。なお参考までに記すと、無性生殖は、細菌をみればわかるように、短時間でたくさんの個体をつくることができる。

［174］正答2

それぞれ次の語句が入る。あまり細かいことを覚える必要はなく、消去法で考えていけば正答の選択肢は簡単に決まる。

A　イソギンチャクかアメーバ
B　出芽
C　栄養（生殖）
D　配偶子

［175］正答1

1　シダ植物は維管束を持つので、正しい。
2　胚珠がむき出しになっているのは、裸子植物の特徴である。
3　植物（コケ植物・シダ植物・種子植物）は、いずれも葉緑体を持つ。
4　花をつけるのは種子植物のみである。なお、雄株・雌株にわかれているのはコケ植物の特徴となる。
5　根・茎・葉の区別がないのは、コケ植物である。

［176］正答5

1　イチョウ、スギ、マツは裸子植物であって、種子をつくる。
2　被子植物は胚珠が子房に包まれているが、裸子植物には子房がなく胚珠がむき出しとなっている。
3　単子葉類と双子葉類の区別に、道管・師管の数は関係ない。
4　主根と側根や網目状の葉脈をもつのは、双子葉類である。
5　正しい。

［177］正答2

道管は根から吸収した水分を運び、師管は葉で作られた栄養分を運ぶ。

図Ⅰのaは双子葉類、bは単子葉類、図Ⅱのaは単子葉類、bは双子葉類となる。

［178］正答4

単純な分類である。いくつかわからない生物があるかもしれないが、トカゲがは虫類というのは確実にわかるだろう。

カメ＝は虫類、コウモリ＝哺乳類、サンショウウオ＝両生類、ペンギン＝鳥類となる。

［179］正答3

少なくとも、以下の点で誤りとわかる。

1・2　魚類・両生類は、基本的に体外受精を行う。
4　鳥類は、恒温動物である。肺や心臓は発達しており、効率よく酸素を全身に供給することができる。
5　節足動物（エビ・カニや昆虫など）は体の表面に硬い殻を持っているが、これを外骨格という。対して脊椎動物の骨を内骨格という。また、ほ乳類の受精卵は母胎から栄養を吸収して成長する。

［180］正答2

以下のようになり、肉食動物が入る（　）はない。

生物界をみると、AはBの食物となり、BはCの、そしてCはDの食物になるといったつながりがある。このような関係を食物連鎖というが、食物連鎖のはじまりのAは必ず植物で、Bは必ず植食動物である。そして、B、C、Dの順により強い動物につながっている。この場合、Aに対してB、C、Dは消費者とよばれる。

［181］正答1

生物で有機物というときは、グルコース・デンプンなどの糖、タンパク質、脂肪などを指していると考えるとわかりやすい。対して、無機物とは二酸化炭素や水などを指す。

1　緑色植物は二酸化炭素（無機物）などからグルコース（有機物）をつくり出す生産者である。正しい。

2　菌類・細菌類は遺体や排出物などの有機物を分解して無機物をつくるので、分解者である。

3　動物は緑色植物や他の動物を食べる消費者である。

4　細菌は遺体や排出物を呼吸によって分解してエネルギーを得ており、それらにふくまれた炭素は二酸化炭素となり大気中に放出される。

5　光合成は光エネルギーを用いて有機物を合成する化学反応であり、エネルギーの形態としては光エネルギーから化学エネルギーへの変換ということになる。

［182］正答4

エが、以下のように正答となる。

63.0（ペリカン）÷ 0.0006（湖水）≒ 10万

75.5（カイツブリ）÷ 0.0006（湖水）≒ 12万

自然界にもともと存在しない物質は、生態系の中で分解されにくい。そのため食物連鎖の過程で、高次消費者に濃縮されることが多い。（なお、藻類は光合成をするので生産者となる）有機化合物でもあるDDTなどの農薬は、油に溶けやすいので体脂肪に蓄積しやすい。

［183］正答1

植食動物が増える（B）と、食料とされる植物（生産者）が減る一方、植食動物を食料とする肉食動物は増える。（C）

次に、食料である植物（生産者）が減った上に、増えた肉食動物に食べられてしまうので、植食動物は減少する。（D）

植食動物が減ると、植物（生産者）の数が回復し、一方、食料が減った肉食動物の数も減りもとに戻る。（A）

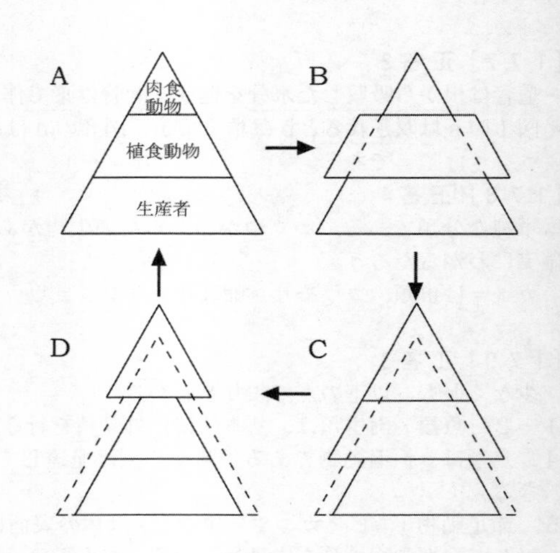

［184］正答5

炭素循環の図であるが、「肉食動物」が欠けている一般的ではないものとなっている。また、大気中の炭素とは二酸化炭素を意味している。
A　植物を捕食するので、植食性動物である。
B　植物や動物から矢印が出ているので、遺体・排出物である。
C　Bから矢印が出ており、燃焼によって大気中に戻ることから、石油・石炭とわかる。石油・石炭は過去の生物の遺体が炭化してできた化石燃料である。
D　遺体・排出物を分解して二酸化炭素を生じることから、分解者である微生物とわかる。

［185］正答3

大気中の二酸化炭素に含まれる炭素は光合成によって有機物に変えられ、次に食物連鎖によって各生物の成長と呼吸に利用され、最終的には再び二酸化炭素として大気中に放出される。このように炭素は、生態系の中で循環している。

対して、太陽エネルギーは光合成によって化学エネルギーに変換され、食物連鎖によって各生物の呼吸に利用されて、それぞれの生物の活動のためのエネルギーとして使われ、最終的には熱エネルギーとなって放出される。つまり、エネルギーの場合は循環していない。

［186］正答5

根粒菌は、マメ科植物の根に根粒をつくって生活している。根粒菌は、空気中の窒素（遊離窒素）を直接取り入れて、植物が肥料として利用できる形である窒素化合物をつくる（窒素固定）。この窒素化合物をマメ科植物に与え、一方、マメ科植物は光合成で得られた炭水化物を根粒菌に与えている。このように相手に利益を与えながら「共同生活」をする関係を、共生という。

それに対して、「共同生活」をしながら一方的に栄養などを横取りし場合によっては相手（＝宿主）を殺してしまうような関係を寄生という。

［187］正答1

次第に大きな植物が繁ってくる方向性は常識でわかると思うが、最終的に「陰樹林」がくる点をおさえておけばよい。なお、地衣類というのは、菌類と藻類などが共生したもので、コケ植物に似た外観をもつ。

［188］正答4

ア　まず、ほとんど土壌がなくても生きていくことができる、地衣類やコケ植物が生える。
イ　土壌が形成されると、日当たりのよいところを好む草（陽生草本）が繁茂するようになる。
ウ　シイは陰樹であるから、誤りとわかる。植物の名称は無限にあるので、全部覚えようなどと考えず、代表的な陰樹だけを確実におさえておけば消去法で問題は解ける。
エ　陽樹林がいったん形成されると、陽樹林の根元は薄暗くなり新しい陽樹は育たなくなる。一方、光量が少なくてもよく生育する陰樹はどんどん生育し、やがて寿命の尽きた陽樹と入れ替わって陰樹林を形成する。なお、一部の植物を除いて、発芽には光は必要とされない。
オ　アカマツは陽樹である。問題を解く上では、すでに選択肢の4が正答とわかっているので、コメツガ・アカマツについては判断する必要はない。

Ⅳ 地　　学

Ⅳ－1　地球

［189］正答3
1　自転による遠心力が働くために、赤道側がやや長い楕円体となっている。
2　地殻は大陸部分が厚く、海洋部分が薄い。
3　マントルはＰ波・Ｓ波両方とも伝えるので、固体である。正しい。マントル対流のように液体に近い性質も持つが、あくまで固体である。
4　外核は液体であるが、内核は固体と考えられている。
5　密度は周囲からの圧力を受けるため、中心にいくほど大きくなっている。

［190］正答1
1　正しい。なお参考のため記すと、アセノスフェアはマントル上部の比較的柔らかい部分、プレート（リソスフェア）は地殻とマントル最上部の比較的硬い部分を指す。
2　マントルは、固体である。
3　核は鉄を主成分とする。また、外核が液体で、内核が固体である。
4　地球は内側にいくほど高温となっている。（中心部が熱を発しており、その熱がマントルの対流によって外側に伝えられている）
5　深成岩は等粒状組織である。斑状組織は、火山岩の特徴である。

［191］正答1
海洋プレートは上昇してきたマントル物質が冷えて固まったもので、海嶺で生み出され、海溝で沈み込んでいく。そのため、海嶺から遠い部分ほど（すなわち海溝では深い部分ほど）古い年代のものとなる。

以上で答えは出ているが、参考までに熱流量について解説しておく。熱流量とは、地球内部から伝わってくる熱のことで、高温のマントルが対流によって上昇してきている海嶺付近のほうが、海溝付近に比べて高い。

［192］正答5
1　大陸プレートは平均 140 km、海洋プレートは平均 70 km の厚さをもち、10枚程度にわかれている。
2　大陸プレート（ユーラシアプレート・北アメリカプレート）の下に、海洋プレート（太平洋プレート・フィリピン海プレート）が沈み込んでいる。
3　プレートの境界面に添って震源が分布しており、日本の太平洋側に位置する日本海溝や南海トラフから海洋プレートの沈み込みが始まっているので、太平洋側では震源が浅く、日本海側では深くなる。なお、それ以外に大陸プレート内部を震源とする地震も起きている。
4　柔らかい地盤では、揺れが増幅されたり、液状化現象がおきるため、被害が大きくなる。
5　正しい。

［193］正答2
初期微動は縦波（Ｐ波）によるもので、主要動は横波（Ｓ波）によるものである。字の形から「Ｐは縦の線があるから縦波、Ｓは縦の線がないから横波」とこじつけて覚えるとよい。震源から遠ざかるほど、初期微動がつづく時間（初期微動継続時間）は長く（大きく）なる。

地震のエネルギー（規模）を表すものとしてはマグニチュードが使われている。

[194] 正答2
1　P波は縦波である。また、P波の方がS波よりも速度が速い。
2　太平洋周縁部では、海洋プレートが大陸プレートの下に沈み込んでおり、大山脈や島弧（弧状列島）の形成、火山活動、地震などが活発に起きている。正しい。
3　造山運動は、プレート同士の衝突によって隆起し山脈や島弧が形成されるもので、地震とは直接関係ない。なお、地震の際には、土地の隆起だけではなく沈降が生じることがある。
4　揺れの大きさを示すものは震度である。
5　震源が浅い地震（直下型地震）は、マグニチュードは比較的小さくとも振動が地表にすぐ伝わるため大きな揺れをもたらすことがある。兵庫県南部地震（阪神・淡路大震災）は、非常に大きな被害を生じた直下型地震の例である。

[195] 正答1
ア　マグマがゆっくりと冷却してできた火成岩は、深成岩である。
イ　サンゴ礁や貝類が堆積してできた生物由来の堆積岩は、石灰岩である。
ウ　石灰岩が熱で変化してできた変成岩は、大理石である。

[196] 正答2
1　火成岩は、地下深くでゆっくり冷えて固まってできる深成岩と地表付近で急速に冷えて固まってできる火山岩に分類される。
2　深成岩は、大きさがほぼそろった結晶からなる等粒状組織をもつ。正しい。
3　火山岩は、大きな結晶である斑晶と細かい結晶の集まりである石基からなる斑状組織をもつ。また、閃緑岩（せんりょく）は深成岩である。
4　チャートは生物に由来する堆積岩である。火山灰などの火山噴出物が固結したものは凝灰岩である。また、玄武岩は火山岩である。
5　石灰岩は堆積岩である。なお、変成岩は海溝付近でのみ見られるというわけではない。

[197] 正答1
二酸化ケイ素が少ない玄武岩質マグマは粘性が低いため、おだやかな噴火で、溶岩流を伴う盾状火山を形成する。

[198] 正答3
1　日本海溝や南海トラフより西側は大陸プレートであり、日本海側に海洋プレートはない。また、火山は日本列島の中央部と伊豆諸島に添って分布している。
2　全くでたらめな選択肢である。
3　火砕流は、火山灰などが高温の火山ガスと混じって噴火口から高速で流れ下る現象である。正しい。
4　カールは、氷河によって削り取られてできた地形である。噴火によってマグマ溜まりに生じた空洞が陥没したものは、カルデラである。
5　マグマが地表で急に冷却してできたものは火山岩、地下でゆっくりと冷えて固まったものは深成岩である。

[199] 正答2
次のような順番で、新旧を考えていく。

①B層→不整合p-q→A層：上の地層が新しく、不整合面p-qはB層とA層の間にある。
②B層→火成岩C→不整合p-q→A層：火成岩Cの貫入は、B層を貫いているがA層には入っていないので、不整合の前とわかる。
③B層→火成岩C→不整合p-q→A層→断層m-n：A層・B層いずれも断層m-nで切断されているので、これが最後とわかる。

[200] 正答3
次のような順番で、新旧を考えていく。
①C(堆積岩の形成)：堆積岩が堆積する。
②C→A(花こう岩の貫入と変成岩の形成)：図をみると、花崗岩に触れた部分の堆積岩が熱を受けて変成岩(ホルンフェルス)になっており、堆積岩ができたのちに花こう岩の貫入が起きたことがわかる。
③C→A→D(安山岩の貫入)：花こう岩の層に、あとから安山岩が貫入する。(花こう岩は高温のマグマが冷え固まったできた火成岩なので、安山岩の貫入による熱を受けて変成岩にかわることはない)
④C→A→D→B(断層の形成)：断層は上記のすべてを切断しているので、これが最後とわかる。

[201] 正答1
示準化石は分布域が広く、特定の時代にのみ繁殖した生物が適しているので、グラフからAとなる。その例としては、アンモナイトが適切である。サンゴは、その地層が形成された地点が浅くて暖かい海だったことを示す示相化石である

[202] 正答1
古生代はカンブリア紀・オルドビス紀・シルル紀・デボン紀・石炭紀・二畳紀(ペルム紀)、中生代は三畳紀・ジュラ紀・白亜紀、新生代は古第三紀・新第三紀・第四紀と、地質時代はさらに細分することができるが、収拾がつかないので覚える必要はない。ただ、カンブリア紀と先カンブリア代を混同しないように。先カンブリア代は「古生代のカンブリア紀の前」ということで名付けられている。
酸素(O_2)濃度が高まり、紫外線によって化学変化をうけてオゾン(O_3)層となったのは古生代の中頃である。最初に地上で栄えたのはシダ植物で、現在産出する石炭のほとんどはこのときのシダ植物に由来する。(そのため石炭紀という名前がある)　また、中生代になって繁栄したのはイチョウなどの裸子植物である。

[203] 正答1
1　古生代の前半(カンブリア紀)はバージェス動物群が出現した。正しい。
2　恐竜が栄えたのは中生代である。また、アンモナイトも中生代の示準化石である。
3　ラン藻類(シアノバクテリア)が大気・海洋中の二酸化炭素を盛んに取り入れて光合成をおこなったのは、先カンブリア代の中頃である。
4　シダ植物が繁茂したのは、古生代後半である。
5　恐竜が絶滅したのは、中生代の末期である。

Ⅳ－2　天　　文

[204] 正答3
A　惑星の公転軌道は、ほぼ円に近い楕(だ)円形となる。同心円とは中心が同じ円をいい、この場合は

それぞれの惑星の公転軌道が太陽を中心とする円になるという意味であり、誤りである。

B・C・D　太陽および太陽系の惑星の自転・公転の方向は、金星の自転をのぞいて同じで、地球の北極側から見て反時計回りとなる。よってB、C、Dは正しい。

E　惑星の公転周期は、太陽に近いほど短く、遠いほど長いので、誤りである。

F　地球の公転周期は、365日より少し長い。そのため、暦の上では4年に1回閏（うるう）年をもうけ、その年は366日とすることで調整している。

[205] 正答1

1　正しい。なお、極冠は固体の二酸化炭素（ドライアイス）と推測されている。

2　水星は、地球型惑星である。

3　金星は、地球より太陽に近いため熱を太陽から多く受け取り、さらに温室効果ガスである二酸化炭素を主とする大気を持つため高温となっている。

4　海王星は、天王星型惑星である。

5　太陽系の最大の惑星は、木星である。

[206] 正答1

以下の点から判断すればよいだろう。

B　大気の主成分が二酸化炭素となるのは金星か火星であるが、地球より内側にある惑星は衛星を持たないから火星とわかる。また、気圧が6～7 hPaと、地球の1013 hPa（1気圧）に比べ小さいことからも、火星と判断できる。

C　気温が高く、かつ、温度差が大きいことから、水星とわかる。

D　地球より気温が高いことから地球より太陽に近い惑星とわかり、Cが水星なので金星とわかる。

[207] 正答4

太陽は、地球の約100倍以上の直径を持ち太陽系の総質量のほとんどを占める、太陽系で圧倒的に巨大な天体である。（次に大きいのは木星で、地球の約10倍の直径となる）

太陽の黒点は、周囲より温度が低い部分である。太陽はガス体であって固体の部分は存在しないが、地球の「地面」に相当するのが光球、「大気圏」に相当するのが彩層、さらにその外側に太陽の直径の数倍の範囲で広がっている層がコロナとなる。

[208] 正答1

太陽は、水素を主成分とするガス体である。コロナから放出されているX線や陽子・電子のことを、太陽風という。黒点はその数が周期的に変化することが知られており、太陽の活動が活発になるとその数が多く（極大）となる。

[209] 正答4

Dのように、見かけの等級の方が絶対等級より明るい（小さい）ときは、基準の位置（32.6光年＝1パーセク）より手前にDが位置していることがわかる。このようにして、それぞれの恒星の位置を考えていくと以下のようになる。

	←地球に近い	基準の位置		地球から遠い→
A		絶対等級2.0	見かけの等級3.0	
B		絶対等級1.0		見かけの等級3.0
C		絶対等級2.0 見かけの等級2.0		
D	見かけの等級2.0	絶対等級3.0		

［２１０］正答1

1　主系列星は、表面温度が高いものが絶対等級も小さい（明るい）ことは図からわかる。なお、太陽も主系列星の一員である。正しい。

2　右上に位置しているのは、赤色巨星である。

3　ブラックホールは、巨星の中でも特に質量が大きな超巨星の爆発（超新星爆発）を経て生じるものであり、白色矮星から変化するのではない。

4　左下に位置しているのは、白色矮星である。

5　超新星とは、超巨星が爆発したものをいう。

［２１１］正答2

地球上の中緯度付近で四季の変化があるのは、地球の自転軸が公転軌道面に対して傾いているためである。それによって、昼夜の時間の変化・太陽の南中高度の変化がおき、太陽からの単位面積あたりの１日の受熱量が増減するので気候が変化する。

［２１２］正答4

北半球が太陽の光をよく受けるＤの位置が夏至とわかる。あとは反時計回りに、Ｃが秋分、Ｂが冬至、Ａが春分となる。

1　地球の公転は自転の方向と同じなので、Ⅱの向きとなる。

2　Ｃは秋分である。

3　Ｄは夏至なので、冬の代表的な星座であるオリオン座は真夜中には見えない。参考までに記すと、夏の代表的な星座はサソリ座である。

4　Ｄは夏至なので、北半球の中緯度に位置する日本は一年で最も太陽の南中高度が高くなる。正しい。

5　Ｄは夏至なので、北極が白夜になる。

［２１３］正答1

赤道上で太陽の南中高度が90°になるのは、春分（3月）・秋分（9月）の時期になる。参考までに記すと、夏至では北回帰線上、冬至では南回帰線上で南中高度が90°となる。

昼の長さは、夏至の頃は北極に近いほど長くなるので、国内では北海道がもっとも長い（15.5時間程度）。そのかわり冬至の頃はもっとも昼の長さが短くなる（9時間程度）。ここまでで、答えは絞れる。

なお、赤道上は１年中、昼と夜の時間が等しい。（昼の時間は常に12時間前後となる）

［２１４］正答5

まとめにある天球図を参照しながら、読んで欲しい。

1　赤道上では、春分・秋分のときに太陽は天頂を通り（南中高度が90°になり）、夏至・冬至のときはそれよりやや外れたルートを通る。

2　赤道上では、すべての星は地平線から直角に上り、直角に沈む。

3・4　オーストラリアは南半球に位置するが、太陽の昇る方角が逆転することはない。また、北極星の位置が南にくることもありえない。

5　北極では、夏至の時期には太陽は一日中沈まない（白夜）。正しい。

［２１５］正答1

まとめにある天球図を参照しながら、読んで欲しい。

1　北極では、天の北極（北極星のある位置）が天頂となるので、北極星は１年中真上に位置している。正しい。

2　北極では、空に出ている天体（月も含む）は地平線と平行に周回するだけで、1日中沈むことはない。

3　赤道上で、太陽が天頂を通るのは、春分・秋分のときだけである。

4・5　南極は、北極と逆で、夏至のころには太陽は1日中のぼらない。白夜となるのは冬至のころとなる。また、天の南極が真上になり、天の北極は地平線の下となるので、北極星は年中見えない。

［216］正答4

地球に書き込まれている「昼夜」から、地球から見た太陽の方向はAの方角とわかる。すなわちAが新月で、それから反時計回りに、Bが上弦、Cが満月、Dが下弦とわかる。

［217］正答1

1　月は、公転周期と自転周期が一致している。たとえば4分の1公転したときにはちょうど4分の1自転しており、右図で示すとおりいつも地球からは月の同じ側しか見ることができない。正しい。

2　月食は、地球の陰に月がはいることによってできるもので、太陽－地球－月の順に一直線上に並んだときに起きる。

3　月は、太陽と同じ方向にあるときは、陰の部分が地球側を向くので、新月（＝月が見えない）になる。太陽と正反対の位置では満月となる。

4　月は地球の回りを公転するだけなので、月が太陽のまわりを一周するためには地球自体が太陽の回りを一周する必要があり、1年かかることとなる。これに対して、月の満ち欠けは約1ヶ月の周期で進む。

5　月が満月か新月のときは、地球・月・太陽が一直線上に位置するため、太陽と月の引力が合わさって大潮となる。上弦と下弦の時は太陽と月が90°の角をなして位置することになり、太陽と月の引力の影響が互いに打ち消されて小潮となる。

Ⅳ－3　気　　象

［218］正答2

1　紫外線は、成層圏にあるオゾン層でさえぎられるので、対流圏にはわずかしか届かない。

2　温度変化は、対流圏・成層圏・中間圏・熱圏と、高度が増すにしたがって交互に温度が下降・上昇を繰り返すパターンとなっている。（厳密にいえば、成層圏は下層は一定で上層部で温度が上昇する）　正しい。

3　対流圏は地表から高さ約10 kmまで、成層圏は50 kmまで、中間圏は80 kmまで、熱圏はだいたい数百 kmまでをいう。全部細かく覚える必要はないが、対流圏の高さは知っておこう。

4　対流圏では対流によって、さまざまな気象変化が生じている。

5　大気の分子が電離してイオンと電子とに分かれている層を電離層といい、熱圏に存在している。

［219］正答1

A　正しい。

B　正しい。

C　オーロラは熱圏で見られるものなので、中間圏の説明として誤りとわかる。参考までに記すと、オーロラは太陽風が大気の粒子と衝突して発光したものと考えられている。
D　熱圏は、高度が上がるに従って高温となる。

［220］正答5
1　地表付近の大気に最も多く含まれるのは窒素である。
2　ほとんど意味不明の説明である。上空ほど大気が薄く（気圧が低く）なっていることは、常識的にわかるだろう。
3　標高の低い場所の方が気温は高い。夏でも高い山の山頂には雪が残っている（＝気温が低い）ことから、誤りとすぐにわかるだろう。
4　オゾン層が位置しているのは、成層圏である。また、地球温暖化の原因となっているのは、二酸化炭素濃度の上昇である。
5　太陽放射と地球放射はつり合っているため、大気の平均温度は安定している。正しい。

［221］正答2
1　太陽放射は、主に可視光線からなる。
2　太陽放射のうち、地表に直接吸収されるのは約50%である。正しい。熱収支はいろいろ数値が出てくるので面倒だが、この数値は覚えておきたい。
3　温暖化が進んでいる主な原因は、二酸化炭素濃度の増加である。
4　地表が受ける太陽放射のエネルギーは、高緯度地方（極付近）のほうが低緯度地方（赤道付近）より少ない。
5　森林では、太陽放射のエネルギーは植物に吸収されて光合成に使われるため、単純に反射される割合は低くなる。

［222］正答3
ア　露点は、含まれている水蒸気量によって決まり、現在の気温は関係ないので、正しい。（詳しくはまとめにある図を見て考えて欲しい。たとえば、含まれている水蒸気量は9 g/m^3 であれば、今の気温が30℃であれ17℃であれ露点は10℃である）
イ　気温が下がると、飽和水蒸気量は少なくなる。
ウ　気温が下がると、湿度を求める式の分母（飽和水蒸気量）が小さくなるので分子（実際に含まれる水蒸気量）が変化しなくとも、計算上、湿度は高くなる。

［223］正答4
ア　A市は9.82 hPa、B市は21.2 hPaなので、A市の方が水蒸気圧（水蒸気量）が少ない。水蒸気量は質量で、水蒸気圧は気圧（分圧）で、それぞれ空気中の水蒸気の量を表したものである。示している量の意味は同じである。
イ　露点は水蒸気量が多い方が高くなるので、A市の方が低い。
ウ　湿度はそれぞれ以下のように求められる。（ここでは水蒸気量ではなく、水蒸気圧で求めた。式の形は同じ）　大小比較なので概数で計算すればよい。

A市の湿度　$\dfrac{9.82\ \text{hPa}}{12.28\ \text{hPa}} \times 100 \fallingdotseq \dfrac{3}{4} \times 100 = 75\,\%$

B市の湿度　$\dfrac{21.2\ \text{hPa}}{42.43\ \text{hPa}} \times 100 \fallingdotseq \dfrac{1}{2} \times 100 = 50\,\%$

[224] 正答2
1 温帯低気圧は、東側に温暖前線、西側に寒冷前線を伴っている。(設問文には我が国とあるので、北半球に限定して考えてよい)
2 正しい。
3 寒冷前線の通過後は、気温が下降する。
4 温暖前線は、寒気の上に暖気が乗った形で、乱層雲を伴いゆるやかな長雨に見舞われる。
5 寒冷前線が温暖前線に追いつくと閉塞前線となる。秋雨前線や梅雨前線は、停滞前線である。

[225] 正答3
X地点に近づいているのは寒冷前線であるから、断面図は冷たい空気が暖かい空気の下にもぐり込んだ形のイとなる。寒冷前線はちょうど前線上が降雨域となるので、このあと雨が降り気温が下がる。また伴う雲は、積乱雲である。

[226] 正答2
温帯低気圧は寒冷前線と温暖前線を伴っているが、熱帯低気圧は前線を伴わない。ただし天気図上では、小さい低気圧は前線を省略してあるので、前線が描かれていない低気圧がすべて熱帯低気圧というわけではないことに注意する。

[227] 正答2
A 春と秋にみられ、大陸から東進してくるとあるので、揚子江気団とわかる。
B 初夏の梅雨前線の成因となる気団のひとつであるから、オホーツク海気団とわかる。
C 冬に発達するとあるので、シベリア気団とわかる。
D 夏に発達するとあるので、小笠原気団(北太平洋気団)とわかる。

[228] 正答4
A 冬は、シベリア高気圧が西高東低の気圧配置をつくる。
D 春には、移動性高気圧と低気圧が交互に西から日本を通過し、変わりやすい天気となる。
B 梅雨の時期には、オホーツク海高気圧と小笠原高気圧の間に停滞前線(梅雨前線)が生じ長雨が降る。
C 夏には、小笠原高気圧が南高北低の気圧配置をつくる。
E 秋には、小笠原高気圧が南に後退し、再び停滞前線が生じて秋雨となる。

[229] 正答4
フェーン現象とは、湿った空気が山ごえをすると高温で乾燥した空気になることをいう。日本海側で低気圧が発達し、それに向けて太平洋側から湿った空気が山脈を越えて日本海側に吹き下りたときによく見られる。

[230] 正答3
大陸に1032 hPaのシベリア高気圧が、千島列島に980 hPaの低気圧があり、典型的な西高東低の冬の気圧配置となっている。関東の天気記号は、◯で快晴であり、風向は西の風であるから、選択肢から答えは3とわかる。
なお、カムチャッカ半島沖とは、千島列島の北東部の、低気圧の中心部から閉塞前線がのびているあたりになる。

[231] 正答4

A　大陸に高気圧、海洋に低気圧があって、日本付近に縦じまの等圧線が入った、西高東低の典型的な冬の天気図である。

B　等圧線から季節を読み取るのは難しいが、サハリンに⊗（雪）の記号があるので少なくとも夏ではないだろう。

C　海洋に高気圧があり、大陸に低気圧があって、日本付近に横じまのゆるやかな等圧線が入っているので、南高北低の夏の天気図と思われる。

天気図の問題は、冬、梅雨・秋雨の2つがわかるようにしておく。これ以外はわかりにくいので、出題されない。（または、他の要素で消せるようにつくってある）